W0030080

Les secrets de la femme de ménage

DE LA MÊME AUTRICE
AUX ÉDITIONS J'AI LU

La femme de ménage, City Éditions, 2023 ; J'ai lu, 2023.

FREIDA
McFADDEN

Les secrets de la femme de ménage

ROMAN

Traduit de l'anglais
par Karine Forestier

TITRE ORIGINAL
The Housemaid's Secret

ÉDITEUR ORIGINAL
Storyfire Ltd, une marque de Bookouture, Grande-Bretagne

Prologue

Ce soir, on va m'assassiner.

Un éclair, autour de moi, illumine la pièce de vie de la petite cabane où je passe la nuit, et où ma vie va bientôt prendre fin brutalement. Je distingue à peine les lattes du parquet et, l'espace d'une fraction de seconde, j'imagine mon corps gisant sur ces planches, le cercle irrégulier d'une flaque rouge qui s'étale sous moi et s'infiltre dans le bois. Mes yeux écarquillés qui fixent le vide. Ma bouche légèrement entrouverte, un filet de sang jusqu'à mon menton.

Non. Non.

Pas ce soir.

Quand le noir revient dans la cabane, je tâtonne devant moi, m'éloignant à l'aveuglette du confort du canapé. La tempête fait rage, mais pas au point de couper l'électricité. Non, ça, c'est l'œuvre d'un être humain. Quelqu'un qui a déjà pris une vie ce soir et qui s'attend à ce que je sois sa prochaine victime.

Tout a commencé par un simple boulot de ménage. Et maintenant, ça pourrait se terminer avec mon sang à éponger sur le plancher de la cabane.

J'attends qu'un autre éclair me montre le chemin, puis je me dirige prudemment vers la cuisine. Je n'ai pas de plan précis en tête, je sais juste qu'à la cuisine je trouverai des armes potentielles. Il y a un bloc entier de couteaux là-dedans, mais à supposer qu'ils soient inaccessibles, une fourchette pourrait servir. À mains nues, impossible. Avec un couteau, mes chances pourraient être légèrement meilleures.

La cuisine jouit de grandes baies vitrées qui en font un lieu plus clair que le reste du chalet. Mes pupilles se dilatent, cherchant à en apercevoir le plus possible. Je me dirige en titubant vers le plan de travail, mais au bout de trois pas sur le linoléum, mes pieds se dérobent sous moi et je tombe lourdement au sol, heurtant mon coude assez fort pour en avoir les larmes aux yeux.

Même si, pour être honnête, j'avais déjà les larmes aux yeux.

Alors que j'essaie tant bien que mal de me relever, je me rends compte que le sol de la cuisine est mouillé. Nouvel éclair : je regarde mes paumes. Elles sont toutes les deux cramoisies. Je n'ai pas glissé dans une flaque d'eau ou de lait renversé.

J'ai glissé sur du sang.

Je reste un moment sans bouger, à tester chaque partie de mon corps. Rien ne me fait mal. Rien ne me manque. Autrement dit, ce sang n'est pas le mien.

Pas encore, en tout cas.

Bouge. Bouge maintenant. C'est ta seule chance.

Cette fois, je réussis à me mettre debout. J'atteins le plan de travail de la cuisine, pousse un soupir de soulagement lorsque mes doigts entrent en contact avec la surface dure et froide. Je cherche à tâtons le bloc de couteaux, mais impossible de le trouver. Où est-il ?

Et puis j'entends des pas qui se rapprochent. Il est difficile de se forger une idée nette, surtout dans le noir comme ça, mais je dirais de façon quasi certaine qu'il y a maintenant quelqu'un dans la cuisine avec moi. Tous les petits poils de mon cou se hérissent lorsqu'une paire d'yeux me transperce.

Oui, quelqu'un est bien là.

Le cœur me tombe au fond du ventre. J'ai commis une erreur de jugement incroyable. J'ai sous-estimé une personne extrêmement dangereuse.

Et maintenant, je vais en payer le prix ultime.

PARTIE I

1

Millie

Trois mois plus tôt

Après une heure de récurage, la cuisine d'Amber Degraw est quasi immaculée.

Étant donné que, d'après ce que j'en vois, Amber prend presque tous ses repas dans des restaurants du quartier, j'ai l'impression que mes efforts sont un peu vains. Si je devais parier, je dirais qu'elle ne sait même pas allumer son four ultra-sophistiqué. Elle a une belle, une immense cuisine équipée d'un tas d'appareils qu'elle n'a pas dû utiliser une seule fois, je suis prête à en mettre ma main à couper. Elle a un multicuiseur Instant Pot, un rice cooker, une friteuse Air Fryer et même un truc qui s'appelle un *déshydrateur*. Il semble quelque peu contradictoire qu'une personne utilisant huit types de crème hydratante différents possède également un déshydrateur, mais qui suis-je pour juger ?

Oui, bon, d'accord, je juge un peu.

Quoi qu'il en soit, j'ai soigneusement essuyé chacun de ces appareils inutilisés, nettoyé le réfrigérateur, rangé plusieurs douzaines de plats et passé la serpillière tant et si bien que le sol est assez brillant pour que j'y voie mon reflet. Maintenant, il ne me reste plus qu'à lancer la dernière lessive et le loft des Degraw sera propre comme un sou neuf.

— Millie ! Millie, mais où êtes-vous ?

C'est la voix essoufflée d'Amber, qui me parvient jusque dans la cuisine. Du revers de la main, j'essuie quelques gouttes de sueur à mon front.

— Par ici ! je réponds.

Même si l'endroit où je peux bien me trouver coule un peu de source. L'appartement – résultat de la réunion de deux anciens appartements adjacents – est grand, mais pas à ce point. Si je ne suis pas dans le salon, il y a toutes les chances pour que je m'active dans la cuisine.

Amber y entre, élégance impeccable dans l'une de ses très, très nombreuses robes de créateur. Celle-ci est imprimée de motifs zébrés, avec un décolleté en V plongeant et des manches qui s'effilent jusqu'à ses poignets menus. Elle l'a associée à des bottes zébrées assorties et, bien qu'elle soit aussi douloureusement belle qu'à son habitude, je ne sais trop si je dois la complimenter sur sa tenue ou partir la chasser en safari.

— Vous voilà ! lance-t-elle avec une pointe d'accusation dans la voix, comme si je n'étais pas précisément là où je suis censée être.

— Je termine juste. Je m'occupe du linge et...

— En fait, m'interrompt Amber, je vais avoir besoin que vous restiez.

Je grimace intérieurement. Je fais le ménage pour Amber deux fois par semaine, mais je lui rends aussi d'autres menus services, notamment en baby-sittant sa fille de neuf mois, Olive. J'essaie d'être flexible, vu que le salaire est mirobolant, mais m'avertir assez tôt n'est pas son fort. J'ai l'impression que chaque fois que je garde sa fille ici, elle me sort le couplet de la nécessité absolue. Et apparemment, je n'ai besoin d'en être mise au courant que vingt minutes avant.

— J'ai pédicure, m'annonce-t-elle, aussi gravement que si elle m'informait devoir se rendre à l'hôpital pour une opération du cœur. Je voudrais que vous gardiez un œil sur Olive pendant mon absence.

Olive est une gentille petite fille. Ça ne me dérange absolument pas de la garder, en général. En fait, la plupart du temps je sauterais sur l'occasion de gagner un peu d'argent, vu le taux horaire exorbitant que me paie Amber, car il me permet de conserver un toit au-dessus de ma tête et de manger de la nourriture qui n'est pas récupérée dans une poubelle. Mais là, en l'occurrence, je ne peux pas.

— J'ai cours dans une heure.

— Ah…

Amber fronce les sourcils, puis se recompose rapidement un visage neutre. Elle m'a dit, lors de mon dernier passage ici, qu'elle avait lu un article selon lequel les sourires et les froncements de sourcils étaient les principales causes des rides, alors elle essaie d'adopter une expression aussi neutre que possible à tout moment.

— Et vous ne pouvez pas sauter le cours ? Ils ne fournissent pas d'enregistrements des cours magistraux ? Ou bien une transcription écrite que vous pourriez récupérer ?

Non, ils ne font pas ça. De plus, j'ai raté deux cours, ces deux dernières semaines, à cause des baby-sittings de dernière minute qu'elle m'a demandés. Comme j'essaie de décrocher mon diplôme universitaire, il me faut une note correcte dans cette matière. Et puis, de toute façon, j'aime bien ce cours. La psychologie sociale, je trouve la discipline amusante et intéressante. Et une bonne note est cruciale pour l'obtention de mon diplôme.

— Je ne vous le demanderais pas si ce n'était pas important, insiste Amber.

Sa définition de l'« important » peut différer de la mienne. Pour moi, l'« important », c'est d'être diplômée de l'université et d'obtenir le concours de travailleur social. Je ne vois pas comment une pédicure pourrait être aussi importante. Non, c'est vrai, quoi, on est à la fin de l'hiver. Qui va les voir, ses pieds ?

— Amber… je commence.

Comme par hasard, des pleurs aigus nous parviennent du salon. Même si je ne m'occupe pas officiellement d'Olive en ce moment, je garde en général un œil sur elle quand je suis là. Amber emmène sa fille dans une garderie trois fois par semaine avec ses amies, et le reste du temps, on dirait qu'elle cherche tous les moyens de se débarrasser d'elle. Elle s'est plainte auprès de moi que M. Degraw ne lui permettait pas d'embaucher une nounou à plein temps, au motif qu'elle ne travaille pas elle-même. Elle se débrouille donc pour la faire garder en accumulant les baby-sitters – enfin, surtout moi. Bref, Olive était dans son parc quand j'ai commencé le ménage et je suis restée dans le salon avec elle jusqu'à ce que le ronronnement de l'aspirateur l'endorme.

— Millie... reprend Amber d'un ton de reproche.

Avec un soupir, je repose l'éponge. J'ai l'impression qu'on me l'a greffée à la paume, ces derniers temps. Je me rince les mains au robinet, puis je les essuie sur mon jean.

— J'arrive, Olive ! je crie.

Lorsque j'entre dans le salon, la petite s'est hissée au bord du parc et elle pleure avec un tel désespoir que son petit visage rond est devenu rouge vif. Olive est le genre de bébé que l'on pourrait voir sur la couverture d'un magazine de puériculture, tellement elle est belle : le parfait petit chérubin, avec ses douces boucles blondes qui sont maintenant écrasées du côté gauche de sa tête à cause de sa sieste. Bon, là, elle n'est pas aussi chérubine que d'habitude. Dès qu'elle me voit, elle lève les bras et ses sanglots se calment.

Je tends les mains dans le parc et la soulève. Elle enfouit son petit visage mouillé dans le creux de mon épaule et, d'un coup, je me sens moins mal à l'idée de manquer mon cours en cas de nécessité. Je ne sais pas d'où ça vient, mais à la seconde où j'ai eu trente ans, c'est comme si un interrupteur s'était actionné en moi pour me faire considérer les bébés comme la chose la plus adorable de tout l'univers. J'adore passer du temps avec Olive, même si ce n'est pas mon bébé à moi.

— J'apprécie beaucoup, Millie. Et croyez-moi, mes orteils vous remercient.

Amber est déjà en train d'attraper son manteau et son sac Gucci sur le portemanteau à côté de la porte.

Ouais, ouais.

— Vous revenez à quelle heure ?

— Je ne serai pas absente trop longtemps, m'assure-t-elle, ce qui, nous le savons toutes les deux, est un mensonge éhonté. Après tout, je sais que je vais manquer à ma petite princesse !

— Bien sûr, je murmure.

Pendant qu'Amber fouille dans son sac en quête de ses clés, son téléphone ou son poudrier, Olive se blottit un peu plus contre moi. Elle soulève son petit visage rond et me sourit, dévoilant ses quatre quenottes blanches.

— Ma-ma, articule-t-elle.

Amber se fige, la main toujours dans son sac à main. Soudain, le temps semble s'être arrêté.

— Qu'est-ce qu'elle a dit ?

Aïe.

— Elle a dit… Millie ?

Ignorant le trouble qu'elle vient d'éveiller, Olive me sourit de nouveau et babille, plus fort cette fois :

— Mama !

Le visage d'Amber vire au rose sous son fond de teint.

— Est-ce qu'elle vient de vous appeler « maman » ?

— Non…

— Mama ! crie joyeusement la petite.

Oh, mon Dieu, tu vas te taire, gamine ?

Amber jette son sac à main sur la table basse, le visage tordu par la colère, masque féroce qui va certainement provoquer de vilaines rides.

— Est-ce que vous dites à Olive que vous êtes sa mère ?

— Non ! je m'écrie. Je lui dis que je suis Millie. *Millie*. Elle doit faire la confusion, d'autant que c'est moi qui…

Ses yeux s'arrondissent.

— Quoi ? Vous êtes plus souvent avec elle que moi ? C'est ce que vous alliez prétendre ?

— Non ! Bien sûr que non !

— Vous sous-entendez que je suis une mauvaise mère ? crie Amber en faisant un pas vers moi. (Olive semble effarée.) Vous pensez être meilleure mère que moi pour ma petite fille ?

— Non ! Jamais…

— Alors pourquoi lui dites-vous que vous êtes sa mère ?

— Je ne fais pas ça ! (Ma paie exorbitante de baby-sitter est en train de s'en aller aux égouts.) Je vous le jure. « Millie ». C'est tout ce que je lui dis. Ça ressemble à « maman », voilà tout. Ça commence pareil.

Amber prend une profonde inspiration, comme pour se calmer. Puis elle avance d'un pas supplémentaire vers moi.

— Donnez-moi mon bébé.

— Bien sûr…

Mais Olive ne nous facilite pas la tâche. Lorsqu'elle voit sa mère s'approcher d'elle, les bras tendus, elle se cramponne un peu plus à mon cou, y enfouit le visage et sanglote :

— Mama !

— Olive, je marmonne. Je ne suis pas ta maman. La voilà, ta maman.

Qui est sur le point de me virer si tu ne me lâches pas.

— C'est tellement injuste ! s'écrie Amber. Je l'ai allaitée pendant plus d'une semaine ! Ça ne compte donc pour rien ?

— Je suis désolée…

Amber finit par m'arracher Olive des bras malgré ses pleurs, ou plutôt ses braillements, maintenant.

— Mama ! hurle-t-elle en me tendant ses bras potelés.

— Ce n'est pas ta maman ! la gronde Amber. C'est moi, ta maman. Tu veux voir mes vergetures ? Cette femme n'est PAS ta mère.

— Mama !

— Millie, je la corrige. Mil-lie.

Mais quelle différence ? Elle n'a pas besoin de connaître mon nom. Parce qu'à partir d'aujourd'hui je ne serai plus jamais autorisée à entrer dans cette maison. Je suis virée de chez virée.

2

Durant le trajet à pied de la gare à mon studio situé dans le sud du Bronx, je garde un bras fermement serré autour de mon sac à main, l'autre main cramponnant la bombe lacrymogène dans ma poche. On a beau être en plein jour, on n'est jamais trop prudent dans ce quartier.

Aujourd'hui, je me sens pourtant chanceuse d'avoir un petit appartement, même au milieu de l'un des quartiers les plus dangereux de New York. Si je ne trouve pas rapidement un autre emploi pour remplacer le revenu que je viens de perdre après qu'Amber Degraw m'a licenciée (sans proposer de m'écrire aucune lettre de recommandation), le mieux que je pourrai espérer se résumera à un carton dans la rue devant l'immeuble en brique décrépit où je vis actuellement.

Si je n'avais pas décidé d'aller à l'université, j'aurais peut-être un peu d'argent de côté, à ce stade. Mais comme une crétine, j'ai choisi d'essayer de gravir quelques échelons de l'échelle sociale.

Alors que je longe le dernier pâté d'immeubles jusqu'au mien, en baskets dans la neige fondue du trottoir, j'ai la sensation que quelqu'un me suit. Bien sûr, je suis toujours en alerte, par ici. Mais il y a des fois où j'ai la forte impression d'avoir attiré l'attention – au mauvais sens du terme.

Comme en ce moment. En plus d'un picotement dans la nuque, j'entends des pas derrière moi. Leur bruit semble devenir de plus en plus fort. La personne qui est derrière moi se rapproche.

Pourtant, je ne me retourne pas. Je me contente de resserrer plus fort mon manteau noir tout simple et de presser le pas ; je dépasse une Mazda noire dont le phare droit est cassé, une borne d'incendie rouge, qui laisse échapper de l'eau dans toute la rue, et je monte les cinq marches en béton irrégulier qui mènent à la porte de mon immeuble.

J'ai mes clés prêtes. Contrairement à l'immeuble chic de l'Upper West Side qu'habitent les Degraw, le mien n'a pas de portier. Il y a un interphone et une clé pour ouvrir la porte. Quand la propriétaire, Mme Randall, m'a loué l'appartement, elle y est allée de son sermon sévère : surtout ne laisser entrer personne derrière soi, c'est le meilleur moyen de se faire voler ou violer.

Tandis que j'insère la clé dans la serrure, toujours à moitié bloquée, le bruit de pas reprend, de plus en plus fort. Une seconde plus tard, une ombre se profile au-dessus de moi, que je ne peux plus ignorer. Je lève les yeux et identifie un homme, dans la vingtaine, vêtu d'un trench noir, les cheveux bruns légèrement humides. Il me semble vaguement le reconnaître, surtout la cicatrice au-dessus de son sourcil gauche.

— J'habite au deuxième étage, me rappelle-t-il en voyant l'hésitation dans mon expression. 2-C.

— Oh...

N'empêche, je ne suis pas ravie de le laisser entrer.

L'homme sort un trousseau de clés de sa poche et me les agite devant la figure. L'une d'entre elles est identique à la mienne.

— 2-C, répète-t-il. Juste en dessous de vous.

Je finis par céder et j'entre pour permettre à l'homme à la cicatrice au-dessus du sourcil gauche de pénétrer dans mon immeuble, sachant que, de toute façon, il peut facilement entrer par la force s'il veut. J'ouvre la marche dans l'escalier, dont je gravis lentement les degrés un à un, tout en me demandant comment je vais bien pouvoir payer le loyer le mois prochain. Il me faut un nouveau travail, et tout de suite. J'ai eu un job à mi-temps comme barmaid pendant un petit moment, que j'ai bêtement abandonné parce que baby-sitter Olive payait beaucoup mieux et que les demandes de dernière minute d'Amber m'empêchaient de jongler avec le second emploi. Or ce n'est pas comme si c'était facile pour quelqu'un comme moi de trouver un autre boulot. Pas avec mon histoire.

— On a du beau temps, commente l'homme à la cicatrice au-dessus du sourcil gauche, qui monte une marche derrière moi dans l'escalier.

— Hum, hum.

La dernière chose dont j'aie envie, c'est de parler de la météo, là tout de suite.

— J'ai entendu dire qu'il allait encore neiger la semaine prochaine, ajoute-t-il.

— Ah ?

— Oui. Ils en annoncent plus de vingt centimètres. Le bouquet final avant le printemps.

Je ne peux même plus essayer de feindre l'intérêt. Quand nous arrivons au deuxième étage, l'homme me sourit.

— Passez une bonne journée.

— Vous aussi, je marmonne.

Alors qu'il s'engage dans le couloir vers son appartement, je repense malgré moi à ce qu'il m'a dit quand je l'ai laissé entrer : « 2-C. Juste en dessous de vous. »

Comment sait-il que j'habite au 3-C ?

Je grimace et reprends un peu plus vite l'escalier jusqu'à mon propre appartement. Là encore, j'ai les clés sous la main et, sitôt que je suis à l'intérieur, je claque la porte derrière moi, je tourne la serrure et j'enclenche le pêne dormant. J'accorde sans doute un peu trop d'attention à son commentaire, mais on n'est jamais trop prudent. Surtout quand on vit dans le sud du Bronx.

Mon ventre gargouille, mais plus encore que de manger, j'ai envie d'une douche bien chaude. Je m'assure que les stores sont tirés, avant de me déshabiller et de sauter dans la douche. Je sais par expérience que l'eau peut jaillir soit bouillante, soit glacée. Depuis que je vis ici, je suis devenue experte en réglage de la température. Cependant, comme elle peut chuter ou monter de cinq bons degrés en une fraction de seconde, je ne m'attarde pas trop. Je ressens juste le besoin de débarrasser un peu mon corps de la crasse de la journée, que j'ai passée à arpenter la ville à pied, si bien que ma peau est couverte d'une couche de poussière noire. Je n'ose même pas imaginer à quoi doivent ressembler mes poumons.

Je n'arrive pas à croire que j'ai perdu ce travail. Amber s'appuyait tellement sur moi que je pensais garder cette place au moins jusqu'à ce qu'Olive aille à l'école maternelle, voire plus. Je commençais presque à me sentir à l'aise, comme quand on a un emploi stable et un revenu sur lequel compter.

Maintenant, je dois chercher un autre job. Peut-être plusieurs autres pour remplacer celui-là. Et ce n'est pas aussi facile pour moi que pour la plupart des gens. Ce n'est pas comme si je pouvais mettre une annonce sur les applications habituelles de garde d'enfants, car elles exigent toutes une vérification des antécédents. Et dès que cette étape arrive, les perspectives d'emploi s'envolent pour moi. Personne ne veut de quelqu'un dans mon genre pour travailler chez lui.

Du coup, je suis un peu à court de références. Parce que pendant un certain temps, les emplois de ménage que j'ai pris ne se cantonnaient pas exactement au ménage. J'ai rendu un autre type de service, pour plusieurs des familles chez lesquelles je faisais le ménage. Mais j'ai arrêté. Depuis des années.

Bon, ça ne sert à rien de ressasser le passé. Pas quand l'avenir s'annonce si sombre.

Arrête de t'apitoyer sur ton sort, Millie. Tu as été dans des situations pires que celle-ci et tu t'en es sortie.

La température de la douche chute brusquement, et je pousse un cri malgré moi. Je m'empresse de couper l'eau. J'ai eu droit à dix bonnes minutes. Mieux que ce que j'attendais, finalement.

Je m'enroule dans mon peignoir en éponge, sans m'embarrasser d'une paire de pantoufles. Je sème de petites traces de pieds mouillés jusqu'à la cuisine, qui n'est qu'un recoin du salon. Dans le super appartement des Degraw, la cuisine, le salon et la salle à manger étaient des espaces séparés. Mais ici, ils ont tous fusionné en une seule pièce polyvalente et il se trouve, ironiquement, que cet espace est aussi beaucoup plus petit que chacune des pièces Degraw prise séparément. Même leur salle de bains est plus grande que mon espace de vie.

Je mets une casserole d'eau à chauffer sur la cuisinière. Je ne sais pas encore ce que je vais me préparer à dîner, mais le festin requerra probablement de faire bouillir des nouilles d'une forme ou d'une autre, ramen, spaghetti ou spirales. Je suis en train de passer en revue mes options quand j'entends frapper à la porte.

J'hésite, resserrant la ceinture de mon peignoir autour de ma taille. Je sors une boîte de spaghettis du placard.

— Millie ! m'appelle une voix étouffée derrière la porte. Laisse-moi entrer, Millie !

Je grimace. Oh non.

Puis :

— Je sais que tu es là !

3

Je ne peux plus faire comme si personne ne frappait à la porte.

Mes pieds laissent leur série d'empreintes humides derrière moi pendant que je traverse les quelques mètres qui m'en séparent. J'approche l'œil du judas. Un homme se tient devant ma porte, les bras croisés sur les poches de poitrine de son costume Brooks Brothers.

— Millie. Laisse-moi entrer. Maintenant.

Sa voix est devenue un grognement. Je recule d'un pas, reste quelques secondes le bout des doigts pressé contre mes tempes, mais c'est inévitable, je dois le laisser entrer. Alors je tends la main, j'ouvre le verrou, je tourne la serrure et j'entrouvre la porte avec précaution.

— Millie.

Il pousse la porte, l'ouvre en entier et s'insinue chez moi, puis m'attrape par le bras.

— Qu'est-ce que tu fiches ? s'insurge-t-il.

Mes épaules s'affaissent.

— Désolée, Brock.

Brock Cunningham, avec qui je sors depuis six mois, me lance un regard noir.

— On avait prévu de sortir dîner ce soir. Non seulement tu ne viens pas, mais tu ne réponds à aucun de mes messages et tu ne décroches pas ton téléphone.

Il a raison sur tous les points. Je mérite le titre de pire petite amie de tous les temps. Brock et moi étions censés nous retrouver dans un restaurant de Chelsea après mes cours de la journée, mais vu qu'Amber m'a virée, j'ai eu toutes les peines du monde à me concentrer sur mes cours et je n'avais vraiment aucune envie de sortir dîner. Je suis donc rentrée directement chez moi. Seulement voilà, je savais que si j'appelais Brock pour lui annoncer le programme, il se sentirait obligé d'insister et, en tant qu'avocat, il est super convaincant. J'avais donc prévu de lui envoyer un SMS pour annuler, mais je n'ai pas arrêté de remettre à plus tard. Et puis, occupée à m'apitoyer sur mon sort comme je l'étais, j'ai fini par oublier complètement.

Je vous l'ai dit : la pire petite amie du monde.

— Je suis désolée, je lui répète.

— J'étais inquiet pour toi. Je craignais qu'il ne te soit arrivé quelque chose d'horrible.

— Pourquoi ?

Une sirène assourdissante retentit juste devant la fenêtre, et Brock me regarde comme si je venais de poser une question complètement stupide. Je ressens une pointe de culpabilité. Il avait probablement une tonne de choses à faire ce soir, et non seulement je l'ai obligé à m'attendre au restaurant comme un idiot mais, maintenant, il a gaspillé le reste de sa soirée à se traîner jusqu'au fin fond du Bronx pour s'assurer que je vais bien.

Je lui dois au minimum une explication.

— Amber Degraw m'a virée, je lui avoue. Donc, pour te la faire simple, je suis foutue.

Il hausse les sourcils. Brock a les sourcils les plus parfaits que j'aie jamais vus sur un homme, et je suis convaincue qu'il se les fait épiler par un professionnel, même s'il ne l'admettra jamais.

— Ah bon ? Pourquoi est-ce qu'elle t'a renvoyée ? Tu disais qu'elle ne pouvait pas se passer de toi. Qu'en gros c'était plus ou moins toi qui élevais son enfant.

— Exactement. Et son enfant, justement, n'arrêtait pas de m'appeler « maman », alors Amber a piqué une crise.

Brock me dévisage un moment, puis, réaction inattendue, il éclate de rire. D'abord, je suis vexée. Je viens de perdre mon travail. Il ne comprend donc pas que c'est super merdique pour moi ?

Et puis, une seconde plus tard, je me retrouve à rire aussi. La tête renversée en arrière, je ris en songeant au ridicule de la situation. La petite Olive, en sanglots et cramponnée à moi, et Amber qui crisait de plus en plus, chaque fois que sa fille répétait « mama ». À la fin, j'en étais sérieusement arrivée à redouter qu'elle ne fasse un anévrisme cérébral.

Après une minute de fou rire, nous sommes tous les deux en train de nous essuyer les yeux. Brock m'entoure de ses bras et m'attire contre lui. Il n'est plus en colère pour le lapin que je lui ai posé. Brock ne se met pas facilement en colère. La plupart des gens compteraient sa tempérance parmi ses qualités, même si, à certains moments, j'aimerais qu'il montre un peu plus de passion.

Quoi qu'il en soit, nous en sommes au meilleur stade de notre relation. Six mois. Y a-t-il un meilleur moment dans une relation que les six mois ? Franchement, je n'en sais rien, car ce n'est que la deuxième fois que j'atteins ce cap. N'empêche, il me semble que six mois, c'est le moment idéal : on est débarrassé de la gêne du début, mais on continue à se montrer sous son meilleur jour.

Par exemple, Brock est un bel avocat de trente-deux ans issu d'une famille aisée. Il a l'air en tout point parfait. Je suis sûre qu'il a de vilaines manies, mais je ne les connais pas. Peut-être qu'il cure le cérumen de son conduit auditif avec son auriculaire et essuie ensuite sa pêche miraculeuse sur le comptoir de la cuisine ou sur le canapé. Ou peut-être qu'il le mange, son cérumen. Je dis simplement qu'il peut avoir beaucoup de mauvaises habitudes dont je ne sais rien, même certaines qui n'ont rien à voir avec le cérumen, si ça se trouve.

Enfin, si, il a une imperfection. Sous ses airs de jeune homme costaud et son visage qui respire la santé, il a en fait un problème cardiaque qu'il a développé enfant. Mais ça ne semble pas l'affecter du tout. Il prend un cachet tous les jours et on dirait bien que ça suffit. Cela dit, ce cachet est assez important pour qu'il en garde un flacon de rechange dans mon armoire à pharmacie. Bref, sa maladie et l'incertitude qu'elle induit quant à son espérance de vie l'ont rendu un peu plus pressé de se caser que la plupart des hommes.

— Laisse-moi t'emmener dîner, insiste-t-il. Je veux te remonter le moral.

Je secoue la tête.

— Je préfère rester à la maison et m'apitoyer sur mon sort. Et puis peut-être chercher des boulots en ligne.

— Maintenant ? Tu viens de perdre ton travail, il y a tout juste quelques heures. Tu ne peux pas attendre au moins jusqu'à demain ?

Je le fusille du regard.

— Certains d'entre nous ont besoin d'argent pour payer leur loyer.

Il acquiesce lentement.

— D'accord, mais si tu n'avais pas à te soucier du loyer ?

J'ai le pressentiment désagréable de deviner où il veut en venir.

— Brock…

— Allez, pourquoi tu ne veux pas emménager avec moi, Millie ? (Il fronce les sourcils.) J'ai un appartement de deux chambres avec vue sur Central Park, dans un immeuble où tu ne te feras pas égorger pendant la nuit. Et puis, tu viens tout le temps, donc…

Ce n'est pas la première fois qu'il me propose d'emménager avec lui, et je ne peux pas dire que ses arguments ne sont pas convaincants. Chez Brock, je vivrais dans le grand luxe sans avoir à débourser un centime. Il ne me laisserait même pas contribuer si je le voulais. Je pourrais me concentrer sur l'obtention de mon diplôme universitaire, devenir travailleuse sociale et répandre le bien dans le monde. Présentée sous cet éclairage, cette solution est une évidence.

Pourtant, chaque fois que j'envisage d'accepter, une voix dans un coin de ma tête me crie : « Non, ne le fais pas ! »

Or cette voix dans ma tête est tout aussi persuasive que celle de Brock. Il y a beaucoup de raisons valables pour emménager avec lui. Seulement, il y a une bonne raison de ne pas le faire : il n'a aucune idée de celle que je suis vraiment. Même s'il mange vraiment son cérumen, mes secrets sont bien pires.

Me voici donc dans la relation la plus normale et la plus saine de toute ma vie d'adulte, et bien déterminée à tout faire foirer, apparemment. Le problème, c'est que je suis coincée. Si je lui avoue la vérité sur mon passé, il pourrait me quitter, et je ne le veux pas. Mais si je ne le lui dis pas…

D'une manière ou d'une autre, il va tout découvrir. Or je ne suis pas prête.

— Je suis désolée, je lui répète. Comme je te l'ai dit, j'ai besoin de mon propre espace en ce moment.

Brock ouvre la bouche pour protester, mais se ravise. Il me connaît assez bien pour savoir que je peux être têtue. Vous voyez ? Il est déjà en train de prendre conscience de certains de mes pires défauts.

— Promets-moi au moins que tu vas y réfléchir.

— Je vais y réfléchir, je lui mens.

4

J'ai mon dixième entretien d'embauche en trois semaines et je commence à stresser.

Je n'ai même plus assez d'argent sur mon compte en banque pour couvrir un mois de loyer. Je sais qu'on est censé avoir six mois d'avance en guise de matelas, pour le « au cas où », mais ça fonctionne mieux en théorie qu'en pratique. J'adorerais avoir un matelas de six mois à la banque. Bon sang, j'adorerais avoir deux mois d'avance. Au lieu de ça, j'ai moins de deux cents dollars.

Je ne sais pas quelles erreurs j'ai commises lors des neuf précédents entretiens pour des postes de ménage ou de baby-sitting. L'une des bonnes femmes m'a carrément assuré qu'elle avait l'intention de m'embaucher, pourtant une semaine s'est écoulée et je n'ai pas reçu la moindre nouvelle de sa part. Ni d'aucune des autres. J'en déduis qu'elles ont vérifié mes antécédents, et ça s'est arrêté là.

Si j'étais n'importe qui d'autre, je pourrais simplement m'inscrire dans une sorte de service de nettoyage à domicile et je n'aurais pas à passer par ce processus. Seulement, aucune de ces entreprises ne veut m'engager. J'ai essayé. Mes antécédents rendent la chose impossible – personne ne veut ouvrir les portes de sa maison à quelqu'un qui a un casier judiciaire. Voilà pourquoi j'en suis réduite à mettre des annonces en ligne en espérant un miracle.

Je n'ai pas beaucoup d'espoir non plus pour l'entretien d'aujourd'hui. Je dois rencontrer un certain Douglas Garrick, qui vit dans un immeuble de l'Upper West Side, juste à l'ouest de Central Park. C'est un de ces bâtiments gothiques dont on voit s'élever les mini-tours à l'horizon. On en ressort avec la vague sensation qu'on le verrait plutôt entouré de douves et gardé par un dragon, au lieu d'offrir une entrée directe depuis la rue.

Un portier aux cheveux blancs m'ouvre et me salue en effleurant sa casquette noire. Alors que je lui souris, j'ai de nouveau cette sensation de picotement dans la nuque. Comme si quelqu'un m'observait.

Depuis ce fameux soir où je suis rentrée chez moi après m'être fait virer, j'ai éprouvé plusieurs fois la même sensation. Qui n'a rien d'étonnant dans mon quartier du sud du Bronx, où il doit y avoir un agresseur à chaque coin de rue, prêt à bondir si vous avez l'air d'avoir un tant soit peu d'argent, mais pas ici. Pas dans l'un des quartiers les plus chics de Manhattan.

Avant d'entrer dans l'immeuble, je me retourne vivement pour regarder derrière moi. Il y a des dizaines de personnes dans la rue, mais aucune qui me prête attention. Les artères de Manhattan ne manquent pas d'originaux intéressants et je n'en fais pas partie. Il n'y a aucune raison pour que quelqu'un m'observe.

Puis je vois la voiture.

Une berline Mazda noire. Sans doute y en a-t-il des milliers, identiques, dans cette ville, et pourtant, en la regardant, j'ai une étrange impression de déjà-vu. Il me faut une seconde pour comprendre pourquoi : elle a le phare droit fendu. Je suis certaine d'avoir vu une Mazda noire avec le phare droit fendu garée près de mon immeuble dans le sud du Bronx.

Je me trompe ?

Je tente de voir à travers le pare-brise. La voiture est vide. Je baisse les yeux vers la plaque d'immatriculation. C'est une plaque de New York – rien de surprenant. Je prends quelques secondes pour mémoriser le numéro : 58F321. Il ne me dit rien du tout, cependant si je revois cette plaque, je m'en souviendrai.

— Mademoiselle ? lance le portier, me tirant de ma transe dans un sursaut. Vous entrez ?

— Oh. Oui. Oui, désolée.

Je toussote dans ma main et entre dans le hall du bâtiment. Au lieu d'être éclairé par des plafonniers, il l'est par des lustres et des appliques murales censées imiter des torches. Le plafond bas forme un dôme, et le tout me donne un peu l'impression d'entrer dans un tunnel. Des œuvres d'art ornent les murs, toutes probablement inestimables.

— À qui venez-vous rendre visite, mademoiselle ? me demande le portier.

— Aux Garrick. Appartement 20-A.

— Ah, fait-il avec un clin d'œil. Le penthouse…

Oh, super, une famille à penthouse. Pourquoi est-ce que je me donne seulement la peine de tenter ma chance ?

Une fois qu'il a appelé à l'étage pour confirmer mon rendez-vous, le portier doit entrer dans l'ascenseur et insérer une clé spéciale afin que je puisse monter au penthouse. Sitôt les portes de la cabine refermées, je me livre à un rapide examen de mon apparence. Je lisse mes cheveux blonds que j'ai ramenés en arrière en un chignon tout simple. Je porte mon plus beau pantalon noir et une veste de survêtement. Je m'apprête à ajuster mon soutien-gorge quand je remarque une caméra dans l'ascenseur. Je m'abstiens donc, préférant ne pas me donner en spectacle au portier.

Les portes de l'ascenseur s'ouvrent directement sur le vestibule du penthouse des Garrick. Je sors de la cabine en prenant une profonde inspiration qui me permet presque de sentir la richesse dans l'air ambiant. C'est un mélange d'eau de toilette onéreuse et de billets de cent dollars tout neufs. Je reste un moment dans l'entrée, ne sachant pas si je dois m'aventurer plus avant sans y avoir été formellement invitée. Je concentre donc toute mon attention sur un piédestal blanc où se dresse une statue grise – en tout et pour tout une grande pierre verticale lisse, du genre que l'on pourrait trouver dans n'importe quel parc de la ville. Et pourtant, elle vaut probablement plus que tout ce que j'ai jamais possédé au monde.

— Millie ? (J'entends la voix quelques secondes avant qu'un homme ne se matérialise dans le vestibule.) Millie Calloway ?

C'est M. Garrick qui m'a conviée à l'entretien d'aujourd'hui. Il est inhabituel d'être appelée par l'homme de la maison. Presque cent pour cent de mes précédents employeurs dans le secteur du nettoyage étaient des femmes. Mais M. Garrick semble impatient de m'accueillir. Il se précipite dans le vestibule, un sourire aux lèvres, la main déjà tendue.

— Monsieur Garrick ?

— S'il vous plaît, dit-il en glissant sa main puissante dans la mienne, appelez-moi Douglas.

Douglas Garrick ressemble exactement au genre d'homme que l'on s'imaginerait vivant dans un penthouse de l'Upper West Side. La petite quarantaine, beau dans le genre classique et ciselé, il porte un costume qui a l'air extrêmement cher et ses cheveux châtain foncé sont brillants, coupés et coiffés de façon experte. Ses yeux d'un marron profond luisent d'un éclat perspicace et établissent juste ce qu'il faut de contact visuel avec les miens.

— Ravie de vous rencontrer… Douglas.

Douglas Garrick se fend d'un sourire reconnaissant en me précédant jusqu'au vaste salon.

— Merci beaucoup d'être venue aujourd'hui. C'est ma femme, Wendy, qui s'occupe du ménage en général, elle met un point d'honneur à tout faire elle-même, seulement elle ne se sent pas très bien, alors j'ai insisté pour qu'elle accepte de l'aide.

Sa dernière déclaration me frappe par son étrangeté. Les femmes qui vivent dans d'immenses lofts comme celui-ci n'essaient pas, en règle générale, de « tout faire elles-mêmes ».

Non, les femmes de ce genre ont plutôt des domestiques pour leurs domestiques.

— Bien sûr, je réponds néanmoins. Vous disiez chercher quelqu'un pour la cuisine et le ménage… ?

Il acquiesce.

— Oui, tout ce qui est entretien d'un intérieur, comme le ménage, le rangement et la lessive aussi, bien sûr. Plus la préparation des repas quelques soirs par semaine. Pensez-vous que cela poserait un problème ?

— Pas du tout. (Je suis prête à accepter à peu près tout.) Je fais le ménage en appartement et en maison depuis de nombreuses années. Je peux apporter mes propres produits d'entretien et…

— Non, ce ne sera pas nécessaire, m'interrompt Douglas. Mon épouse… Wendy est très difficile en la matière. Elle est sensible aux odeurs, voyez-vous. Elles peuvent lui déclencher des allergies. Vous devrez utiliser nos produits de nettoyage bien particuliers, sinon…

— Absolument. Comme vous le souhaitez.

Ses épaules se détendent.

— Merveilleux. Et nous aurions besoin que vous commenciez tout de suite.

— Ce n'est pas un problème.

— Bien, bien. Parce que, poursuit Douglas avec un sourire contrit, comme vous pouvez le voir, cet endroit est un peu en désordre.

J'entre dans le salon et regarde autour de moi. Tout comme le reste du bâtiment, ce penthouse me donne l'impression d'avoir été transportée dans le passé. À part le magnifique canapé en cuir, la plupart des meubles ont dû être fabriqués il y a des centaines d'années, puis figés dans le temps pour être disposés spécialement dans ce salon. Si je m'y connaissais un peu plus en décoration intérieure, je saurais peut-être que la table basse a été sculptée à la main au début du XXe siècle ou que la bibliothèque, avec ses portes vitrées, date de… je ne sais pas, la période néoclassique française ou quelque chose comme ça. Tout ce que je peux dire avec certitude, en l'occurrence, c'est que chaque objet doit coûter une petite fortune.

Et je sais aussi autre chose : cet appartement n'est pas en désordre. C'est même le contraire du désordre. Si je devais commencer le ménage là, sur-le-champ, je ne saurais même pas quoi nettoyer. Il me faudrait un microscope pour débusquer un grain de poussière.

— Je ne vois aucun inconvénient à commencer quand vous voudrez, je lui indique prudemment.

Douglas hoche la tête en signe d'approbation.

— Fantastique. Je suis ravi de l'entendre. Veuillez donc vous asseoir, que nous puissions discuter un peu plus.

Je m'assieds à côté de Douglas, sur le canapé modulable, m'enfonçant profondément dans le cuir souple. Oh, bon Dieu, c'est la matière la plus agréable que j'aie jamais sentie contre ma peau ! Je pourrais quitter Brock et épouser ce canapé, tous mes désirs seraient comblés.

Douglas me dévisage de ses yeux enfoncés sous une paire d'épais sourcils brun foncé.

— Alors, parlez-moi de vous, Millie.

J'apprécie d'emblée qu'il n'y ait pas le moindre soupçon de flirt dans sa voix. Ses yeux restent respectueusement fixés sur les miens et n'en dérivent pas, ni vers mes seins, ni vers mes jambes. Je n'ai eu qu'une fois une aventure avec un de mes employeurs et je ne recommencerai jamais, jamais de la vie. Je préférerais m'arracher moi-même une dent avec une paire de pinces.

Je m'éclaircis la voix.

— Eh bien, je suis actuellement étudiante au centre universitaire. J'envisage de devenir assistante sociale, mais en attendant, je dois financer mes études.

Il sourit, dévoilant une rangée de dents blanches parfaitement alignées.

— C'est admirable. Et vous avez de l'expérience en cuisine ?

Je hoche la tête.

— J'ai cuisiné pour beaucoup de familles chez qui j'ai travaillé. Je ne suis pas cuisinière professionnelle, mais j'ai pris quelques cours. Je fais aussi... (Je jette un coup d'œil autour de moi, sans voir le moindre jouet ou signe de la présence d'un enfant ici.) Je fais du baby-sitting...

Douglas cille.

— Pas besoin de ça.

Je grimace, maudissant ma grande bouche. Il n'a jamais parlé de baby-sitting. Je viens probablement de le rappeler à d'horribles problèmes d'infertilité.

— Pardon.

Il hausse les épaules.

— Pas de souci. Que diriez-vous d'une visite des lieux ?

Le penthouse des Garrick mettrait l'appartement d'Amber à l'amende. En fait, cet endroit appartient à une tout autre catégorie. Le salon fait au moins la taille d'une piscine olympique, avec dans un angle un bar entouré d'une demi-douzaine de tabourets hauts vintage. Malgré le style désuet du salon, la cuisine est équipée d'appareils électroménagers dernier cri, y compris, je n'en doute pas, du meilleur déshydrateur du marché.

— Il devrait y avoir ici tout ce dont vous aurez besoin, me dit Douglas en balayant d'un geste ample le vaste espace de la cuisine.

— Ça m'a l'air parfait, oui.

En tout cas, je croise les doigts pour que le four ait été livré avec une sorte de manuel, histoire que je sache à quoi servent ses dizaines de boutons.

— Formidable, dit-il. Maintenant, laissez-moi vous montrer l'étage.

Un étage ?

Les appartements de Manhattan n'ont jamais deux niveaux. Et pourtant, apparemment, celui-là si. Douglas me le fait visiter, me conduisant dans au moins une demi-douzaine de chambres. La suite principale est si grande qu'il me faudrait presque une paire de jumelles pour voir le lit *king size* à l'autre bout. Il y a une pièce réservée aux livres, ce qui me rappelle vaguement la scène de *La Belle et la Bête* où Belle est emmenée dans la « pièce aux livres ». Une autre pièce semble constituée d'un mur couvert d'oreillers. Je suppose que c'est la pièce aux oreillers...

Après qu'il m'en a montré une qui contient ce qui doit être une cheminée artificielle, et dont un mur entier n'est rien d'autre qu'une immense baie vitrée avec vue imprenable sur New York, nous arrivons devant une ultime porte. Il hésite, le poing prêt à frapper.

— C'est notre chambre d'amis, me dit-il. Wendy s'est installée ici, le temps de se rétablir. Je devrais probablement la laisser se reposer.

— Je suis désolée d'apprendre que votre femme est souffrante.

— Elle est souffrante depuis pratiquement les débuts de notre mariage, explique-t-il. Elle souffre d'une… d'une maladie chronique. Elle a de bons et de mauvais jours. Parfois, elle est normale, d'autres jours, elle a du mal à sortir du lit. Et d'autres jours…

— Quoi ?

Il esquisse un sourire faiblard.

— Rien. De toute façon, si la porte est fermée, c'est qu'il faut la laisser tranquille. Elle a besoin de repos.

— Je comprends parfaitement.

Douglas reste un moment les yeux braqués sur la porte, visiblement troublé. Il effleure la paroi du bout des doigts, puis secoue la tête.

— Alors, Millie, reprend-il enfin, quand pouvez-vous commencer ?

5

— En 1964, une femme nommée Kitty Genovese a été assassinée. Kitty était une barmaid de vingt-huit ans. Elle a été violée et poignardée vers 3 heures du matin, à une cinquantaine de mètres de son appartement du Queens. Elle a appelé à l'aide, mais bien que plusieurs voisins aient entendu ses cris, personne n'est venu à son secours. Son agresseur, Winston Moseley, l'a quittée un moment, avant de revenir dix minutes plus tard, de la poignarder à plusieurs reprises et de lui voler cinquante dollars. Elle est morte de ses blessures. Kitty Genovese a été attaquée, violée et assassinée devant trente-huit témoins. Trente-huit personnes ont vu son agression, et pas une seule n'est venue à son secours ou n'a appelé la police.

Le Pr Kindred, la soixantaine, s'adresse à l'amphi, les cheveux toujours en bataille. Et quand il nous regarde un à un, on lit l'accusation dans ses yeux, comme si c'était nous, les trente-huit personnes qui avaient laissé cette femme mourir.

— Cela s'appelle l'effet spectateur, reprend-il. Un phénomène de psychologie sociale où les individus sont moins susceptibles d'offrir leur aide à une victime précisément parce que d'autres personnes sont présentes.

Dans la salle, les étudiants griffonnent leurs notes ou tapent sur leur ordinateur portable. Moi, je me contente de regarder le professeur.

— Réfléchissez à cela, continue Kindred. Plus de trois dizaines d'individus ont permis qu'une femme soit violée et assassinée, sous leurs yeux, et ils n'ont rien fait. Cela démontre parfaitement le concept de diffusion de la responsabilité au sein d'un groupe.

Je me tortille sur mon siège, tâchant d'imaginer ce que je ferais dans cette situation : si, en regardant par ma fenêtre, je voyais un homme agresser une femme. Je ne resterais pas assise les bras croisés, ça, c'est sûr. Je sauterais par la fenêtre s'il le fallait.

Non. Je ne ferais pas ça. J'ai appris à me contrôler un minimum. En revanche, j'appellerais Police-secours. Je sortirais en emportant un couteau. Je ne m'en servirais pas, mais l'arme pourrait suffire à effrayer un agresseur.

Je suis encore secouée à la pensée de cette pauvre fille assassinée il y a plus d'un demi-siècle quand je sors de l'amphithéâtre. Dans la rue, je manque de passer devant Brock sans le remarquer. Il doit me courir après et m'attraper par le bras.

Ah, mais oui ! On avait prévu de dîner ensemble.

Il me sourit de toutes ses dents, les plus blanches que j'aie jamais vues. Je ne lui ai jamais demandé s'il les faisait blanchir par un professionnel, mais sans doute que oui. Des dents ne peuvent pas être aussi blanches naturellement, ce n'est pas humain.

— Salut, me dit-il. On a quelque chose à fêter ce soir, pas vrai ? Ton nouveau travail.

— Oui, je marmonne avec un sourire. Désolée.

— Tu vas bien ?

— Je suis juste… Je suis secouée par le cours auquel je viens d'assister. Sur une femme, dans les années 1960, qui a été violée devant trente-huit spectateurs sans que personne réagisse. Comment c'est possible, une chose pareille ?

Brock claque des doigts.

— Kitty Genovese, c'est ça ? Je me souviens de mes cours de psychologie à l'université.

— C'est ça. Et c'est affreux.

— Ouais, c'est surtout des conneries. (Il glisse sa main dans la mienne. Sa paume est tiède.) Le *New York Times* en a fait une histoire à sensation. Il y avait beaucoup moins de témoins que ce que le *Times* a rapporté. Et d'après l'emplacement des appartements, la plupart des voisins n'ont pas pu voir ce qui se passait réellement, ils ont pensé qu'il s'agissait d'une simple querelle d'amoureux. Et puis, il y en a quand même pas mal qui ont appelé la police. Je pense qu'elle était dans les bras d'un de ses voisins quand l'ambulance est arrivée.

— Ah…

Je me sens légèrement ridicule, comme souvent quand Brock en sait plus que moi sur quelque chose. Ce qui arrive fréquemment, en fait. D'après ce que j'en vois, ce gars sait à peu près tout sur tout. C'est l'une des nombreuses particularités qui le rendent si parfait.

— Mais exposée comme ça, l'histoire est beaucoup moins sensationnelle, hein ?

Brock me lâche la main et passe un bras autour de mes épaules. J'aperçois notre reflet dans une vitrine de magasin, et je ne peux m'empêcher de penser qu'on forme un joli couple, du genre qui inviterait cinq cents personnes à son mariage, puis achèterait une maison avec une clôture blanche en banlieue et entreprendrait de la remplir d'enfants.

— Quoi qu'il en soit, tu n'as pas à te sentir mal pour un événement survenu il y a des décennies. Tu es vraiment... Tu es un peu trop gentille, tu sais ?

J'ai toujours eu l'envie d'aider les gens à problèmes, c'est plus fort que moi. Malheureusement, ça m'attire parfois des ennuis. Si seulement j'étais aussi gentille que Brock le pense... Il ne sait rien de moi.

— Désolée, je ne peux pas m'en empêcher.

— Je suppose que c'est pour ça que tu veux devenir assistante sociale, conclut-il avec un clin d'œil. À moins que je n'arrive à te convaincre de t'engager dans une carrière plus lucrative.

C'est mon dernier petit ami qui m'a convaincue de suivre la voie du travail social : pour pouvoir aider les gens dans le besoin tout en restant dans les limites de la loi. « Il faut toujours que tu aides tout le monde, Millie. C'est ce que j'aime chez toi. » Lui me comprenait vraiment. Malheureusement, il n'est plus là.

Brock exerce une pression sur mes épaules.

— Bref. Assez pensé aux femmes qui ont été assassinées dans les années 1960. Parle-moi plutôt de ton nouveau boulot.

Je lui raconte tout sur l'impressionnant penthouse des Garrick. Quand je lui parle de la vue, de l'emplacement et de la mezzanine, il laisse échapper un petit sifflement.

— Cet appartement a dû coûter une fortune, commente-t-il alors que nous nous engageons dans la rue, évitant de justesse une collision avec un vélo. (D'après mon expérience, les cyclistes de cette ville n'ont absolument aucun respect pour les feux de circulation ou les piétons.) Je parie qu'ils l'ont payé vingt millions. Au bas mot.

— Waouh ! Tu crois ?

— Carrément. Ils ont intérêt à bien te rémunérer.

— C'est le cas.

Quand Douglas a abordé la question du salaire horaire, j'avais presque le symbole du dollar qui défilait comme à la machine à sous dans mes prunelles.

— Comment tu as dit qu'il s'appelle, le gars qui t'a embauchée ?

— Douglas Garrick.

Brock claque des doigts.

— Eh, mais c'est le PDG de Coinstock ! Je l'ai rencontré une fois, il avait engagé mon équipe pour l'aider sur un brevet. Un gars vraiment sympa.

— Oui. Il m'a eu l'air sympa.

Sympa, oui. Pourtant, je n'arrête pas de penser à cette porte fermée à l'étage. À sa femme qui ne pouvait même pas sortir me rencontrer.

Aussi ravie que je sois de ce travail, quelque chose me met mal à l'aise.

Brock m'entraîne sur un passage piéton. Le feu est clignotant, sur le point de devenir rouge, et on finit de traverser juste à temps.

— Et tu sais quoi aussi ? Leur immeuble n'est qu'à cinq cents mètres environ de chez moi.

Je dis ça, je dis rien.

Je savais déjà que le penthouse est proche de l'appartement de Brock, bien sûr. Je me tortille, aussi mal à l'aise que dans l'amphithéâtre tout à l'heure. Brock ressemble à présent à un chien qui aurait découvert un os. Il veut que j'emménage chez lui et il ne lâche pas l'affaire. De mon côté, je ne peux me débarrasser du sentiment que s'il me connaissait vraiment, il ne voudrait pas. J'aime être avec Brock et je ne veux pas tout gâcher.

— Brock…

Il lève les yeux au ciel.

— OK, OK. Écoute, je ne cherche pas à te mettre la pression. Si tu n'es pas prête, pas de problème. Mais pour info, je trouve qu'on forme une bonne équipe. Et tu passes la moitié de tes nuits chez moi de toute façon, non ?

— Hum, hum, je marmonne, sur le ton le plus neutre possible.

Il m'adresse un nouvel aperçu de ses dents éclatantes.

— Et puis… mes parents aimeraient te rencontrer.

OK, cette fois, je vais vomir. Même s'il me harcèle pour que j'emménage avec lui, je n'avais pas imaginé qu'il ait parlé de moi à ses parents. Mais si, évidemment. Il les appelle probablement une fois par semaine, le dimanche à 20 heures, et il les met au courant de tous les détails pertinents de sa vie parfaite.

— Ah… je lâche d'une voix faiblarde.

— Et j'aimerais aussi rencontrer les tiens, ajoute-t-il.

Ce serait peut-être le moment idéal pour lui dire que je ne vois plus mes parents. Seulement les mots ne viennent pas.

C'est si dur. Le dernier gars avec qui je suis sortie savait tout de moi depuis le début, du coup je n'ai pas eu à lui révéler mon passé compliqué, il n'y a jamais eu ce moment terrifiant où je mets tout sur la table. Et comme je l'ai dit, Brock est tellement… parfait. Ses seules imperfections se résument à de petits détails insignifiants, comme la lunette des toilettes qu'il a laissée relevée un jour dans mon appartement. Et même ce crime, il ne l'a commis qu'une fois.

Le problème avec Brock, c'est qu'il est prêt à s'installer. Or même si j'ai le même âge que lui, moi je n'en suis pas encore là. Il ne veut pas attendre. Il a un super boulot dans le meilleur cabinet d'avocats de la ville et il gagne plus qu'assez pour subvenir aux besoins d'une famille. Même si, lors de sa dernière visite, le cardiologue lui a donné un certificat de bonne santé, il s'inquiète de ne pouvoir atteindre l'âge prévu par l'espérance de vie d'un homme blanc dans ce pays. Il veut se marier et avoir des enfants pendant qu'il peut encore en profiter.

De mon côté, j'ai l'impression d'être encore en train de grandir. Je suis toujours à l'école, après tout. Je ne suis pas prête à me marier. Je ne… je ne peux pas, voilà.

Brock s'arrête de marcher un instant pour me regarder. Un homme qui nous suivait manque de nous rentrer dedans et jure en continuant son chemin.

— C'est bon, fait Brock. Je ne veux pas te presser. Mais sache que je suis fou de toi, Millie.

— Moi aussi, je suis folle de toi.

Il prend mes deux mains dans les siennes et plonge son regard dans le mien.

— En fait, je t'aime, en quelque sorte.

Mon cœur s'emballe un peu. Il m'a déjà dit qu'il était fou de moi, mais il ne m'avait encore jamais dit qu'il m'aimait. Même avec le « en quelque sorte » pour atténuer la chose.

J'ouvre la bouche, sans trop savoir ce que je vais lui dire. Mais avant que les mots ne sortent, j'ai de nouveau cette sensation de picotement dans la nuque.

Pourquoi ai-je l'impression que quelqu'un m'observe ? Est-ce que je perds la tête ?

— Dis donc, finis-je par lâcher, c'est mignon, ça.

Je ne suis pas prête à lui faire le même aveu. Je ne peux pas passer à l'étape suivante de notre relation tant qu'il ignore encore tellement de choses à mon sujet. Heureusement, il n'insiste pas.

— Viens, dit-il. Allons nous prendre des sushis.

À un moment ou à un autre, il faudra aussi que je lui avoue que je n'aime pas les sushis.

6

C'est mon premier jour de travail chez les Garrick.

Douglas a déjà demandé au portier de me laisser entrer et il m'a remis un double de la clé pour l'ascenseur. La cabine monte en grinçant les vingt étages. Enfin, les dix-neuf étages. Même si l'appartement est le 20-A, il n'y a pas de treizième étage dans l'immeuble. Pas de malchance ici.

Les rouages de l'ascenseur s'arrêtent dans un crissement lorsque j'atteins ma destination. Et les portes, une fois encore, s'ouvrent sur l'impressionnant appartement des Garrick. Douglas a beau dire qu'ils auront besoin de mes services plusieurs fois par semaine, le penthouse ne semble pas requérir la moindre intervention. Il y a de la poussière, comme dans tous les appartements urbains, mais à part ça, il est relativement propre et ordonné.

— Bonjour ? je lance. Douglas ?

Pas de réponse.

J'essaie encore :

— Madame Garrick ?

Je m'aventure dans le salon, qui ressuscite mon impression d'entrer dans une maison du siècle précédent, voire de celui d'avant. Jamais je n'aurai les moyens de m'acheter ne serait-ce qu'une seule pièce de ces meubles d'antiquaire, même si je dépensais les économies d'une vie. La plupart de mes propres meubles, je les ai récupérés sur le trottoir devant mon immeuble.

Je me dirige vers le manteau de ce qui doit être une fausse cheminée. Y sont alignées une demi-douzaine de photographies. Chacune montre Douglas Garrick et une femme très mince aux longs cheveux auburn. Il y en a une d'eux sur une piste de ski, une autre où ils figurent en tenue de soirée et une autre où ils posent devant ce qui ressemble à une grotte. J'observe la femme, vraisemblablement Wendy Garrick. Vais-je la rencontrer bientôt ou va-t-elle rester enfermée dans cette pièce, là-haut, chaque fois que je viendrai ? Cela ne me pose aucun problème, j'ai eu beaucoup de clients que je n'ai jamais vus pendant toute la durée de mon service chez eux.

Un bruit sourd retentit, qui me fait sursauter. Je m'éloigne d'un bond du manteau de cheminée. Je ne veux surtout pas qu'on me pense en train de fouiner. Ce ne serait pas la meilleure entrée en matière avec Wendy Garrick.

Je recule donc et vais me poster au pied de l'escalier. Personne sur les marches, et je n'entends pas non plus de bruit de pas. On dirait que personne ne va venir.

Je décide de commencer par la lessive. Douglas m'a montré le panier en osier où ils jettent leur linge sale dans la chambre principale. Une fois la machine lancée, je pourrai m'attaquer à d'autres tâches.

Je monte les marches en bois poli jusqu'à l'immense chambre principale. Dans le dressing, qui est lui-même une pièce attenante, je trouve le grand panier en osier que Douglas m'a désigné l'autre jour. Mais une surprise m'attend à l'intérieur.

Depuis que je fais la lessive des autres, j'ai vu beaucoup de choses bizarres. Du linge qui n'arrivait jamais jusqu'au panier et se retrouvait éparpillé autour. Toutes sortes de taches, du chocolat à l'huile en passant par du sang, j'en suis presque sûre. Mais ça, je ne l'avais jamais vu.

Tout le linge sale est plié.

Je reste plantée là un moment, à tenter de déterminer si je me suis trompée. C'est peut-être du linge qui a déjà été lavé et qui attend d'être rangé. Parce que bon, pourquoi plierait-on son linge sale ?

Sauf que c'est bien le panier indiqué par Douglas. Je dois donc partir du principe que ce linge est sale.

Je soulève le panier et l'emporte. En sortant de la chambre principale pour me diriger vers la buanderie, je remarque dans le couloir que la porte de la chambre d'amis est entrouverte.

— Madame Garrick ? j'appelle.

Je louche du côté de l'entrebâillement. Où je distingue, tout juste, un œil vert qui me regarde fixement.

— Je suis Millie. (Je m'apprête à lever la main, avant de me rendre compte que le panier à linge m'en empêche, si bien que je le pose.) Je suis votre nouvelle femme de ménage.

Je m'approche de la porte, la main tendue, mais avant que je n'aie fait la moitié du chemin, l'entrebâillement disparaît. La porte s'est refermée.

OK…

Je comprends que certaines personnes ne soient pas très sociables, surtout avec le personnel de maison. Mais elle n'aurait pas au moins pu se fendre d'un « bonjour » ? Histoire que je ne me retrouve pas plantée au milieu du couloir, comme une bécasse ?

Enfin, bon, c'est sa maison. Et Douglas m'a dit qu'elle était malade. Donc je ne vais pas la forcer à venir à ma rencontre.

Cela dit, est-ce que ce serait vraiment terrible si je frappais à la porte et que je lui glissais juste mon nom ?

Mais non. Douglas m'a bien avertie que je ne devais pas la déranger. Donc je ne le ferai pas. Je vais finir la lessive, leur préparer à manger, et je partirai.

7

Après la lessive et un peu de ménage à l'étage (même s'il n'y a pas grand-chose à faire, il faut bien l'admettre), je descends à la cuisine pour m'attaquer au dîner.

Par chance, on a laissé une liste à mon intention sur la porte du réfrigérateur. Il s'agit d'un menu imprimé pour la semaine, comprenant des recettes et des instructions spécifiques pour les courses. Des notes ont été rajoutées à la main – on dirait une écriture plus féminine, mais c'est difficile à dire. À mesure que je lis les instructions, je suis de moins en moins enthousiaste vis-à-vis de mon travail :

Le pâté[1] *doit être acheté le mardi chez Oliver's Delicatessen avant 16 heures.*
S'il ne reste que de la terrine, ne pas l'acheter.
Dans ce cas, acheter le pâté chez François.*
Le pâté doit être servi sur un pain paysan acheté chez London Market. En prendre une*

1. Les mots suivis d'un astérisque sont en français dans le texte.

tranche et l'étaler délicatement sur le pain. Garnir de cornichons de chez M. Royal.*

Et moi, tout ce qui me vient en tête, c'est : qu'est-ce que c'est que le *pâté**, bon sang ? Et les *cornichons** ? Au moins, le pain, je sais. Mais pourquoi je dois aller dans quatre magasins pour acheter trois articles ? Et M. Royal, c'est une personne ou un lieu ?

Le point positif, c'est que peu de place est laissée à l'imagination. Les recettes sont classées par date, il me suffit donc de trouver la date du jour pour commencer le dîner de ce soir…

Poule de Cornouailles. OK, ça va être intéressant.

Deux heures plus tard, j'ai rangé le linge, la poule de Cornouailles est en train de cuire dans le four, et si j'osais, je dirais bien que ça sent bon. J'ai déjà mis deux couverts à la salle à manger, donc maintenant je suis plantée à la cuisine, à me tourner les pouces en attendant que la nourriture soit prête. J'espère que ça coïncidera avec l'heure du repas, qui est fixée à 19 heures pile.

Au moment où j'ouvre le four pour vérifier la cuisson de la poule, les portes de l'ascenseur s'ouvrent dans un grincement – on l'entend à des kilomètres à la ronde. Des pas lourds arrivent dans le couloir, de plus en plus forts.

— Wendy ! (C'est la voix de Douglas qui résonne dans l'appartement.) Wendy, je suis rentré !

Je me poste sur le seuil de la cuisine et lève les yeux vers l'escalier qui monte à l'étage. J'attends un moment, guettant l'ouverture de la porte de la chambre d'amis, dans l'espoir d'apercevoir enfin l'infâme Mme Garrick, mais je n'entends rien.

Je m'essuie les mains sur mon jean en sortant de la cuisine.

— Bonsoir. Votre dîner est presque prêt... Promis.

Douglas est debout dans le salon, les yeux levés vers la cage d'escalier.

— Formidable. Merci beaucoup, Millie.

— Je vous en prie. (Je suis la direction qu'a prise son regard.) Voulez-vous que j'aille chercher Mme Garrick ?

Il regarde les deux couverts sur la table de la salle à manger. Avec son plateau en chêne et son style victorien, elle pourrait vraiment accueillir une reine pour son dîner.

— Hum. J'ai le sentiment qu'elle ne se joindra pas à moi ce soir.

— Dois-je lui monter une assiette à l'étage ?

— Pas besoin. Je m'en charge, répond-il avec un sourire de côté. Je suis sûr qu'elle se sent encore mal fichue.

— D'accord, je murmure. Je vais sortir le plat du four.

Je me dépêche de retourner à la cuisine pour vérifier ma poule de Cornouailles. Le résultat est assez magnifique, il faut bien l'avouer, surtout sachant que je n'ai jamais cuisiné cette recette avant et que je n'en avais même jamais entendu parler, sauf d'une manière complètement théorique.

Il me faut dix bonnes minutes pour couper la fichue bestiole selon les instructions spécifiques, mais j'obtiens finalement deux belles assiettes que j'apporte à la salle à manger, juste au moment où Douglas descend les marches.

— Comment va-t-elle ? je lui demande en posant les assiettes sur la table.

Il ne répond pas sur-le-champ, comme s'il réfléchissait à ma question.

— Ce n'est pas un bon jour.

— Je suis vraiment désolée.

Il hausse une épaule.

— C'est ainsi. Mais merci pour votre aide aujourd'hui, Millie.

— Pas de problème. Souhaitez-vous que j'apporte son assiette à Mme Garrick ?

Je ne sais pas si c'est mon imagination, mais il me semble voir Douglas pincer les lèvres.

— Vous me l'avez déjà proposé et j'ai répondu que je le ferais, n'est-ce pas ?

— Oui, mais...

Je m'arrête avant de dire une bêtise. Il me croit trop curieuse, et il n'a pas tout à fait tort.

— Bon, passez une bonne soirée, alors.

— Oui, répond-il distraitement. Bonne nuit, Millie. Merci encore.

J'attrape mon manteau et me dirige vers l'ascenseur. Retenant ma respiration, j'attends que les portes de la cabine se referment, puis je relâche mes épaules. Je ne sais pas à quoi c'est lié, mais il y a dans cet appartement quelque chose qui me met mal à l'aise.

8

— C'est peut-être un vampire, dit Brock. Et elle ne peut pas sortir de sa chambre pendant la journée, sinon elle se transforme en poussière.

J'ai tout raconté à Brock sur la famille Garrick et, devant un verre d'après dîner à son appartement, il me propose quelques suggestions très peu utiles afin d'expliquer pourquoi, après une demi-douzaine de visites-ménages, Wendy Garrick n'est pas sortie une seule fois de la chambre d'amis, même si je suis certaine qu'elle est à l'intérieur. La fois où la porte s'est entrouverte, c'est le jour où je suis passée le plus près de la voir.

— Ce n'est pas un vampire, je réplique en repliant mes jambes sur le canapé de Brock.

— Tu n'en sais rien.

— Mais si. Parce que les vampires n'existent pas.

— Un loup-garou alors ?

Je lui donne une claque sur le bras, ce qui manque de lui faire renverser son verre de vin.

— Ça n'a aucun sens. Pourquoi est-ce qu'elle aurait besoin de rester dans sa chambre si elle était un loup-garou ?

Il réfléchit.

— OK, alors peut-être... Peut-être qu'elle a un petit ruban vert autour du cou et que si quelqu'un le dénoue, sa tête tombe ?

Je prends une gorgée du vin onéreux que Brock m'a servi. Les bouteilles chères sont de loin meilleures que les bouteilles bon marché, même si je suis bien incapable de détecter toutes les notes subtiles de miellat, de lavande ou je ne sais quoi encore. Et comme il m'interroge chaque fois, je lui mens aujourd'hui en affirmant que oui, je les sens, quand ce n'est vraiment pas le cas. Je fais semblant, en matière de vin.

— J'ai une drôle d'impression, je reprends. C'est tout.

Il passe un bras autour de moi pour m'attirer plus près de lui.

— Bon, moi, je t'ai énuméré toutes mes meilleures idées. Donc si ce n'est pas un vampire, un loup-garou ou une tête coupée, qu'est-ce qui se passe, selon toi ?

— Je... (Je pose mon verre de vin sur la table basse et me mordille la lèvre inférieure.) Honnêtement, je n'en ai aucune idée. C'est juste un mauvais pressentiment.

Soudain, Brock semble surtout se focaliser sur mon verre presque plein posé sur la table.

— Tu ne vas pas le finir ?

— Je ne sais pas. Sans doute pas.

— Mais c'est un Giuseppe Quintarelli, insiste-t-il, comme si ça expliquait absolument tout.

— Il faut croire que je n'ai pas soif.

— Soif ? répète-t-il, quasi traumatisé par mon excuse. Millie, on ne boit pas du vin parce qu'on a soif.

— OK.

Je reprends le verre et bois une autre gorgée. Parfois, je me demande pourquoi il sort avec moi, si ce n'est qu'il me trouve jolie. Il se comporte comme s'il avait de la chance d'être avec moi. Alors que c'est fou. Ce n'est pas moi, le bon parti, c'est lui.

— Tu as raison. Il est vraiment bon.

Et je finis mon verre de vin même si, en vérité, je continue à penser aux Garrick tout du long.

9

J'ai pris l'habitude d'écouter à la porte chaque fois que je passe devant la chambre d'amis.

C'est indiscret. Je le sais, je ne le nie pas, mais je ne peux pas m'en empêcher. Je travaille pour les Garrick depuis un mois et je n'ai toujours pas rencontré Wendy Garrick. En revanche, j'ai entendu des bruits en provenance de cette pièce. Et à au moins trois reprises, j'ai remarqué que la porte était entrouverte. Mais chaque fois, elle s'est refermée avant que je n'aie pu me présenter.

Ce ne serait pas un euphémisme de dire que mon imagination s'emballe. J'ai vu pas mal de choses bizarres au cours de mes années de ménage. Beaucoup de choses tordues aussi. Pendant un certain temps, j'ai essayé de redresser certaines de ces choses tordues. Mais j'ai arrêté depuis longtemps.

Depuis qu'Enzo est parti.

Aujourd'hui, en passant dans le couloir, j'entends distinctement quelque chose dans la chambre d'amis. D'habitude, c'est plutôt calme là-dedans, donc ça change. Je marque une pause, l'aspirateur à la main, et je colle mon oreille contre la porte. Et cette fois, j'entends le son beaucoup plus clairement.

Des pleurs.

Quelqu'un sanglote.

J'ai promis à Douglas de ne pas frapper à la porte. Mais ne me demandez pas pourquoi, Kitty Genovese me revient à l'esprit. Brock a beau dire que toute cette histoire est le fruit d'une exagération, je sais que des choses terribles arrivent quand les gens normaux passent sans s'arrêter.

Alors je toque à la porte.

Instantanément, les pleurs cessent.

— Bonjour, je lance. Madame Garrick ? Est-ce que vous allez bien ?

Pas de réponse.

— Madame Garrick ? je répète. Vous allez bien ?

Rien.

J'essaie une autre tactique :

— Je ne partirai pas tant que je ne me serai pas assurée que tout va bien. Je resterai ici toute la journée s'il le faut.

Puis je reste là et j'attends.

Au bout de quelques secondes, j'entends des bruits de pas derrière la porte. Je recule un peu et le battant s'ouvre de quelques centimètres, assez pour que je voie l'œil vert fixé sur moi. Et je remarque le blanc de cet œil strié de veines rouges et sa paupière enflée.

— Que. Voulez. Vous ? feule la propriétaire de l'œil.

— Je suis Millie, je lance, plus fort. Votre femme de ménage.

Elle ne répond pas.

— Et j'ai entendu pleurer, j'ajoute.

— Je vais bien, m'affirme-t-elle.

— Vous êtes sûre ? Parce que je...

— Je suis sûre que mon mari vous a dit que je ne me sentais pas bien, me coupe-t-elle d'un ton sec. Je veux juste me reposer.

— Oui, mais...

Avant que je ne puisse ajouter quoi que ce soit, Wendy Garrick me ferme la porte au nez. Tendez la main à autrui, qu'ils disaient... Au moins, j'aurai essayé.

Je redescends l'escalier en traînant l'aspirateur. Je perds mon temps à essayer d'intervenir. Chaque fois que j'aborde le sujet avec Brock, ces jours-ci, il réplique que je ferais mieux de m'occuper de mes affaires.

Je suis en train de ranger l'aspirateur quand les portes de l'ascenseur s'ouvrent avec leur grincement habituel. Douglas entre dans le salon en sifflotant tout bas, vêtu d'un de ses costumes douloureusement coûteux. Il tient un bouquet de roses dans une main et une boîte rectangulaire bleue dans l'autre. Je le trouve étonnamment joyeux, pour un homme dont la femme sanglote à l'étage.

— Bonjour, Millie. Quoi de neuf ? Presque fini ?

— Oui...

Je ne sais pas si je dois lui dire ce que j'ai entendu à l'étage. Mais si sa femme pleure, il voudra le savoir, non ?

— Votre femme semble un peu déprimée. Je l'ai entendue pleurer dans la chambre.

Des taches rouges apparaissent sur ses pommettes.

— Vous ne lui avez pas… parlé, n'est-ce pas ?

Je ne suis pas encline au mensonge, mais en même temps, il m'a explicitement ordonné de ne pas déranger Wendy.

— Non, bien sûr que non.

Ses épaules se détendent.

— Bon. Il faut la laisser tranquille. Comme je vous l'ai dit, elle n'est pas bien.

— Oui, vous me l'avez dit…

Il me montre la boîte rectangulaire bleue.

— Et j'ai un cadeau pour elle.

Il pose les fleurs, le temps d'ouvrir la boîte en velours, qu'il tend vers moi pour que je puisse jeter un coup d'œil à l'intérieur.

— Je pense qu'elle va adorer.

Je contemple le contenu de la boîte : le plus beau bracelet que j'aie jamais vu, constellé de diamants parfaits.

— Il est gravé, ajoute-t-il fièrement.

— Je suis sûre qu'elle va l'adorer.

Douglas reprend les fleurs et se dirige vers l'escalier. Je le regarde disparaître dans le couloir, puis j'entends une porte s'ouvrir et se refermer.

Là, j'avoue que je sèche. Douglas me fait l'effet d'être un mari merveilleux et dévoué. Wendy, d'un autre côté, ne quitte jamais sa chambre. Elle sort peut-être quand je ne suis pas là, mais je n'ai jamais vu son visage en entier, sauf sur les photos.

Il y a quelque chose d'anormal dans cette situation, et je ne sais pas quoi.

Enfin, comme Brock ne cesse de le répéter, ce ne sont pas mes affaires. Je ferais mieux de cesser de m'en préoccuper.

10

C'est toujours convenu pour ce soir ?

Même si j'ai déjà programmé avec Douglas ma venue au penthouse ce soir pour apporter des provisions et faire le ménage, il me demande toujours confirmation par texto. Il est extrêmement organisé. Compte tenu de ce qu'il me paie, je réponds systématiquement dans la foulée.

Oui, je serai là !

Comme je n'ai pas cours aujourd'hui, je vais consacrer mon après-midi aux courses pour les Garrick, puis au ménage de leur appartement impeccable et à la préparation du dîner. Je travaille pour eux depuis plus d'un mois maintenant, je connais la routine. J'ai la liste des courses en main, mais je dois me rendre à Manhattan pour trouver tout ce qu'ils veulent.

Brock m'a demandé de rester, la nuit dernière. J'ai passé beaucoup de nuits chez lui, ces derniers temps, parce qu'il vit tout près du penthouse et assez près de l'université, mais c'était une raison de plus pour refuser cette fois. Si j'augmente la fréquence des nuits où je reste coucher dans son appartement, je vais pratiquement vivre avec lui. Et ça, je ne peux pas.

Pas encore, en tout cas. Pas avant de lui avoir dit la vérité. Il mérite bien ça.

Seulement j'ai peur. Que Brock panique et me largue sur-le-champ, une fois qu'il saura tout de moi. Et encore plus que ses riches parents de la classe supérieure le persuadent de me larguer lorsqu'ils l'apprendront. Brock est parfait et sa famille est parfaite, alors que moi, je suis très loin d'être parfaite, à un point que ça n'en est même plus drôle.

Ma dernière relation était à l'opposé de la perfection. Et d'une certaine manière, ça me convenait mieux. Je ne suis pas sûre de ce que ça révèle de moi, que mon partenaire idéal soit un gars comme Enzo Accardi.

Ça a commencé il y a quatre ans, entre Enzo et moi. Nous sommes d'abord devenus amis, après qu'un de mes emplois avait pris fin de manière extrêmement inattendue. N'ayant pas beaucoup d'amis, je lui étais très reconnaissante du soutien qu'il m'apportait. Nous en étions arrivés au point de passer presque tout notre temps libre ensemble et, en plus, nous avons aidé une dizaine de femmes à s'extraire de relations violentes. La plupart du temps, il s'agissait simplement de leur obtenir des ressources, mais certaines fois, nous avons dû faire preuve de créativité. Enzo avait établi des contacts qui lui permettaient d'obtenir une nouvelle identité, des téléphones jetables intraçables et des billets d'avion pour des destinations lointaines. Nous avons sorti des femmes de relations toxiques sans avoir à recourir à la violence.

Enfin, non, ce n'est pas vrai. Si je suis tout à fait honnête, il y a eu quelques fois où ça a été un peu… le bazar. Enzo et moi étions convenus de ne plus jamais parler de cette époque-là. On faisait ce qu'on avait à faire.

C'est Enzo qui m'a convaincue de retourner à l'université pour obtenir un diplôme d'assistante sociale. Je ne me doutais pas sur le moment qu'il me mettait ainsi sur la voie d'une vie normale que jamais je ne me serais imaginée possible. Mon casier judiciaire ne m'interdit pas de décrocher un emploi dans le domaine social. Et là je pourrais faire ce qui me plaît dans le respect de la loi.

Brock aime dire qu'on forme une bonne équipe, lui et moi. Peut-être que c'est vrai. Mais Enzo et moi, oui, on était vraiment une bonne équipe : ça marchait bien, nous deux. On s'était donné une mission. Et pour couronner le tout, il était gentil, passionné et sexy comme pas possible. Surtout ça, d'ailleurs : j'avais beau m'efforcer d'être son amie, il était difficile d'ignorer ses attributs bien spéciaux. Au début, je détestais le béguin frustrant que je développais pour cet homme.

Puis un soir, j'étais à son appartement, on se partageait une pizza livrée par notre restaurant de prédilection (qui était aussi, pure coïncidence, le moins cher). On avait pris nos garnitures préférées : pepperoni et supplément fromage. Je me souviens d'Enzo prenant une longue gorgée au goulot de sa bière et m'adressant un sourire. « C'est sympa, il a dit.

— Oui, j'ai opiné. C'est sympa. »

Il a posé sa bière sur la table basse. Après toutes les maisons où j'avais fait le ménage, j'éprouvais une sorte d'étourdissement chaque fois que quelqu'un omettait d'utiliser un sous-verre. « J'aime passer du temps avec toi, Millie. »

Je n'avais pas beaucoup d'expérience avec les hommes, mais sa façon de me regarder était sans équivoque. Et si j'avais encore des doutes, ils se sont envolés quand il s'est penché vers moi et m'a donné un long, long baiser dont j'ai tout de suite su qu'il hanterait encore mes rêves des années plus tard. Et quand nos lèvres se sont finalement séparées, il a murmuré : « Peut-être qu'on pourrait passer plus de temps ensemble ? »

Que pouvais-je répondre à part oui ? Aucune femme ne pouvait refuser une telle demande à Enzo Accardi.

C'est drôle, parce que j'avais toujours pris Enzo pour un coureur, pourtant, après ce premier baiser, il n'avait d'yeux que pour moi. Notre relation a évolué rapidement, mais tout semblait parfait. Au bout de quelques semaines, on passait toutes nos nuits l'un avec l'autre et, peu après, on a décidé de vivre ensemble. Nous deux, ça matchait. Entre la fac et ma relation avec Enzo, je n'avais jamais été aussi heureuse de ma vie.

Je me souviens encore du jour où tout s'est écroulé.

On était assis sur notre canapé, qu'Enzo avait ramassé sur le trottoir devant notre immeuble, mais il était encore très beau et tout à fait utilisable (seule une de ses taches était demeurée non identifiée, mais ça n'était pas grave, il nous suffisait de retourner le coussin). Il avait un bras musclé autour de mes épaules et on regardait *Le Parrain II* – à sa grande horreur, Enzo avait récemment découvert que je n'avais jamais vu la trilogie. « C'est un classique, Millie ! » Je me revois, blottie contre lui, à penser à quel point j'étais heureuse et, au passage, que mon petit ami était bien plus sexy que Robert DeNiro.

Et puis, son téléphone a sonné.

La conversation qui s'est ensuivie s'est déroulée entièrement en italien, et je tendais l'oreille pour tenter de comprendre un ou deux mots. « *Malata* », il répétait en boucle. J'ai fini par taper le mot sur mon téléphone pour le traduire : « Malade ».

Après avoir raccroché, il m'a expliqué la situation, avec l'accent marqué qu'il avait parfois lorsqu'il était stressé ou en colère. Sa mère avait eu une attaque. Elle était à l'hôpital. Il devait rentrer en Sicile pour la voir, d'autant plus que son père et sa sœur étaient tous les deux morts et qu'il était la seule famille qui lui restait. J'étais troublée, car il m'avait toujours expliqué qu'il ne pourrait jamais retourner chez lui. Avant de quitter la Sicile, il avait battu de ses mains un homme très puissant, l'avait laissé à moitié mort, et sa tête était mise à prix.

« Tu m'as dit que tu ne pouvais pas y retourner, lui ai-je rappelé. Que des salauds te tueraient si tu y retournais. Ce n'est pas ce que tu as dit ?

— Oui, oui, il a admis. Mais ça n'est plus un problème. Ces salauds… d'autres salauds s'en sont occupés. »

Que répondre à ça ? Je ne pouvais pas interdire à mon petit ami de se rendre au chevet de sa propre mère alors qu'elle venait d'avoir une attaque. Je lui ai donc donné ma bénédiction, et il a pris l'avion le lendemain. À l'aéroport, où je l'avais accompagné, il m'a embrassée genre cinq minutes sans discontinuer avant de passer la sécurité, en promettant de revenir « très bientôt ».

Je n'avais pas imaginé qu'il ne reviendrait jamais.

Je suis sûre qu'il en avait l'intention, il ne m'aurait pas menti délibérément. Au début, on se parlait au téléphone tous les soirs, et c'était parfois assez torride. Il me susurrait dans le combiné combien je lui manquais et qu'on serait bientôt réunis. Mais avec la guérison de sa mère qui traînait en longueur, il est devenu de plus en plus évident qu'il ne pourrait pas repartir. Et elle ne pouvait pas venir ici.

Je ne l'avais pas touché ni n'avais vu son visage depuis un an quand je lui ai enfin posé la question : « Dis-moi la vérité. Quand est-ce que tu reviens ? »

Il a laissé échapper un long soupir. « Je ne sais pas. Je ne peux pas la quitter, Millie.

— Et je ne peux pas attendre éternellement, je lui ai dit.

— Je sais, a-t-il convenu tristement, puis : Je comprends ce que tu dois faire. »

Et voilà. C'était fini. Aussi simplement que ça, c'était fini entre nous. Alors quand quelques mois plus tard, Brock m'a proposé de sortir avec lui, je n'avais aucune raison de refuser.

Avec Enzo, ma vie était une sorte d'aventure excitante, mais désormais je suis sur la voie de la vie parfaite et normale que je n'avais jamais crue possible pour moi avant. Brock ne connaît pas de gars capables de lui dégoter un faux passeport en vingt-quatre heures – j'imagine que si je lui demandais un service de ce genre, il tomberait sur les fesses.

Enzo connaissait un gars pour tout. C'était pratiquement sa réponse systématique, quand je lui demandais de l'aide. « Je connais un gars. »

Et maintenant, je suis en train d'accomplir la tâche la plus normale qui soit. Aller à l'épicerie. Bien que, pour être honnête, il n'y ait rien de normal dans la liste des articles que Douglas m'a chargée de rapporter. En passant en revue les premiers items de son SMS de ce matin, je frémis. Il m'envoie dans une sacrée chasse au trésor :

Main de Bouddha
Têtes de violon
Concombre à confire
Baies de poha

Sans déconner, il les invente, ces noms ? Tête de violon ? Ce n'est pas un truc qui existe vraiment, non ? Ça a l'air tout à fait inventé.

Liste des courses en main, j'attrape ma veste et me dirige vers la cage d'escalier. Je n'ai aucune idée du temps qu'il va me falloir pour trouver une tête de violon, ni même pour savoir ce qu'est une tête de violon, donc autant me mettre en route avec beaucoup d'avance.

Au moment où j'atteins le palier du rez-de-chaussée, je manque de percuter l'homme qui vit en dessous de chez moi. « Juste en dessous » de chez moi. Celui qui a une cicatrice au-dessus du sourcil gauche. Je grimace en le voyant.

— Salut.

Il me sourit. Sa dent en or à la deuxième incisive gauche me fait penser à Joe Pesci dans *Maman, j'ai raté l'avion* – mon film préféré quand j'étais gosse.

— On est pressée ?

— Oui, je réponds avec un sourire contrit. Pardon.

Son sourire s'élargit.

— Pas de souci. Je m'appelle Xavier, au fait.

— Enchantée, je réponds, évitant de lui révéler mon prénom.

— Millie, c'est ça ?

Ou comment une stratégie échoue lamentablement. Je suis prise d'une sensation désagréable au creux du ventre : cet homme sait exactement où je vis et il connaît mon prénom. Probablement mon nom de famille aussi. Bien sûr, il a facilement pu le découvrir en regardant nos boîtes aux lettres.

J'ai toujours, par intermittence, l'impression d'être observée. Il y a des moments où je pense que c'est le fruit de mon imagination, mais là, tout de suite, je n'en suis plus si sûre. Xavier en sait un peu trop sur moi. Est-il possible qu'il… ?

Bon Dieu, non, je ne veux pas invoquer cette possibilité maintenant. C'est déjà assez flippant de marcher dans les rues du sud du Bronx, sans avoir à s'inquiéter en plus que le type qui vit en dessous de chez moi me piste. Je devrais peut-être accepter l'offre de Brock et emménager avec lui. Xavier me laissera probablement tranquille, si je déménage dans l'Upper West Side. Et dans le cas contraire, il devra affronter le portier en petit costume et chapeau. On ne franchit pas comme ça la barrière d'un de ces portiers. Je parie qu'ils peuvent utiliser leur chapeau comme boomerang, en cas de besoin.

— Qu'est-ce que vous faites de beau aujourd'hui ? me demande Xavier.

Je prends la direction de la sortie.

— Juste quelques courses à l'épicerie.

— Ah oui ? Vous voulez de la compagnie ?

— Non, merci.

Xavier semble sur le point d'ajouter quelque chose, mais je ne lui en donne pas l'occasion. Je le dépasse et m'esquive. Que j'emménage avec Brock ou pas, il se peut que j'aie à partir d'ici dans un avenir proche. Je ne me sens pas à l'aise avec cet homme. J'ai le mauvais pressentiment qu'il est le genre de gars à ne pas considérer un « non » comme une réponse acceptable.

11

Quand j'arrive au penthouse des Garrick, j'ai quatre sacs d'épicerie remplis à ras bord au bout des bras. Je me suis débrouillée sans encombre jusqu'au dernier pâté d'immeubles où, à force de jongler entre tous, j'ai failli tout faire tomber. Mais par la grâce de Dieu, je suis là, tête de violon compris. (Ça existe vraiment, au fait, j'en ai effectivement trouvé chez un primeur espagnol.)

Heureusement, je n'ai pas à me battre avec une quelconque poignée, puisque je peux entrer dans l'ascenseur dès l'ouverture des portes. J'espérais arriver à la cuisine en un voyage, mais à mi-chemin, je dois déposer tous les sacs au sol et faire une pause. Si je laissais tomber la tête de violon et qu'elle se cassait, je crois que j'en pleurerais, assise par terre comme une pauvre fille.

Je suis encore plantée dans le salon, à essayer de déterminer la meilleure stratégie pour finir d'apporter les courses à la cuisine, quand je les entends.

Des cris.

Enfin, des cris étouffés. Je ne distingue pas de mots, pourtant on dirait bien que quelqu'un est en train de crier dans la chambre du haut. Abandonnant les courses, je me rapproche doucement de la cage d'escalier, histoire de voir si j'entends un peu mieux ce qui se passe. Et là, un craquement. Comme du verre qui se brise.

Une main sur la rampe, je m'apprête à monter les marches pour aller m'assurer que tout va bien. Mais avant que je ne puisse faire un seul pas, une porte claque à l'étage. Puis des pas retentissent, de plus en plus forts, et je recule.

— Millie.

Douglas s'arrête net en bas de l'escalier. Il porte une chemise habillée et son visage est rose, comme s'il avait noué sa cravate un peu trop serrée, alors qu'en fait elle est lâche autour de son cou. Il tient un sac à cadeaux dans la main droite.

— Qu'est-ce que vous faites ici ?

Je tourne les yeux vers les quatre sacs de provisions.

— Je… je suis allée à l'épicerie. J'allais ranger les courses.

Il plisse les yeux.

— Alors pourquoi n'êtes-vous pas dans la cuisine ?

J'esquisse un sourire penaud.

— J'ai entendu un bruit de verre brisé. J'ai eu peur que…

Je m'interromps en remarquant une déchirure dans le tissu de sa chemise élégante. Et pas une déchirure genre couture qui aurait cédé. Non, une vilaine déchirure juste au-dessus de sa poche de poitrine.

— Tout est en ordre, lâche-t-il. Je vais m'occuper des courses. Vous pouvez partir.

— OK…

Je n'arrive pas à détacher mes yeux de l'accroc à sa chemise. Comment est-ce arrivé ? Le mec est PDG, son poste ne requiert pas de travail manuel. Est-ce que ça a pu se produire à l'instant, dans la chambre d'amis ?

— Et aussi… (Il me tend le sac cadeau dans sa main droite.) J'aimerais que vous alliez rendre ça. Wendy n'en a pas voulu.

Je lui prends le petit sac rose. À l'intérieur, j'aperçois du tissu soyeux.

— D'accord, bien sûr. Le ticket de caisse est dedans ?

— Non, c'était un cadeau.

— Je… je ne pense pas pouvoir le rendre sans reçu. Où l'avez-vous acheté ?

Douglas serre les dents.

— Je ne sais pas, c'est mon assistante qui l'a choisi. Je vous enverrai par mail une copie du reçu.

— Si c'est votre assistante qui l'a choisi, ce ne serait pas plus simple qu'elle le rapporte, elle ?

Il incline la tête.

— Excusez-moi, mais votre travail ne consiste-t-il pas justement à faire ce genre de courses pour moi ?

J'ai un mouvement de recul, comme sous l'effet d'une gifle. Depuis que je travaille ici, c'est la première fois que Douglas me parle avec un tel manque de respect. Je l'ai toujours trouvé plutôt gentil, *a priori*, quoique stressé et distrait. Là, je viens d'avoir un aperçu d'une autre de ses facettes.

Enfin, bon, tout être humain n'a-t-il pas plusieurs facettes ?

Douglas Garrick me dévisage. Il s'attend à ce que je parte, mais chaque fibre de mon être me souffle que je dois rester. Aller vérifier à l'étage que tout va bien.

Mais alors Douglas se positionne entre la cage d'escalier et moi. Il croise les bras et hausse ses gros sourcils, sans me lâcher des yeux. Je ne franchirai pas la barrière que constitue cet homme, et même le cas échéant, j'ai le sentiment que si je frappais à la porte de la chambre d'amis, Wendy Garrick m'assurerait que tout va bien.

Bref, au bout du compte, que puis-je faire d'autre que partir ?

12

Alors que je fais le trajet des cinq pâtés d'immeubles entre la station de métro et chez moi, je suis de nouveau prise de cette sensation de picotement dans la nuque.

Quand ça m'arrive à Manhattan, dans le quartier chic où je travaille et où vit mon petit ami, j'ai l'impression que c'est de la paranoïa. Mais là, dans le sud du Bronx et alors que le soleil est déjà bas dans le ciel, la paranoïa, c'est l'autre nom du bon sens. Je m'habille de façon à ne pas attirer l'attention – un jean d'au moins une taille trop grande, une paire de Nike jadis blanches mais devenues grises et un pardessus plus volumineux que stylé, de couleur sombre afin de me fondre dans la nuit –, mais ça n'empêche que je suis clairement une femme. J'ai beau avoir enfoncé mon bonnet sur mes cheveux blonds et porter mon affreux manteau bouffant, la plupart des gens me désigneraient comme femme, même depuis l'autre du bout de la rue.

Donc je presse le pas. Et puis, j'ai une bombe lacrymogène dans la poche. Les doigts enroulés autour. Malgré ça, la sensation ne disparaît pas avant que je ne sois entrée dans le bâtiment et que je n'aie refermé la porte derrière moi.

C'est ça, le truc. Je n'ai jamais cette sensation de picotement quand je suis dans mon appartement. Je ne l'ai pas non plus quand je fais le ménage dans le penthouse. Ça ne me prend que dehors, dans des moments où quelqu'un pourrait bel et bien m'observer. Ce qui me donne à penser que ce n'est pas du chiqué.

Ou alors, je deviens zinzin. Autre possibilité.

Brock m'a envoyé un texto pour me proposer de venir chez lui ce soir, auquel j'ai répondu « non ». Je suis trop fatiguée.

Je chasse Brock de mon esprit en sortant quelques lettres de ma boîte – que des factures. Comment se fait-il que je reçoive autant de factures ? J'ai l'impression qu'il ne me reste plus rien pour subsister à la fin du mois. Bref, je suis en train de fourrer mon courrier dans mon sac à main quand la serrure de la porte d'entrée de l'immeuble s'actionne. Suivie dans la seconde par une bouffée d'air froid : l'homme à la cicatrice au-dessus du sourcil gauche vient de pousser la porte.

Xavier. C'est le nom qu'il m'a donné.

— Bonsoir, Millie, me lance-t-il, trop guilleret. Comment ça va ?

— Bien, je réponds sèchement.

Je tourne les talons et me dirige vers la cage d'escalier, en espérant qu'il reste derrière pour relever son courrier. Mais non, évidemment. Xavier se hâte au contraire de m'emboîter le pas.

— Des projets pour ce soir ? me demande-t-il.

— Non, je réponds en montant les marches au pas de charge.

Car au deuxième étage, je pourrai lui dire au revoir.

— Ça vous dirait de venir chez moi ? propose-t-il. Regarder un film.

— Je suis prise.

— Non. Vous venez de dire que vous n'aviez rien de prévu pour ce soir.

Je serre les dents.

— Je suis fatiguée. J'ai juste envie de prendre une douche et d'aller me coucher.

Xavier me sourit, si bien que sa dent en or brille à la faible lumière de la cage d'escalier.

— Je peux vous tenir compagnie pour ça aussi...

Je me détourne.

— Non, merci.

On a atteint le deuxième palier, je m'attends donc à ce que Xavier parte de son côté. Mais non, il continue à grimper près de moi. Mon ventre se serre et je plonge la main dans ma poche pour toucher ma bombe lacrymogène.

— Pourquoi pas ? il insiste. Allez. Ne me dites pas que vous aimez ce gosse de riche, ce BCBG qui vient sans cesse vous rendre visite ici. Il vous faut un homme, un vrai.

Cette fois, je l'ignore. Dans une minute, je serai chez moi. Il faut juste que je tienne jusque-là.

— Millie ?

Encore cinq marches. Plus que cinq marches à gravir et je serai débarrassée de ce connard. Quatre, trois, deux...

Soudain, une main m'attrape le bras, doigts enfoncés dans la chair.

Non, je ne vais pas y arriver.

13

— Eh !

La grosse main de Xavier m'enserre le bras.

— Eh !!

Je me débats, mais sa poigne est comme un étau – il est plus fort qu'il ne paraît. J'ouvre la bouche, prête à crier, mais il me plaque une paume sur les lèvres avant qu'un son ne puisse en sortir. L'arrière de ma tête cogne le mur, j'en claque des dents.

— Alors t'as quelque chose à dire maintenant ? il grogne, sourire mauvais. Pourtant, tu te croyais trop bien pour moi, jusqu'à présent. C'est pas vrai ?

J'essaie de me libérer, mais il presse son corps contre le mien, de sorte que je sente bien le renflement de son pantalon. Il passe sa langue sur ses lèvres fendues.

— On rentre s'amuser un peu, d'accord ?

Il a commis l'erreur d'attraper le mauvais bras, dommage pour lui. Je sors la bombe lacrymogène et, les yeux fermés, je la lui vide en pleine face. Il hurle et, à la seconde où je lâche l'embout, je le repousse de toutes mes forces.

Je me suis toujours plainte de ce que l'escalier est trop raide dans ce bâtiment, mais pour une fois, ça tourne à mon avantage : Xavier dégringole. En cours de chute, un craquement écœurant se fait entendre, puis un bruit sourd quand il atterrit sur le palier du deuxième étage. Et enfin, le silence.

Je reste un instant immobile, les yeux rivés sur le corps affalé. Est-ce qu'il est mort ? Est-ce que je l'ai tué ?

Je dévale les marches et m'arrête dans un dérapage. La bombe lacrymogène toujours dans la main droite, je me penche pour l'observer de plus près. On dirait que sa poitrine se soulève et s'abaisse encore, puis il laisse échapper un gémissement affaibli. Il est encore en vie. Je ne l'ai même pas complètement assommé.

Dommage. Si quelqu'un méritait de se briser le cou, c'est bien ce type.

Non. C'est probablement mieux qu'il ne soit pas mort.

Mue par une impulsion, je prends mon élan et lui balance mon pied aussi fort que possible dans les côtes. Il gémit, plus fort cette fois. Oui, il est bien en vie. Je lui assène un autre coup de pied, histoire de faire bonne mesure. Et puis un troisième pour la route. Chaque fois que ma basket entre en contact avec ses côtes, je souris.

Je regarde la volée de marches suivante. Il a survécu à la première. Je me demande ce qui se passerait s'il dévalait un deuxième étage. Voire un troisième. Il n'a pas l'air si lourd, après tout. Je parie que je pourrais le faire rouler et…

Non. Bon Dieu, à quoi je pense, là ?

Je ne peux pas faire ça. J'ai déjà passé dix ans en prison. Pas question que j'y retourne.

Je sors mon téléphone et compose le numéro des urgences. Je vais obtenir justice, et ce ne sera pas en tuant cet homme.

14

Une heure plus tard, la police et une ambulance sont garées devant mon immeuble. Il n'est pas rare de voir une voiture de police dans notre rue, mais cette fois-ci, le gyrophare tourne.

J'ai espéré qu'ils emmènent Xavier directement en prison, seulement il avait une commotion cérébrale, un bras cassé et peut-être quelques côtes aussi. Le temps que la police débarque, il a commencé à perdre un peu les pédales et essayait même de se lever. Heureusement qu'ils sont arrivés, sinon j'aurais dû trouver autre chose pour l'assommer.

Je suis énervée qu'aucun de mes voisins ne soit sorti pour me prêter assistance. Brock peut bien dire ce qu'il veut sur l'incident avec Kitty Genovese, moi, je sais avec certitude qu'un homme a essayé de me violer dans le couloir de mon immeuble et que personne n'est venu me porter secours. Sérieusement. Qu'est-ce qui cloche chez les gens ?

Une policière m'a posé quelques questions quand ils sont arrivés, ensuite de quoi ils m'ont demandé d'aller attendre dans mon appartement pendant qu'ils géraient la situation. C'est donc ce que je fais. J'attends. J'ai appelé Brock et lui ai raconté qu'un voisin avait essayé de m'agresser, tout en restant vague sur la façon dont je lui ai échappé. Il est en route, mais je n'irai nulle part tant que je n'aurai pas fait une déposition officielle qui fera jeter Xavier en prison dès qu'ils auront soigné son bras cassé. J'espère que ce salaud aura besoin d'une opération, tiens.

De la fenêtre, je vois l'ambulance qui démarre. J'ai tout observé depuis qu'ils m'ont dit de retourner en haut. Les policiers ont parlé à quelques-uns de mes voisins et longuement discuté avec Xavier à l'arrière de l'ambulance avant de l'emmener. Quelques officiers de police sont encore en train de parler devant. Je ne vois pas bien ce qu'il y a à dire de plus. Un homme m'a attaquée à quelques mètres de ma propre porte. C'est quand même clair, non ?

Et là, un des officiers tend le doigt vers ma fenêtre.

Une seconde plus tard, un flic entre dans le bâtiment et je m'écarte de la fenêtre. Je frotte mes mains moites sur mon jean. J'ai encore une marque rouge sur le bras, là où Xavier m'a empoignée, et une légère douleur à l'endroit où ma tête a percuté le mur, mais il est dans un état bien pire que le mien.

C'est tout à fait mérité.

On tambourine à ma porte, que je vais ouvrir d'un geste sec. L'officier qui se tient là a une trentaine d'années, trop de barbe au menton et l'air légèrement blasé. Comme si c'était le cinquième type auquel il avait affaire ce soir pour avoir tenté de violer une femme dans l'escalier devant sa porte d'entrée.

— Bonjour, dit-il. Êtes-vous Wilhelmina Calloway ?

Je grimace à l'utilisation de mon nom complet.

— C'est exact.

— Je suis l'agent Scavo. Je peux entrer ?

Quand j'étais en prison, toutes les femmes disaient que si un policier demande à entrer chez toi, tu as le droit de refuser. « Ne laisse jamais entrer ces trous du cul. » Mais bon, ils ne sont pas là pour enquêter sur moi. Alors je consens à un compromis : je le laisse entrer, mais je ne l'invite pas à s'asseoir.

Ce n'est pas le même flic que celui à qui j'ai parlé juste après l'incident. Le premier, c'était une femme, et elle m'a prise dans ses bras. Je ne pense pas que ce gars va me prendre dans ses bras. D'ailleurs, je n'en ai pas envie.

— Je viens revoir avec vous ce qui s'est passé ce soir, m'annonce Scavo. Entre M. Marin et vous.

Je m'enveloppe de mes bras, j'ai froid, tout à coup, pourtant le chauffage fonctionne pour une fois.

— Bon. Que voulez-vous savoir ?

Scavo me regarde de haut en bas.

— C'est ce que vous portiez ce soir pendant l'incident ?

Je ne comprends pas de quoi il parle. Il le dit comme si j'étais habillée de façon inappropriée. Je porte un tee-shirt et le même jean que tout à l'heure. Le tee-shirt est légèrement moulant, mais pas de quoi attirer l'attention. Comme si ça changeait quoi que ce soit, de toute façon.

— Oui, mais je portais un manteau par-dessus.

— Hum, hum.

À la tête que fait Scavo, on dirait qu'il ne me croit pas. Qu'il insinue que j'ai essayé de séduire Xavier avec mon tee-shirt super sexy et mon jean baggy.

— Bien, racontez-moi exactement ce qui s'est passé.

Je répète l'histoire pour la troisième fois ce soir. C'est plus facile, cette fois. Ma voix ne tremble pas quand je décris la façon dont il m'a attrapée. Je montre mon poignet à Scavo, les marques rouges en guise de preuves, mais il n'a pas l'air impressionné, vraiment pas.

— Et c'est tout ? il lance. Il vous a juste attrapée par le bras ?

Je serre les poings sous l'effet de la frustration.

— Non. Je vous l'ai dit. Il m'a attrapée et il s'est collé contre moi.

— Collé, comment ?

— Ben, il a plaqué son corps contre le mien !

Il fronce les sourcils.

— Est-il possible que vous ayez mal interprété la chose ? Genre, peut-être qu'il était juste amical ?

Je le regarde, les yeux ronds.

— Parce que voilà, mademoiselle Calloway, reprend Scavo, qui soutient mon regard. M. Marin dit qu'il était juste en train de faire la conversation avec vous, gentiment, et que vous avez paniqué. Que vous l'avez aspergé de gaz lacrymogène et poussé dans l'escalier.

— Vous vous fichez de moi ?

Là, c'est l'agent Scavo que j'ai envie d'asperger de lacrymo et de pousser dans l'escalier.

— Ce n'est pas du tout ce qui s'est passé ! je reprends. Vous le croyez, sérieusement ? Vous prenez son parti, à lui ?

— Eh bien, une de vos voisines vous a vue au-dessus de lui, vous lui auriez donné plusieurs coups de pied dans les côtes. Elle a même eu peur d'intervenir.

J'ouvre la bouche, mais tout ce qui en sort est un couinement.

— Nous pensons que M. Marin a plusieurs côtes cassées, poursuit l'officier. Et nous avons un témoin qui vous a vue lui donner des coups de pied dans les côtes alors qu'il était inconscient au sol. Alors dites-moi ce que je suis censé penser.

Je regrette vraiment, vraiment beaucoup d'avoir donné des coups de pied dans les côtes de Xavier. Mais c'était si tentant. Et je sais combien les fractures des côtes peuvent être douloureuses.

— J'étais bouleversée.

— Pourquoi étiez-vous bouleversée ? M. Marin pense que vous étiez contrariée, parce que vous flirtiez avec lui et qu'il ne répondait pas à vos avances. Il dit que c'est pour ça que vous l'avez agressé.

J'ai l'impression que quelqu'un vient de m'asséner un coup de poing dans le ventre. Ou dans les côtes.

— Je l'ai agressé, moi ?

Scavo hausse un sourcil.

— Et vous avez un casier judiciaire, n'est-ce pas, mademoiselle Calloway ? Un passé de comportement violent ?

— C'est n'importe quoi, je m'insurge. Cet homme m'a attaquée. Si je ne m'étais pas défendue…

— Alors voilà, me coupe-t-il, c'est votre parole contre la sienne : vous affirmez qu'il vous a attaquée et un témoin vous a vue le frapper alors qu'il était à terre. C'est tout de même lui qui a les os cassés.

Mes jambes se dérobent sous moi. Je regrette soudain que nous n'ayons pas décidé d'avoir cette conversation assis.

— Je suis en état d'arrestation ?

— M. Marin n'a pas encore décidé s'il allait porter plainte pour le moment.

Scavo fait une grimace suggérant que, selon lui, mon agresseur devrait absolument le faire. Comme ça, il pourrait me passer les menottes sur-le-champ.

— Donc jusqu'à ce qu'il prenne sa décision, je vous suggère de ne pas quitter la ville.

Je déteste cet homme. Où est passée la femme flic ? Celle qui m'a serrée dans ses bras et assuré que Xavier ne pourrait plus jamais me faire de mal ? Où est-elle ?

Sur ces mots, je raccompagne l'agent Scavo à la porte. Quand je l'ouvre, Brock se tient là, dans ses vêtements de travail – une chemise bleu ciel et un pantalon beige –, la main levée pour toquer. Scavo sourit en le voyant, un sourire mesquin, toutefois il s'abstient de commentaire. Brock a l'air de vouloir demander quelque chose au policier, mais heureusement, Scavo semble pressé de partir.

J'arrive à contrôler mes nerfs, le temps de tirer Brock à l'intérieur de l'appartement et de verrouiller la porte derrière lui. C'est seulement après que les larmes me montent aux yeux. Sauf que ce ne sont pas des larmes de tristesse. Ce sont des larmes de rage. Comment ose-t-on me parler de cette façon ? J'ai été agressée dans mon propre immeuble et, au bout du compte, c'est mon agresseur qui devient la victime ?

Brock m'enveloppe de ses bras.

— Millie. Doux Jésus, ça va ? Je suis venu aussi vite que j'ai pu.

Je hoche la tête sans mot dire en m'écartant. Si je parle, je ne serai pas en mesure de retenir mes larmes. Et ne me demandez pas pourquoi, je ne veux pas pleurer devant Brock.

— J'espère que ce connard ira en prison pour un bon moment, dit-il.

Je devrais lui raconter ce qui s'est passé. Ce que ce flic m'a dit. Mais si je le fais, je vais aussi devoir lui expliquer pourquoi. Je vais devoir lui révéler mon passif de violence. Mon passif carcéral. Lui énumérer toutes les raisons pour lesquelles personne ne me croit.

Si Enzo était là, ce serait différent. Je pourrais tout lui dire. Et il comprendrait. Il y aurait une petite chance qu'il arrache les membres de Xavier Marin un à un et à mains nues, mais je serais d'accord, plus que d'accord. Quand je regarde Brock, l'idée d'un comportement semblable de sa part me fait presque éclater de rire. Bon, si Xavier me fait accuser d'agression, le côté positif, c'est que Brock pourra me défendre. Oui, ce serait super bon pour notre relation.

— Tu ne peux absolument pas dormir ici, déclare-t-il. (Pour une fois, je suis complètement d'accord avec lui.) J'ai ma voiture garée juste dehors. Laisse-moi te ramener chez moi.

Mes épaules s'affaissent.

— OK.

— Et tu devrais rester chez moi, ajoute-t-il, avant de préciser, aussitôt qu'il voit mon expression : Je ne dis pas que tu devrais emménager. Mais prends pour une semaine de vêtements. Et commence peut-être à chercher un autre endroit où vivre.

Je n'ai pas la force de discuter avec lui pour l'instant. D'ailleurs, il a raison. Si Xavier revient dans cet immeuble, je ne peux plus vivre ici. Je vais devoir trouver un autre endroit. Sauf que j'ai déjà à peine les moyens de payer le loyer de cet appartement, même avec l'argent que les Garrick me donnent. Je vais devoir me loger dans un quartier du Bronx encore pire qu'ici ?

Quoi qu'il en soit, j'y penserai plus tard. Pour l'instant, je dois faire mes bagages.

15

La chambre principale, chez les Garrick, est si grande que si je parlais, je vous jure qu'il y aurait de l'écho.

Je range une pile de linge. J'aurais pensé qu'ils faisaient nettoyer la plupart de leurs vêtements à sec, ces deux-là, mais comme Wendy ne sort apparemment jamais de sa chambre, elle ne doit pas souvent porter de vêtements qui nécessitent un nettoyage à sec. D'après ce que je vois passer au lavage, elle porte surtout des chemises de nuit. Là, je suis en train d'en plier une blanche, délicate, avec de la dentelle au col, qui m'a l'air de lui descendre jusqu'aux chevilles, d'après ce que j'ai pu juger de sa taille lors de la presque conversation que nous avons presque eue.

Et là, je la vois.

Une tache. Au col de la chemise de nuit. Une tache irrégulière, marron-rouge, incrustée dans le tissu. J'ai déjà vu des taches de ce genre en faisant la lessive.

Pas de doute. C'est du sang.

Et par-dessus le marché, il y en a pas mal, du sang. Juste à l'encolure, qui déborde sur le tissu en dessous. Je ferme les yeux, incapable de m'empêcher d'imaginer ce qui a pu causer ce saignement.

Mes yeux se rouvrent quand retentit la sonnerie de mon téléphone. Je le sors de la poche de mon jean et mon cœur se serre. L'écran identifie l'appel comme provenant du poste de police du Bronx. Je ne sais pas pourquoi, mais je n'ai pas l'impression que ça promette une bonne nouvelle.

Enfin, bon, ils ne vont pas m'arrêter par téléphone, non ?

— Allô ?

Je m'assieds au bord du lit des Garrick, qui fait à peu près la taille d'un paquebot.

— Wilhelmina Calloway ? C'est l'agent Scavo.

Mon ventre se retourne. Le seul nom de ce policier me donne la chair de poule.

— Oui ?

— J'ai de bonnes nouvelles pour vous.

Si cet homme est toujours sur l'affaire, il n'y a pas de bonne nouvelle possible. Mais peut-être que je devrais essayer d'être optimiste. La vie me doit bien une petite victoire.

— Laquelle ?

— M. Marin a décidé de ne pas porter plainte.

C'est ça, la bonne nouvelle ? Je serre le téléphone si fort que mes doigts commencent à picoter.

— Et moi, alors ? Je veux porter plainte, moi.

— Mademoiselle Calloway, nous avons un témoin qui vous a vue l'agresser. (Il s'éclaircit la voix.) Vous avez de la chance que ça se termine ainsi. Si vous étiez encore en liberté conditionnelle, vous retourneriez direct en prison. Bien sûr, il peut encore porter plainte au civil.

Je ravale une boule dans ma gorge.

— Et il est où, en ce moment ?

— Il est sorti ce matin.

— Vous l'avez libéré de prison ce matin ?

Scavo soupire.

— Non, il n'a pas été arrêté. Il est sorti de l'hôpital ce matin.

Ça veut dire qu'il sera de retour à l'immeuble ce soir. Et donc que je ne pourrai jamais y retourner.

— Écoutez, madame, reprend Scavo, vous avez eu de la chance pour cette fois, mais je vous conseillerais de voir un psy. Histoire d'apprendre à maîtriser vos accès de colère. Ou bien vous finirez par retourner en prison.

— Merci pour le tuyau, je lâche entre mes dents.

Au moment où je raccroche, je lève les yeux et me rends compte que je ne suis pas seule dans la chambre. À l'autre bout de la pièce, debout dans l'embrasure de la porte, se tient Douglas Garrick. En costume Armani et cravate rouge, ses cheveux bruns coiffés en arrière, comme toujours.

Je me demande ce qu'il a entendu de cette conversation. Bon, ça aurait été pire s'il avait entendu la partie du dialogue de Scavo.

— Bonjour, Millie.

Je me relève précipitamment et fourre mon téléphone dans ma poche.

— Bonjour. Désolée, je... je m'occupais du linge.

Il ne conteste pas mon affirmation en arguant que non, je parlais au téléphone. Au lieu de ça, il entre lentement dans la pièce en défaisant sa cravate rouge d'un geste du pouce. Il retire sa veste et la jette sur la commode.

— Alors ? dit-il.

Je le regarde sans comprendre.

— Vous allez laisser ma veste traîner là sur la commode ?

Il me faut une seconde pour piger ce qu'il attend de moi. Son armoire doit être à peu près à deux mètres de nous, il n'aurait pas été bien compliqué pour lui d'y suspendre sa veste, mais non, il me laisse le faire. Ce qui est normal, au fond, puisque c'est mon travail, cependant il y a dans sa voix une raideur qui me met mal à l'aise. Je l'ai remarquée de plus en plus souvent lors de mes interactions avec lui.

— Je suis vraiment désolée, je bredouille. Je vais l'accrocher.

Douglas Garrick me regarde m'occuper de sa veste, ou plutôt il m'observe attentivement. Je l'ai googlé, l'autre jour, mais il n'y a pas grand-chose sur lui... pas même une photo correcte. Apparemment, il est extrêmement méfiant en ce qui concerne sa vie privée. Tout ce que j'ai pu dénicher, c'est qu'il est le PDG d'une très grande entreprise, du nom de Coinstock, comme Brock me l'avait dit. C'est une sorte de génie de la tech, qui a inventé un logiciel utilisé par pratiquement toutes les banques du pays. D'après Brock, le type a l'air sympa, mais on ne connaît pas vraiment les gens dans des relations strictement professionnelles. Douglas me semble le genre d'homme capable d'user de son charme quand ça l'arrange.

— Vous êtes mariée ? me demande-t-il.

Je me fige, sa veste à moitié sur le cintre.

— Non...

Un coin de ses lèvres se retrousse.

— Un petit ami ?

— Oui, je réponds avec raideur.

Il ne fait aucun commentaire, mais son regard me détaille de la tête aux pieds, au point que je commence à me tortiller sous l'effet de la gêne. Si bel homme qu'il soit, je n'apprécie pas qu'il me reluque de cette façon. Lors de notre première rencontre, j'ai été impressionnée par le respect de son regard, mais il faut croire que c'était juste pour la forme. S'il continue à me mater comme ça...

Oui, enfin, il n'y a pas grand-chose que je puisse faire, sans doute. Pas quand un officier de police vient de m'accuser d'avoir agressé un homme.

Je suis sur le point de l'obliger à regarder mon visage en disant quelque chose, quand ses yeux se posent enfin sur la chemise de nuit blanche encore étalée sur le lit *king size*. Il fixe la tache de sang sur le col. C'est peut-être mon imagination, mais je suis certaine d'entendre une brusque inspiration.

Je regarde la chemise de nuit, puis de nouveau Douglas.

— Bon. Si vous voulez bien m'excuser, je dois chercher comment on enlève les taches de sauce tomate sur un tissu.

Il continue de me fixer une seconde encore, puis il hoche enfin la tête.

— Bien. Faites donc ça.

Je n'ai pas besoin de googler quoi que ce soit, en vérité. Je sais déjà comment enlever les taches de sang sur un tissu.

16

Brock et moi dînons ensemble, mais je n'arrive pas à me concentrer sur une seule de ses paroles.

Le temps s'est réchauffé, et on a obtenu une table en terrasse dans un joli petit restaurant oriental de l'East Village. Brock est terriblement beau, dans son costume du travail, et j'ai mis une robe d'été neuve. Pendant qu'on mange nos entrées, Brock me parle d'un de ses clients. En général, je suis heureuse de passer la soirée avec mon super petit ami. Je suis toujours un peu étonnée que quelqu'un comme Brock puisse s'intéresser à une fille comme moi et, d'ordinaire, je serais suspendue à ses dires (même s'il parle du droit des brevets, ce qui, honnêtement, est assez ennuyeux). Aujourd'hui, cependant, je n'ai pas la tête à ça.

Parce que j'ai de nouveau cette sensation de picotement dans la nuque. Comme si quelqu'un m'observait.

J'aurais dû dire à Brock que je voulais manger à l'intérieur. Je ne me sens plus en sécurité, avec Xavier en liberté. Je ne sais pas pourquoi il m'a choisie comme cible, mais ça fait une semaine qu'il m'a agressée et je sens souvent ses yeux me transpercer. J'aimerais croire que c'est le fruit de mon imagination, seulement je n'en suis pas si sûre. Même avec un bras cassé – même dans un autre quartier –, Xavier pourrait tout à fait me suivre.

— Tu ne penses pas, Millie ? dit Brock.

Je lève sur lui un regard vide. Je tiens ma fourchette dans ma main droite, où j'ai piqué un cube d'agneau, mais je ne pense pas avoir mangé une bouchée depuis au moins dix minutes.

— Hein ? je lance, faute de mieux.

Brock fronce les sourcils et le petit espace entre eux se plisse d'une manière que je trouve mignonne d'habitude. Là, ça m'agace.

— Tu vas bien ?

— Oui… je lui mens.

Il accepte ma réponse sans poser de questions. J'ai remarqué que, surtout pour un avocat, Brock est très confiant. N'importe qui d'autre m'aurait probablement interrogée sur mon passé, mais lui, non. C'est un soulagement de ne pas avoir à tout lui raconter, pourtant j'aimerais parfois qu'il insiste un peu. Parce que je suis fatiguée de lui cacher tous ces secrets.

Brock et moi, on s'est rencontrés pendant une brève période où je pensais être intéressée par une carrière juridique, avant de prendre conscience que mes antécédents rendraient la chose difficile, voire impossible. Pendant mon cursus au centre universitaire, j'ai eu l'occasion de le suivre dans son travail, mais dès le premier jour, Brock a admis d'une voix penaude : « Mon travail n'est pas très passionnant. » J'avais imaginé le suivre dans des salles d'audience, au lieu de quoi il a surtout passé son temps à remplir de la paperasse. Et moi, je regardais.

« Je suis désolé, m'a-t-il dit à la fin de notre semaine ensemble. Je suis sûr que tu t'attendais à quelque chose de différent. »

À quoi j'ai répondu : « C'est pas grave, je ne voulais pas être avocate, de toute façon.

— Laisse-moi me rattraper. En t'invitant à dîner. »

Plus tard, Brock m'a avoué que pendant toute la semaine, il avait réfléchi à un moyen de me proposer de sortir avec lui. En vérité, j'ai failli refuser. Je m'apitoyais encore sur mon sort après qu'Enzo m'avait annoncé ne pas avoir l'intention de revenir aux États-Unis, et je n'avais pas envie d'avoir le cœur brisé une seconde fois. Et puis, j'ai imaginé les belles Italiennes en train de draguer mon ex-petit ami et j'ai décidé que… et puis merde, pourquoi je ne pourrais pas m'amuser un peu, moi aussi ?

Brock est un bon petit ami. Chaque semaine qui passe, je cherche son défaut rédhibitoire, mais non, il reste d'une perfection à la limite du frustrant. Et quand il a découvert qu'on n'avait pas inculpé Xavier pour agression, il s'est mis en colère juste ce qu'il fallait. Il a accepté de m'accompagner au poste de police pour parler au policier chargé de l'affaire. Une proposition que j'ai dû décliner, pour des raisons évidentes.

Et puis il a oublié l'affaire. Moi, je n'ai pas pu m'empêcher d'y repenser toute la semaine, alors que Brock est passé à autre chose, même si, à plusieurs reprises, il a répété ce qui est une évidence : je dois trouver un autre endroit où vivre.

— Je te trouve un peu pâle, note Brock.

Je me frotte la nuque, puis je me retourne pour regarder derrière moi, persuadée que je vais tomber nez à nez avec Xavier. Personne. Du moins, je ne le vois pas. Pourtant il est là, c'est sûr et certain.

— Emménageons ensemble, je lâche soudain.

Brock s'interrompt au milieu d'une phrase. Il a une minuscule goutte de sauce tahini à la commissure des lèvres.

— Quoi ?

— Je crois qu'on est prêts.

Encore un mensonge. Je ne me sens pas prête à emménager avec Brock, mais je n'ai absolument aucune intention de retourner dans mon appartement du sud du Bronx tant que Xavier y vivra, et je ne sais pas si je me sentirai à nouveau en sécurité un jour dans ce quartier en général. Je ne suis même pas sûre de me sentir en sécurité ici, alors dans le Bronx...

Mais bref, j'ai dit ce qu'il fallait dire. La preuve, un immense sourire illumine le visage de mon petit ami.

— OK. Ça me va. (Il prend ma main par-dessus la table.) Je t'aime, Millie.

J'ouvre la bouche, consciente d'avoir atteint le point critique où je dois le lui dire à mon tour. Sauf qu'à cet instant cette fichue sensation dans ma nuque devient insupportable. Je tourne brusquement la tête, certaine que, cette fois, je vais voir Xavier à quelques mètres de moi, en train de me dévisager.

Paupières plissées, je scrute la rue derrière moi. Où il est, ce trou du cul ?

Je ne vois Xavier nulle part. Soit il s'est planqué derrière une boîte aux lettres, soit il n'est pas là. En revanche, je vois une personne à laquelle je ne m'attendais pas.

Douglas Garrick.

17

Douglas Garrick est là, derrière moi.

Plus précisément, il traverse la rue. Le feu est rouge, il s'élance sur le passage piéton alors qu'un taxi jaune lui adresse un sonore coup de Klaxon. Je le suis un moment des yeux, le cœur battant. J'étais partie du principe que c'était Xavier qui me suivait, maintenant je n'en suis plus si sûre. Et si c'était Douglas, finalement ?

— Une minute, je dis à Brock. Je reviens tout de suite.

— Qu'est-ce que...

Je ne lui laisse pas le temps de terminer sa question et me rue à la poursuite de Douglas, forçant une berline bleue à freiner brusquement. Le conducteur m'insulte, mais je m'en fiche, je continue à marcher.

Que fait Douglas dans l'East Village ? Il vit dans l'Upper West Side et il travaille à Wall Street.

S'il m'observait, ce n'est plus le cas. Et l'autre détail intéressant, c'est qu'il n'est pas seul. J'ai l'impression qu'il marche à côté d'une femme aux cheveux blonds, cramponnée à un sac à main marron fonctionnel, en bandoulière sur son épaule droite.

Qu'est-ce qui se passe ? Pourquoi est-ce qu'il me surveillait ? Et qui est cette femme ? Même si je n'ai pas bien vu Wendy Garrick dans la vraie vie, j'ai examiné des photos d'elle, et cette femme n'est pas Mme Garrick.

Je le suis encore sur un pâté d'immeubles. Je me fais peut-être des illusions, mais je ne pense pas qu'il ait conscience de m'avoir dans leur sillage, à lui et à cette femme, sur la Deuxième Avenue. Elle élève la voix, sans que je parvienne à distinguer ce qu'ils se disent. Et si je me rapproche trop, ils risquent de me voir.

Je ne sais pas combien de temps je vais pouvoir les suivre. Brock est toujours au restaurant, il doit penser que j'ai perdu la boule. J'espère que ce petit incident ne sera pas le sujet star de son coup de fil hebdomadaire à maman et papa.

Par chance, Douglas et la femme s'arrêtent devant un petit immeuble en grès brun. Comme mon propre immeuble, celui-ci n'a pas de portier. Elle fouille dans son sac à main pour trouver la clé, déverrouille la porte, la pousse. Je parviens à bien la voir juste avant qu'ils ne disparaissent à l'intérieur.

Ce qui se passe là est douloureusement évident. Douglas a une maîtresse qui vit dans cet immeuble. Il est encore assez tôt pour qu'en rentrant chez lui, il puisse raconter à Wendy qu'il a travaillé tard ce soir.

Cela dit, pourquoi se disputaient-ils ?

Bon, ce n'est pas difficile à imaginer. Si c'est sa maîtresse et qu'il est marié, elle est peut-être en colère qu'il n'ait pas quitté sa femme.

Celle que je viens de voir m'a l'air d'avoir au moins une trentaine d'années, et pas le genre pouffiasse qui ne cherche qu'à s'amuser. Elle espère peut-être que Douglas va larguer Wendy et l'épouser à la place.

J'ai toujours les yeux rivés sur le bâtiment, à essayer de trouver quoi faire ensuite, quand mon téléphone sonne dans ma poche. Je grimace en découvrant le nom de Brock sur l'écran. Zut, j'aurais dû le laisser dans mon sac. Mais en l'occurrence, je dois prendre l'appel. Le gars vient de me dire qu'on pouvait emménager ensemble, il m'a dit qu'il m'aimait, bon sang, et moi je bondis de mon siège comme une folle et je pars en courant.

— Millie ? (Il a l'air perplexe.) Qu'est-ce qui s'est passé ? Où tu es partie ?

— Je… J'ai vu une vieille amie. Je voulais la rattraper. Je ne l'ai pas vue depuis des années.

— OK… Tu reviens, maintenant ?

Comme je savais qu'il le ferait, il accepte mon explication ridicule, bien qu'un peu à contrecœur.

Je jette un dernier regard au bâtiment en grès marron.

— Oui. Je te rejoins d'ici quelques minutes.

— Quelques minutes ?

Quoi que traficote Douglas Garrick dans cet immeuble, je ne risque pas de l'apprendre en restant plantée là. Alors je reprends la direction du restaurant, me préparant à subir le troisième round face à Brock. Il va exiger une réponse plus détaillée sur la raison de mon départ précipité. Sauf que si je lui avoue la vérité, je vais passer pour une cinglée.

— J'arrive tout de suite. Je te promets.

— Tu veux que je demande l'addition ? propose-t-il. Tu vas bien ? Qu'est-ce qui se passe ?

Je traverse la rue pour retourner au restaurant, pressant un peu le pas.

— Rien. Je te l'ai dit, j'ai aperçu une vieille amie.

— Tu n'avais pas l'air bien.

— Si, ça va, j'insiste. Je…

Pile au moment où je suis en train de lui assurer que je vais parfaitement bien, je m'arrête de parler. Parce que je viens de voir quelque chose qui fait dégringoler mon cœur au fond de mon ventre.

Une Mazda noire avec le phare avant droit fendu. La même que j'ai vue garée près de mon immeuble et parfois près de l'endroit où vivent les Garrick.

Je baisse les yeux vers la plaque d'immatriculation. 58F321. Je cherche dans ma tête, tâchant de me rappeler les chiffres, la dernière fois que je l'ai vue. Pourquoi ne les ai-je pas notés ? J'étais tellement sûre de m'en souvenir.

Mais ce phare droit fissuré. Il m'est si familier…

— Millie ? lance la voix de Brock dans mon téléphone. Millie ? Tu es là ?

Je continue de contempler le véhicule. Depuis le début, j'étais persuadée d'être filée par Xavier. Et maintenant, je trouve cette voiture garée près de l'immeuble de la maîtresse de Douglas. Et si je ne suis pas sûre à cent pour cent que c'est la même, je suis quand même prête à parier de l'argent là-dessus. Bon, c'est une voiture un peu minable pour un multimillionnaire, mais ce n'est peut-être pas idiot, s'il essaie de passer inaperçu.

Sauf que pourquoi Douglas me suivrait ? Après tout, j'ai commencé à avoir cette sensation avant de travailler pour la famille Garrick. Douglas m'aurait-il suivie avant même que je commence à travailler pour lui ?

Un froid horrible me descend le long de l'échine. Qu'est-ce qui se passe ?

18

Aujourd'hui, j'emballe mes affaires pour déménager.

La vérité, c'est que je ne suis toujours pas très motivée à l'idée d'emménager avec Brock, mais si Xavier Marin vit dans mon immeuble, je ne peux pas rester. Et puis je dois admettre que ce ne sera pas une torture de vivre dans l'appartement de Brock, deux chambres dans l'Upper West Side. Ce n'est pas non plus un penthouse, mais il est magnifique. Il a même un balcon qui ne sert pas aussi d'issue de secours. Sans compter que, pour les périodes de chaleur pendant l'été, il a l'air conditionné. L'air conditionné ! Le summum du luxe.

Brock me conduit dans le Bronx avec son Audi. Il n'y a pas des tonnes de place dans le coffre, mais ce n'est pas grave, vu que je n'ai pas des tonnes d'affaires. L'un des avantages de cet appartement, c'était qu'il était loué partiellement meublé, du coup, la plupart des objets qu'il contient ne m'appartiennent pas. Tout ce qui ne rentrera pas dans le coffre ou sur la banquette arrière, je peux le laisser.

— Je suis tellement content qu'on emménage ensemble, me dit Brock alors que nous empruntons pour la dernière fois les rues qui mènent à mon immeuble. Ça va être génial.

Le sourire que je lui renvoie me fait l'effet d'être en plastique.

— Oui.

Comment je peux me lancer là-dedans ? Comment je peux emménager avec Brock quand il ne connaît pas la vérité sur mon passé ? Ce n'est pas juste vis-à-vis de lui. Et ce ne sera pas juste pour moi non plus quand il le découvrira et me jettera à la rue.

Je travaille toujours pour la famille Garrick… pour le moment. À force d'y repenser, je suis de moins en moins certaine que Douglas m'observait ce jour-là. Après tout, il discutait avec sa maîtresse, il n'avait pas du tout l'air focalisé sur moi. J'ai tiré des conclusions trop hâtives. Et apprendre que mon patron a une aventure n'est pas une raison pour abandonner un travail bien rémunéré, d'autant plus qu'en décrocher un nouveau est toujours difficile pour moi. Je vais peut-être emménager avec Brock, mais ce serait une erreur de devenir dépendante de lui. J'ai besoin de mon propre revenu, pour le cas où il me jetterait à la rue comme susmentionné.

À un feu rouge, Brock pose la main sur mon genou. Il me sourit, il est si beau, autant qu'une star de cinéma… et moi, tout ce que je pense, c'est que tout ça est une mauvaise idée. Il est en train de commettre une terrible erreur et il ne le sait même pas. Et une partie de moi souhaite qu'il retire sa foutue main de mon genou.

Il ne m'a pas redit qu'il m'aimait depuis le restaurant. Je vois qu'il en brûle, parfois, seulement il me l'a dit deux fois maintenant, et moi, jamais. S'il récidive, je devrai soit le lui dire, soit… eh bien, disons qu'il faudra m'y résoudre si je veux que cette relation continue. Ce n'est même plus une question.

Brock retire sa main alors que nous nous engageons dans ma rue.

— Eh, qu'est-ce qui se passe ici ?

Une voiture de police, tous gyrophares allumés, est garée devant mon immeuble. Je pince les lèvres, m'abstenant de répliquer que des voitures de police, il y en a tout le temps par ici. Mon ventre se retourne cependant : se peut-il qu'ils soient là pour moi ? Peut-être que Xavier est finalement revenu sur sa décision de ne pas porter plainte.

Oh, mon Dieu, ils vont m'emmener avec des menottes ?

— Brock, je lâche aussitôt, peut-être qu'on devrait partir d'ici. Revenir une autre fois.

Il plisse le nez.

— Je ne vais pas refaire tout le trajet jusque dans le Bronx demain. Allons, ça va bien se passer.

Au moment où je sens venir une grosse crise de panique, la porte de mon immeuble s'ouvre et un officier en sort, qui emmène un homme dans la rue, les mains menottées dans le dos. On dirait qu'ils ne sont pas là pour moi, tout compte fait. Probablement une énième saisie de drogue.

Et puis je vois la cicatrice au-dessus du sourcil gauche de l'homme menotté. C'est Xavier.

Je baisse ma vitre, pile au moment où Xavier crie à l'officier qui le conduit à la voiture de police :

— Vous devez me croire ! Cette drogue... je ne l'ai jamais vue. Elle n'est pas à moi !

Même de là où on est garés, je remarque l'expression blasée de l'officier.

— Ben ouais, c'est ce qu'ils disent tous, quand on trouve un bon gros tas d'héroïne dans leur appartement.

Une seconde avant qu'ils n'arrivent à la voiture de patrouille, les yeux de Xavier s'emplissent de panique. Même s'il doit se rendre compte que son geste est stupide, il repousse le policier et se met à courir dans la rue. Bien sûr, avec les mains menottées dans le dos, il ne va pas bien loin. Le policier le rattrape quelques secondes plus tard, et je le regarde se faire jeter à terre.

Le meilleur spectacle auquel j'aie assisté depuis des mois, permettez-moi de le dire.

Brock observe la scène qui se déroule devant nous, les yeux écarquillés.

— Doux Jésus. Une chance que tu t'en ailles d'ici.

— C'est lui, je souffle. C'est l'homme qui m'a agressée.

— Waouh ! Donc il se droguait en plus ? Remarque, ce n'est sans doute pas surprenant.

Pendant nos brèves interactions, je n'ai jamais eu l'impression que Xavier se droguait. Il semblait toujours complètement sobre, au contraire.

Mais s'ils en ont trouvé dans son appartement… mieux encore, s'ils y ont trouvé beaucoup de drogue, assez pour laisser penser qu'il dealait, il n'est pas près de revenir.

— Je n'ai pas besoin de déménager, je lâche.

Brock s'en décroche la mâchoire.

— Quoi ?

— Il ne va plus habiter dans l'immeuble, je lui fais remarquer. Donc je n'ai pas à partir.

Brock grimace.

— Je ne comprends pas. Tu ne veux pas vivre avec moi alors ?

C'est une question extrêmement délicate. Oui, ce serait sympa d'avoir de l'espace en plus, l'air conditionné et le portier pour empêcher les cambrioleurs d'entrer. Mais ce ne sont pas des raisons suffisantes pour emménager avec son petit ami.

— Si. Un jour. Mais… pas tout de suite.

— Je vois, fait-il d'un ton glacial.

— Je suis vraiment désolée. (Je tends la main pour serrer la sienne, mais il ne me rend pas mon geste.) Je suis juste le genre de personne qui a besoin de son propre espace. C'est tout.

Ses yeux bleus rencontrent les miens.

— C'est vraiment tout ?

J'imagine les parents de Brock comme étant du genre à effectuer une vérification des antécédents de toute femme avec laquelle emménagerait leur fils. Bon sang, ils l'ont peut-être déjà fait pour moi. Sauf qu'ils ont dû chercher Millie Calloway, et que c'est la seule chose qui m'a sauvée. Car ce n'est qu'une question de temps avant qu'ils ne découvrent que mon prénom est en fait Wilhelmina, et alors Brock découvrira tout.

Je dois tout lui déballer avant que ça n'arrive.

Mais avec ce connard de Xavier en prison, je bénéficie d'un petit sursis.

19

Le penthouse des Garrick est bien calme aujourd'hui.

J'ai entendu un bruit venant de la chambre d'amis, mais ce n'étaient ni des pleurs ou des cris, ni quoi que ce soit de suspect. Juste le bruit d'une présence, là-dedans, une femme que je ne suis pas censée déranger.

Après l'histoire du sang sur la chemise de nuit, j'ai sincèrement cru que Douglas allait trouver un prétexte quelconque pour me renvoyer, mais non. Du moins, pas jusqu'à présent. C'est une bonne chose, vu que j'ai besoin d'argent. (Brock continue de lâcher des sous-entendus comme quoi je devrais emménager avec lui, mais j'ai réussi à le fléchir jusqu'à présent.)

D'ailleurs, maintenant que j'ai eu quelques jours pour y penser, je ne suis plus aussi convaincue que le cramoisi sur la chemise de nuit ait eu une cause aussi sinistre qu'il m'a semblé sur le moment. Je suis toujours certaine que la tache était du sang, mais il y a beaucoup de raisons innocentes pour qu'une tache de sang se retrouve sur un vêtement. J'ai eu affaire à suffisamment d'enfants qui saignaient du nez pour savoir que c'est une erreur de tirer des conclusions hâtives. Donc j'ai réussi à me sortir ça de la tête.

Enfin, en partie.

Après avoir rangé les autres chambres, je prends le couloir jusqu'à la salle de bains principale de l'étage. En général, les salles de bains ne sont pas très sales. C'est logique, étant donné qu'il n'y a que deux personnes à vivre ici – à mon avis, ils n'auraient pas besoin de quelqu'un pour nettoyer aussi fréquemment, mais je ne vais pas discuter avec eux. Je suis payée pour faire le ménage, et si je dois nettoyer quelque chose qui est déjà quasi propre, eh bien, je le ferai.

Sauf qu'en entrant dans la salle de bains, cette fois, je tombe sur quelque chose que je n'ai jamais vu avant. Quelque chose qui me donne l'impression d'avoir reçu un coup de poing dans le ventre.

Une empreinte de main ensanglantée sur le lavabo.

Enfin, pour être précise, c'est la moitié d'une empreinte de main, plus ou moins. Comme si quelqu'un s'était cramponné au lavabo avec une main couverte de sang.

Je baisse les yeux vers le sol. Je n'avais rien vu en entrant, mais maintenant je remarque des petites gouttes de sang sur le linoléum. Comme si elles formaient une piste.

Je suis la trace des gouttelettes écarlates, qui m'emmènent hors de la salle de bains. Comme il n'y a pas de lumière dans le couloir, je ne les avais pas remarquées en passant la première fois, mais je distingue désormais le cheminement des taches de sang sur la moquette. Un chemin qui s'arrête devant la porte de la chambre d'amis.

Je ne suis pas censée y frapper. Douglas a été très clair quand j'ai commencé à travailler ici. Et la seule fois où j'ai toqué à cette porte, Wendy Garrick n'était pas contente de me voir.

Seulement, je repense à Kitty Genovese. Comment ne pas me renseigner, quand une traînée de sang mène littéralement à cette porte ?

Donc je lève le poing et je tape.

Tout à l'heure, j'ai entendu des bruits, mais là, tout est soudain silencieux de l'autre côté de la paroi. Personne ne me dit d'entrer ou de ne pas entrer. Alors je frappe de nouveau.

— Madame Garrick ? j'appelle. Wendy ?

Pas de réponse.

Je serre les dents de frustration. Je ne sais pas ce qui se passe là-dedans, mais je ne partirai pas tant que je n'aurai pas vérifié qu'elle n'est pas en train de se vider de son sang. Je me suis fixé comme règle de ne pas faire le ménage en présence de cadavres.

Même si je ne devrais pas, je pose la main sur la poignée de la porte. J'essaie de la tourner, mais rien ne bouge. Fermée à clé.

— Madame Garrick, il y a du sang partout dans votre salle de bains.

Toujours pas de réponse.

— Écoutez, si vous n'ouvrez pas la porte, je vais devoir appeler la police.

Là, j'obtiens une réaction. J'entends bouger derrière la porte, puis une voix légèrement étouffée.

— Je suis là. Tout va bien. N'appelez pas la police.

— Vous êtes sûre ?

— Oui. S'il vous plaît… partez. J'essaie de dormir.

Je pourrais m'en aller, mais en réalité, non, j'en suis incapable après avoir vu tout ce sang dans la salle de bains. Et ce n'est pas seulement la présence du sang, plutôt le fait que celui ou celle qui l'a perdu était trop blessé pour pouvoir le nettoyer.

Alors j'insiste.

— Je veux vous voir. S'il vous plaît, ouvrez la porte.

— Je vais bien, je vous l'ai dit. J'ai juste saigné à cause d'une dent que je me suis cassée.

— Ouvrez deux secondes et je vous laisse tranquille. Mais je vous promets que je ne partirai pas tant que vous n'aurez pas ouvert cette porte.

S'ensuit un autre long silence de l'autre côté. Pendant que j'attends, mes yeux s'égarent vers la traînée de gouttelettes depuis la salle de bains. Plein de raisons parfaitement innocentes pourraient avoir causé ça. Peut-être qu'elle se rasait et qu'elle s'est coupée. Peut-être que c'est vraiment une dent cassée.

Et puis il y a des explications pas si innocentes que ça.

Enfin, la poignée émet un cliquetis. La porte a été déverrouillée. Puis, très lentement, elle s'entrouvre.

Et je dois me plaquer une main sur la bouche pour ne pas crier.

20

— Wendy, je souffle. Oh, mon Dieu.

— Je vous l'ai dit, je vais bien. Ce n'est pas aussi grave que ça en a l'air.

J'ai vu beaucoup de sales trucs dans ma vie, mais le visage de Wendy Garrick est l'une de ces images qui vont me hanter pendant des années. Cette femme a été frappée et, d'après ce que j'en vois, ça n'est pas arrivé qu'une seule fois. Les ecchymoses qui lui couvrent le visage sont à différents stades de guérison. Celle de sa pommette gauche a l'air récente, mais d'autres ont un aspect jaunâtre qui donne l'impression qu'elles résultent d'un coup reçu il y a bien plus longtemps.

Wendy a prétendu que le saignement provenait d'une de ses dents et je suis en effet persuadée, sans l'ombre d'un doute, que ce qui lui a fait ça au visage a pu lui casser une dent.

— C'est à cause de mes médicaments, me dit-elle. J'ai fait une chute. Et par-dessus le marché, je prends des anticoagulants, donc je marque et je saigne facilement.

Cette femme s'est regardée dans un miroir ? Elle essaie vraiment de me faire avaler que c'est arrivé à cause d'une chute ?

Elle porte une chemise de nuit rose avec des fleurs dessus et, comme la salle de bains, le vêtement est taché de sang sur le devant. Ce n'est pas la première chemise de nuit que je vois tachée de sang depuis que je suis ici.

— Vous devez aller à l'hôpital, je parviens à lâcher.

Elle cille.

— À l'hôpital ? Et pour y faire quoi, exactement ?

— Vérifier si vous avez des fractures.

— Je n'en ai pas. Tout va bien.

— Et ensuite vous pourrez porter plainte, j'ajoute.

Wendy Garrick me dévisage de ses yeux bordés d'hématomes. Elle prend une inspiration et grimace. Je me demande si elle a une côte cassée. Ça ne me surprendrait pas.

— Écoutez-moi, Millie, chuchote-t-elle. Vous n'avez aucune idée de ce à quoi vous avez affaire. Mieux vaut pour vous ne pas vous impliquer dans cette situation. Vous feriez bien de vous en aller et de me laisser tranquille.

— Wendy...

— Je suis sérieuse. (Ses yeux meurtris s'écarquillent et, pour la première fois, j'y lis une véritable peur.) Si vous savez ce qui est bon pour vous, refermez cette porte et partez d'ici.

— Mais...

— Partez, Millie. Vraiment. Vous n'avez pas idée. Allez-vous-en.

Maintenant, j'entends une terrible urgence dans sa voix. J'ouvre la bouche pour protester, mais avant que je n'en aie le temps, elle m'a claqué la porte au nez.

Le message est clair comme de l'eau de roche. Quoi qui se passe dans cette maison, Wendy ne veut pas de mon aide. Elle veut que je reste en dehors de ça. Que je m'occupe de mes affaires.

Malheureusement, je n'ai jamais été très douée pour ça.

21

— En 2007, un célèbre violoniste nommé Josh Bell, qui venait de donner un concert à guichets fermés dont les billets s'étaient arrachés à une centaine de dollars en moyenne, s'est fait passer pour un musicien de rue. Il s'est présenté dans une station de métro de Washington, vêtu d'un jean et d'une casquette de baseball, où il a joué exactement la même musique que lors de son concert, sur un violon fabriqué sur mesure d'une valeur dépassant les trois millions et demi de dollars. Quasiment personne ne s'est arrêté pour l'écouter, explique le Pr Kindred à l'amphithéâtre rempli d'étudiants. En fait, même lorsque de temps en temps des enfants s'arrêtaient, leurs parents les attrapaient par le col et les obligeaient à reprendre leur chemin. Cet homme avait donné un concert complet à Boston et, ce jour-là, pas plus d'une cinquantaine de personnes se sont arrêtées assez longtemps pour mettre un dollar dans son étui à violon. Comment expliquez-vous cela ?

Après un moment d'hésitation, une fille du premier rang lève la main. Celle qui est toujours avide de répondre aux questions.

— Je pense que c'est en partie dû au fait que la beauté est moins facilement perçue dans un cadre modeste.

Je prends le métro tous les jours du Bronx à Manhattan et je vois souvent des gens qui jouent de leur instrument pendant que j'attends l'arrivée du métro. La station la plus proche de mon immeuble empeste l'urine, pour des raisons que je préfère ne pas imaginer, mais si quelqu'un joue de la musique pendant mon attente, j'ai l'impression que ça sent moins mauvais.

Je me serais arrêtée, moi, j'aurais écouté Josh Bell. J'aurais peut-être même glissé un dollar dans son étui à violon, et pourtant je compte le moindre dollar.

— OK, dit le Pr Kindred. D'autres facteurs possibles ?

J'hésite quelques secondes avant de lever la main. Je n'ai pas pour habitude de participer aux cours, vu que j'ai à peu près dix ans de plus que la personne la plus âgée dans l'amphi (à part le professeur). Mais personne d'autre n'a l'air de vouloir répondre.

— Personne ne voulait l'aider, je suggère.

Le Pr Kindred acquiesce en caressant sa barbe.

— Que voulez-vous dire par là ?

— Eh bien, il avait un étui à violon ouvert devant lui, avec de l'argent dedans. Les gens sont partis du présupposé qu'il cherchait de l'aide, sous forme d'argent. Et comme ils ne voulaient pas l'aider, ils l'ont ignoré. Selon leur point de vue, s'arrêter aurait impliqué qu'ils devaient l'aider.

Le prof hoche la tête.

— Ah. Alors ça ne dit pas grand-chose de bien sur la race humaine, si personne n'était prêt à apprécier une belle musique, au seul motif que cela impliquait peut-être d'aider une personne dans le besoin.

Comme il me regarde toujours, je me sens obligée d'ajouter quelque chose.

— Au moins cinquante personnes se sont arrêtées. C'est déjà ça.

— Très vrai, convient-il. C'est déjà ça.

Je l'aurais aidé, moi. J'aide toujours les gens. Je ne peux pas fermer les yeux, jamais, même quand je devrais.

À la fin du cours magistral, au moment où je sors du bâtiment, j'aperçois un visage familier qui descend la rue. Je suis un peu surprise de constater qu'il s'agit d'Amber Degraw, la femme qui m'a renvoyée parce que sa fillette m'appelait « maman ». Et pourtant, ma surprise n'est rien comparée à celle que j'éprouve à la voir pousser une poussette contenant la petite Olive, qui joue avec une sorte de hochet qu'elle s'enfonce aussi loin qu'elle peut dans la bouche. Elle a les lèvres tout empoissées de bave.

Quand je travaillais pour elle, jamais Amber n'a montré la moindre velléité d'emmener Olive en promenade. C'est donc une bonne nouvelle pour elles deux.

J'envisage de m'esquiver au coin de la rue pour éviter une rencontre gênante, mais Amber me repère et lève la main pour me saluer avec enthousiasme. Apparemment, elle a complètement oublié la façon dont elle m'a virée.

— Millie ! m'appelle-t-elle. Mon Dieu, quel plaisir de vous voir !

Vraiment ? Parce que ce n'est pas ce qu'elle a dit la dernière fois qu'on s'est vues.

— Bonjour, Amber, je réponds, déjà résignée à une conversation polie.

Elle s'arrête à côté de moi et lâche la poignée de la poussette le temps de lisser ses cheveux blond vénitien qui brillent sous le soleil. Aujourd'hui, Amber a opté pour le tout-cuir : un pantalon en cuir, rentré dans des bottes en cuir montant jusqu'aux genoux, et un trench en cuir marron clair.

— Comment allez-vous ? Tout va bien ?

Elle penche la tête sur le côté, comme si j'étais une amie dans la déveine plutôt qu'une personne qu'elle a virée.

— Absolument, je lâche entre mes dents. Super bien.

— Où travaillez-vous maintenant ?

J'éprouve une réticence à lui parler de mon poste actuel. Après tout, elle m'a renvoyée pour la raison la plus stupide qui soit. Je n'ai pas la moindre confiance en cette femme.

— Je suis entre deux boulots.

— Je vous ai vue dans la rue l'autre jour, reprend-elle. Qui entriez dans ce vieil immeuble sur la 86e Rue. C'est là que vit Douglas Garrick, n'est-ce pas ?

Je me fige, sidérée qu'elle possède cette information. Enfin, après réflexion, dans le milieu des gens riches, tout le monde connaît tout le monde, apparemment.

— Oui, je travaille pour les Garrick maintenant.

— Oh, c'est donc ça que vous faisiez là-bas ?

Le sourire qui se dessine sur les lèvres d'Amber me met mal à l'aise. Qu'est-ce qu'elle sous-entend exactement ?

— Oui...

Elle m'adresse un clin d'œil.

— Je suis sûre que vous en profitez bien.

Je n'apprécie pas son ton, mais tout à coup je me rappelle que rien ne m'oblige à rester là à discuter avec Amber : c'est l'un des avantages de ne plus être à son service. En revanche, je veux dire bonjour à la petite Olive, dont le menton luit de bave. Je ne l'ai pas vue depuis un moment, et un bébé change rapidement à cet âge. Elle va à peine me reconnaître.

— Coucou, Olive ! je gazouille.

La petite ôte le hochet du fond de sa gorge et lève ses immenses yeux bleus pour me dévisager.

— Mama ! s'écrie-t-elle, l'air ravie.

Le visage d'Amber se vide de toutes ses couleurs.

— Non ! Ce n'est pas elle, ta maman ! C'est moi !

Mais Olive tend ses bras potelés vers moi.

— Mama ! Mama !

Voyant que je ne la prends pas dans mes bras, la petite se met à sangloter. Amber me fusille du regard.

— Regardez, vous l'avez bouleversée !

Sur cette remarque, elle fait volte-face et s'éloigne en courant dans le sens inverse, tandis qu'Olive continue à pleurnicher « Mama ! ». Malgré tout, cette rencontre me donne le sourire : il semble que la petite se souvienne de moi, tout compte fait.

Alors que je regarde Amber disparaître au loin, mon téléphone se met à sonner… et ma bonne humeur s'évapore instantanément. Ça peut être deux personnes. Soit Douglas, qui m'annonce que je suis virée pour avoir harcelé sa femme, soit Brock, ce qui serait encore pire.

Les choses se sont décidément refroidies entre mon petit ami et moi, depuis que je lui ai brusquement annoncé que je ne voulais pas vivre avec lui. Je lui ai expliqué à plusieurs reprises que j'avais besoin de mon propre espace et que je ne me sentais plus en danger, maintenant que Xavier est enfermé pour un certain temps, mais il ne comprend toujours pas. J'ai le mauvais pressentiment que si l'on ne va pas très, très vite de l'avant dans notre relation, elle va se terminer.

Sauf que, quand je regarde mon téléphone, ce n'est ni Douglas ni Brock. C'est un numéro que je ne reconnais pas.

— Allô ?

— Est-ce bien Wilhelmina Calloway ?

Je marque une pause, le temps de me demander si la voix à l'autre bout du fil va m'apprendre que la garantie de ma voiture est sur le point d'expirer, ou si elle va s'embarquer dans une tirade en langue étrangère.

— Oui…

— Bonjour ! C'est Lisa de Jobmatch !

Mes épaules se détendent. Jobmatch, c'est le service que j'ai utilisé pour déposer mon annonce pour un emploi de femme de ménage.

— Bonjour, Lisa.

— Madame Calloway, reprend Lisa de sa voix enjouée, nous n'avons pas reçu de réponse à nos mails, c'est donc la deuxième fois que j'essaie de vous contacter au sujet de votre carte de crédit.

— Ma carte de crédit ?

— Oui. Votre American Express a été refusée.

Je secoue la tête : quelle idiote je fais !

— Je suis vraiment désolée. J'ai annulé cette carte. C'est une erreur, je voulais utiliser ma MasterCard. Cela dit, je n'ai plus besoin de cette annonce.

— Dans tous les cas, reprend Lisa, je voulais juste m'assurer que vous compreniez que, puisque nous n'avons pas reçu votre paiement, l'annonce n'a jamais été diffusée.

Je m'immobilise en plein milieu de la Première Avenue.

— Attendez, mon annonce pour le poste de femme de ménage n'a jamais été publiée ?

— J'ai bien peur que non, faute de paiement, précisément. Comme je viens de vous l'expliquer, nous avons essayé de vous contacter…

Mais je n'écoute plus. Comment est-il possible que mon annonce pour le poste de femme de ménage ne soit jamais parue en ligne ?

— Vous êtes sûre ? je bredouille. Vous voulez dire que mon annonce n'a jamais, jamais été mise en ligne ? Pas même un jour ?

— Pas même un jour, confirme Lisa.

Je repense à l'époque où je cherchais du travail, il y a quelques mois. La plupart de mes entretiens ont eu lieu avec des employeurs potentiels que j'avais contactés par le biais de leur propre annonce. En fait, un seul d'entre eux m'a contactée sans avoir été sollicité.

Douglas Garrick.

22

Tout ce que je sais, c'est que je vais découvrir le fin mot de l'histoire.

C'est Douglas Garrick qui m'a contactée. Je m'en souviens très bien. J'ai décroché le téléphone et il m'a dit qu'il cherchait une femme de ménage pour le nettoyage, la lessive, la cuisine et diverses courses. Il n'a pas mentionné l'annonce, ou du moins je ne pense pas qu'il l'ait fait, mais à l'époque, j'ai supposé que c'était la parution de cette annonce qui me valait son appel. Car enfin, il n'y avait pas d'autre possibilité.

Comment a-t-il eu mon numéro si ce n'est pas via l'annonce ?

Tout cela ne me dit rien qui vaille. J'ai toujours la sensation que quelqu'un m'observe, même si Xavier est censé être en prison. La Mazda noire était garée devant l'immeuble où Douglas est entré avec sa maîtresse. Et Douglas a eu mon numéro, je ne sais comment, alors que l'annonce n'a jamais été diffusée.

Il savait qui j'étais.

Je suis plantée dans la rue, devant une pizzeria. L'odeur alléchante de la sauce tomate, du gras et du fromage fondu envahit mes narines, mais ça ne fait que me donner la nausée. Je scrute la rue devant moi, à la recherche de quelque chose de suspect.

Je ne vois pas Douglas. Je ne vois pas Xavier.

Pourtant, il y a quelqu'un, là, dehors. Quelqu'un m'observe. J'en suis absolument certaine.

Je ressors mon téléphone. Un message de Douglas me confirme que je suis attendue ce soir pour faire le ménage, alors que je suis déjà passée deux jours plus tôt et que l'appartement est très certainement encore impeccable. D'habitude, je réponds à son texto, mais là, je reste les yeux rivés à l'écran. Trop vite pour pouvoir changer d'avis, je clique sur son numéro : je l'appelle.

Le numéro se compose et, au moment où la sonnerie commence à retentir, un téléphone sonne juste derrière moi. Mon ventre effectue un saut périlleux.

Je pivote aussitôt, mais la sonnerie semble provenir du téléphone d'une adolescente. Elle prend l'appel et je l'entends s'écrier : « Oh, mon Dieu ! » dans l'appareil quand elle passe devant moi. Bon sang, je suis vraiment trop nerveuse.

— Allô ? Millie ?

C'est la voix de Douglas à l'autre bout de la ligne. Il n'est pas à deux pas derrière moi. Où qu'il soit, son environnement est beaucoup plus calme que la rue animée dans laquelle je me trouve.

— Oh, bonjour…

— Tout va bien ? Vous venez toujours ce soir pour le ménage ?

Je me maudis de ne pas avoir préparé une histoire avant d'appeler. J'ai agi sous le coup de l'impulsion.

— Oui… J'étais en train de travailler sur mon CV et j'avais une petite question pour vous.

— Vous n'avez pas l'intention de nous quitter, au moins ? (Je perçois une touche d'humour dans sa voix, mais aussi quelque chose de sombre qui point sous la surface.) J'espère bien que non.

— Non, absolument pas. Je voulais juste trouver un peu de travail supplémentaire, et je me demandais : comment vous avez entendu parler de moi ? C'est-à-dire, comment avez-vous eu mon numéro quand vous m'avez contactée ?

Il réfléchit un moment.

— En fait, c'est Wendy qui me l'a donné.

— Wendy ? Votre femme ?

Il glousse.

— Vous connaissez une autre Wendy ? Elle m'a dit qu'une amie lui avait passé votre numéro et affirmé que vous étiez très efficace.

— Elle a précisé quelle amie ?

— Non. (Sa voix a pris un ton légèrement défensif.) Nous vous avons donné suffisamment d'informations. S'il vous plaît, n'embêtez pas Wendy avec ça.

— Bien sûr que non. Merci beaucoup pour le renseignement. Et je viens ce soir, sans faute.

Oui, je vais y aller ce soir. Mais s'il s'imagine que je ne vais pas interroger Wendy à ce sujet, il se met le doigt dans l'œil.

23

Ce soir, j'arrive au penthouse avec, sous un bras, du linge que j'ai récupéré au pressing. Tout à Douglas Garrick. Quatre costumes, dont chacun doit coûter plus que ce que je gagne en un an. Si je partais sans laisser d'adresse et que j'essayais de les revendre, je m'y retrouverais probablement. Mais le jeu n'en vaut pas la chandelle. Je suis déjà terrifiée par Douglas, alors la dernière chose dont j'aie envie, c'est de le mettre en colère contre moi.

Cela dit, ce que je m'apprête à faire aujourd'hui pourrait très bien produire ce résultat.

Lorsque j'arrive dans le salon, le linge propre sur un bras, l'appartement est silencieux. Wendy est probablement à l'étage et Douglas travaille sans doute tard – ou bien il est avec sa maîtresse. Je monte le linge à l'étage, le martèlement de mes baskets sur chaque marche résonne à travers tout le penthouse. J'ai fait le ménage dans des maisons bien plus grandes qu'ici, mais jamais nulle part où l'écho soit aussi sonore. Je me demande si c'est lié à l'âge du bâtiment.

Sans surprise, la porte de la chambre d'amis est fermée. J'apporte le linge dans la chambre principale, où je suspends les costumes de Douglas, mais mon esprit ne peut se détacher de la femme enfermée dans la chambre d'amis. Je suis déterminée à lui parler aujourd'hui.

Alors, dès que j'ai rangé les costumes, je me faufile dans le couloir de l'étage.

Pour une raison qui m'échappe, ses lumières ne s'allument pas. J'ai questionné Douglas une fois à ce sujet et il a évoqué un problème de raccordement, ajoutant vaguement qu'il allait le faire réparer, mais ces lumières n'ont jamais fonctionné depuis que je travaille ici. En plus de l'architecture ancienne, cette absence de lumière donne un aspect flippant au palier.

Je m'arrête devant la chambre d'amis. La moquette sous mes pieds est propre – j'ai nettoyé tout le sang dans la salle de bains et j'ai enlevé les taches du tapis avec du peroxyde d'hydrogène. Il n'y a plus aucune trace du sang de Wendy nulle part. Et Douglas ne sait pas que je suis au courant.

Je lève la main, prête à frapper à la porte, quand un frisson me parcourt. Je ne peux m'empêcher de me rappeler la mise en garde de Wendy, la dernière fois que je lui ai parlé : « Si vous savez ce qui est bon pour vous, refermez cette porte et partez d'ici. »

Je ravale mes doutes. Non, je ne fermerai pas les yeux. C'est donc avec une détermination renouvelée que je frappe à la porte.

Je suis préparée à la supplier de m'ouvrir, s'il le faut, au lieu de quoi, cette fois, j'entends des bruits de pas derrière la porte. L'instant d'après, elle s'entrouvre. Et de nouveau, je me retrouve face au visage meurtri de Wendy, même s'il est vrai que c'est un peu moins moche que la dernière fois.

— Qu'est-ce qu'il y a ? (Je perçois de la résignation dans sa voix.) J'essayais de dormir.

Mes yeux tombent sur sa chemise de nuit jaune pâle qui, heureusement, ne semble pas tachée de sang cette fois-ci.

— Elle est jolie, votre chemise de nuit. Moi, je dors toujours dans mon tee-shirt des Mets.

Elle croise les bras.

— C'est pour me dire ça que vous m'avez réveillée ?

— Non, ça... Non. La vérité, c'est que j'ai besoin de vous demander quelque chose.

Wendy danse d'une pantoufle sur l'autre. Je n'avais pas remarqué jusqu'à maintenant la maigreur de cette femme. Carrément émaciée. Bon, ça pourrait être dû à sa maladie, sans doute, mais je ne sais pas si j'ai déjà vu une femme aussi squelettique de ma vie. Ses clavicules sont douloureusement saillantes et, quand elle tire sur sa chemise de nuit, je distingue chaque os de sa main aux veines bleues. Ses yeux paraissent énormes dans son visage creusé.

— Que voulez-vous ?

— Savoir comment vous avez eu mon numéro.

Elle joue avec une mèche de ses cheveux auburn, et je reconnais le bracelet qui pend à son poignet. C'est celui que Douglas lui a offert récemment.

— Comment ça ?

— Douglas m'a dit que vous lui aviez donné mon numéro afin qu'il me contacte pour le ménage. Mais vous, comment avez-vous eu mon numéro ?

— Vous aviez mis une annonce, non ? Ça doit être comme ça que je l'ai eu. (Elle laisse échapper un long soupir.) Maintenant, si ça ne vous dérange pas, je vais me recoucher. La journée a été longue.

— En fait, j'ai appris que mon annonce n'avait jamais été publiée. Du coup, je vous repose ma question : comment avez-vous eu mon numéro ?

Je vois presque les engrenages tourner dans le cerveau de Wendy. Avant qu'elle ne puisse concocter un autre mensonge, je la devance :

— Dites-moi la vérité.

Wendy baisse les yeux.

— S'il vous plaît. Je ne veux pas. Laissez tomber.

— Dites-moi, j'insiste, les dents serrées.

— Pourquoi ne faites-vous jamais ce que je vous demande ? (Elle lève les mains.) D'accord. J'ai eu votre numéro par Ginger Howell.

Et là, j'ai l'impression qu'on vient de m'envoyer une gifle monumentale. Je sais qui est Ginger Howell, mais je ne l'ai pas vue depuis plusieurs années. Deux, pour être exacte. C'est l'une des dernières femmes pour qui j'ai travaillé avant qu'Enzo ne parte en Italie. On lui avait dégoté un avocat prêt à travailler sur une base d'honoraires conditionnels, pour l'aider à obtenir le divorce de son monstre de mari. Lequel se battait bec et ongles, et on était sur le point d'essayer d'obtenir un nouveau passeport et une nouvelle carte d'identité pour Ginger, quand il a fini par lâcher l'affaire.

J'espère qu'elle va bien. Ginger m'avait l'air de quelqu'un de bien. Elle ne méritait pas le traitement que lui infligeait son mari.

Cependant, si Wendy a entendu parler de moi par Ginger, alors...

— Pourquoi avez-vous demandé à Douglas de m'appeler, Wendy ? (Elle ouvre la bouche pour répondre, mais j'ajoute :) Dites-moi la vraie raison.

Elle ne me regarde toujours pas, elle continue de garder les yeux baissés vers la moquette.

— Je pense que vous savez pourquoi.

Un tintement sourd retentit à l'arrière de mon crâne. Dès que je suis entrée dans cette maison, je me suis doutée qu'il y avait quelque chose de louche. Pourtant, chaque fois que j'ai essayé d'entrer en contact avec Wendy, elle n'avait pas l'air désireuse de me parler.

— Je me suis cassé le poignet, dit-elle avec amertume. Il m'a poussée dans l'escalier et mon poignet s'est cassé, mais quand j'ai vu le médecin, il a refusé de quitter la pièce. J'ai été obligée d'affirmer que j'avais glissé sur une plaque de glace et que j'étais tombée. C'est seulement pour cette raison qu'il m'a permis de me faire aider à la maison. Il n'autorise jamais personne d'autre à venir ici autrement.

Je serre les poings.

— Pourquoi vous ne m'avez rien dit ?

Ses yeux injectés de sang s'emplissent de larmes.

— Parce que c'était une idée stupide de vous faire venir ici. J'étais désespérée, mais dès que je vous ai vue, j'ai compris que je ne pourrais pas aller jusqu'au bout. Vous ne connaissez pas

Douglas. Vous ne savez pas comment il est. Le quitter n'est pas une option.

— Vous vous trompez.

Elle rejette la tête en arrière et laisse échapper un rire aux notes acides.

— Vous n'avez pas la moindre idée de ce dont vous parlez. Douglas est partout. Il voit tout.

Je repense à toutes les fois où, dans la rue, j'ai eu l'impression que quelqu'un m'observait.

— Est-ce qu'il nous voit en ce moment ? Est-ce qu'il écoute cette conversation ?

Son regard file aussitôt dans le couloir.

— Je... je ne sais pas. Je n'ai trouvé aucune caméra dans la maison, mais ça ne veut pas dire qu'il n'y en a pas. Douglas a accès à une technologie dont nous n'avons même pas idée. C'est un génie, vous savez. (Son rire est triste, cette fois.) Je trouvais ça attirant chez lui, avant.

— Ça vaut quand même le coup d'essayer.

Ses joues meurtries se colorent légèrement.

— Vous ne comprenez pas. Il dépenserait tout ce qu'il a jusqu'au dernier centime pour me retrouver.

Elle a raison, or Douglas en a beaucoup, des centimes à dépenser. Avec un mari comme Douglas, s'échapper serait compliqué, et je n'ai en effet aucune idée de ce dont il est capable. Je ne sais pas si je peux aider cette femme. D'autant que je n'ai pas les ressources dont disposait Enzo... Je n'ai pas « un gars » pour tout, moi. C'est pourquoi j'ai juré d'abandonner cette vie et de me concentrer sur l'obtention de mon diplôme universitaire : afin de pouvoir aider les femmes d'une manière qui n'implique pas de contourner la loi. N'empêche, chaque molécule de mon corps me dit que je dois essayer de secourir cette femme. Et sans tarder.

Je ne passerais jamais sans m'arrêter devant un homme qui a besoin d'aide dans le métro. Ou devant une femme qui se fait poignarder à mort sous ma fenêtre. Je ne peux pas laisser ça se produire sous mon nez.

— Vous avez de l'argent ? je lui demande. Du liquide, je veux dire ?

Elle hoche la tête avec hésitation.

— J'ai vendu certains de mes bijoux, peu à peu. J'en ai beaucoup : chaque fois qu'il me frappe, il m'en achète un nouveau, toujours cher. J'ai un peu d'argent caché dans un endroit où je ne pense pas qu'il puisse le trouver. Ça ne me durera pas longtemps, mais peut-être assez.

Mon esprit s'emballe.

— Vous avez des amis qui peuvent vous aider ? Peut-être des personnes dont il ne connaît pas l'existence ? Du lycée ou de l'université ou… ?

— S'il vous plaît, arrêtez, croasse-t-elle. Vous n'avez pas l'air de comprendre ce que j'essaie de vous dire. Douglas est extrêmement dangereux. Ne sous-estimez pas cet homme. Si vous essayez de m'aider, ça ne marchera pas et… et vous le regretterez. Faites-moi confiance.

— Mais, Wendy…

— Je ne peux pas, d'accord ?

Elle baisse les yeux sur le bracelet qu'elle porte au poignet gauche – je me rappelle la fierté de Douglas quand il me l'a montré. Une lueur sauvage dans les yeux, Wendy tripote le fermoir jusqu'à le faire glisser de son poignet menu.

— Je déteste les cadeaux qu'il me fait, crache-t-elle d'une voix pleine de venin. Je supporte tout juste de poser les yeux dessus, mais il attend de moi que je les porte.

Elle serre le bracelet dans son poing, puis tend la main et attrape la mienne. Et me fourre le bracelet dans la paume.

— Ôtez ça de ma vue. Je ne peux même plus le regarder. S'il pose la question, je… je lui dirai que je l'ai perdu.

J'ouvre la main pour contempler le petit bracelet. Je me demande s'il est taché de son sang.

— Je ne peux pas le prendre, Wendy.

— Alors jetez-le, siffle-t-elle. Je n'en veux plus dans ma maison. Surtout avec ce qu'il a fait graver dessus.

J'approche le bracelet de mon visage pour examiner l'inscription, les lettres minuscules :

À W. Tu es à moi pour toujours. Je t'aime, D

— À lui pour toujours, dit-elle avec amertume. Sa propriété.

Le message est sans équivoque.

— S'il vous plaît, laissez-moi vous aider.

Je lui attrape le poignet, oubliant que c'est peut-être celui qui est cassé. Elle grimace et je la lâche.

— Je ferai tout ce qu'il faudra. Je n'ai pas peur de votre mari. On peut trouver un moyen de vous en sortir.

Et là, je le vois dans ses yeux. Un soupçon d'hésitation. D'espoir. Il ne dure qu'une fraction de seconde, mais il a bien été là. Cette femme est à bout.

— Non, lâche-t-elle enfin d'une voix ferme. Et maintenant, vous devez partir.

Avant que je ne puisse ajouter un autre mot, elle me claque la porte au nez.

Wendy Garrick est absolument terrifiée par son mari… et moi aussi, j'ai peur de cet homme. Mais après toutes ces années, j'ai appris à ne pas laisser la peur me contrôler. J'ai fait tomber Xavier. J'ai fait tomber des hommes qui étaient tout aussi puissants que Douglas. Je me fiche de ce que dit Wendy. Je peux le gérer.

24

Si j'avais reçu un centime toutes les fois qu'un vélo a failli me faucher sur la piste cyclable alors que je traversais la rue, je n'aurais pas à travailler pour la famille Garrick. Tandis que je me rends chez eux, justement, un cycliste sans casque, téléphone portable à l'oreille, passe à quelques millimètres de m'envoyer à l'hôpital. Pourquoi ce sont toujours les cyclistes au téléphone qui, en plus, n'ont pas de casque ? On croirait que c'est une règle.

Juste avant que je n'arrive à l'entrée de l'immeuble, mon téléphone sonne dans mon sac à main. J'hésite, envisageant de laisser l'appel tomber sur la messagerie vocale. Finalement, je fouille dans mon sac et, en le sortant, je découvre le nom de Brock sur l'écran. Autrement dit, je suis encore plus tentée de ne pas décrocher. Je n'ai aucune envie de m'infliger une énième conversation sur les raisons pour lesquelles je ne peux pas emménager avec lui. Ou, comme il aime le dire, pourquoi je *ne veux pas* emménager avec lui.

Mais tout compte fait, et non sans un soupir, j'appuie sur le bouton vert pour accepter l'appel.

— Salut.

— Salut, Millie. Tu es partante pour un dîner ce soir ?

— Je vais probablement être chez les Garrick tard.

Ce n'est pas entièrement un mensonge.

— Ah.

Je me demande combien d'invitations à dîner je vais devoir refuser avant qu'il n'arrête d'en proposer. Et je ne le veux pas. J'aime beaucoup Brock, même si je ne l'aime pas encore tout à fait. Je ne veux pas le perdre.

— Écoute, je reprends, Douglas s'en va pour quelques jours à partir de demain, donc ils n'auront pas besoin de moi pour cuisiner. On pourrait dîner ensemble demain soir ?

— OK, répond Brock d'une voix un peu étrange. Et puis, pendant qu'on dînera, je pense qu'il faut qu'on ait une discussion.

Je laisse échapper un rire étranglé.

— Ça ne promet rien de bon.

— J'ai... (Il s'éclaircit la voix.) Je t'aime beaucoup, Millie. Je voudrais juste discuter d'où je me situe.

— Tu te situes très bien.

— Ah oui ?

Je ne sais pas quoi répondre à ça. Cependant, il a raison. Lui et moi, on doit avoir une discussion. Et le plus tôt sera le mieux. Je dois lui avouer tout ce que j'ai fait par le passé, et il pourra ensuite décider s'il veut continuer. J'aimerais penser que c'est un gars assez correct pour ne pas s'effrayer d'une décennie passée en prison, mais je continue à m'imaginer la tête qu'il fera en l'apprenant. Et ça n'est pas une tête ravie-ravie.

— Bien, je concède. On discutera.

— Rendez-vous à mon appartement à 19 heures ?

— D'accord.

Un silence, au bout du fil, m'amène presque à redouter qu'il ne me déclare une nouvelle fois son amour, au lieu de quoi :

— À demain.

Après avoir raccroché, je reste les yeux braqués sur l'écran de mon téléphone. Et si je le rappelais maintenant pour tout lui déballer ? Histoire d'arracher le pansement un bon coup. Comme ça, je n'aurai pas à patienter un jour de plus avec cette boule au ventre.

Non, je ne peux pas. Ça devra attendre demain.

Je reprends mon chemin vers l'immeuble des Garrick, le ventre noué. Le portier se précipite pour m'ouvrir la porte et m'adresse un clin d'œil.

Réaction qui me paraît un peu étrange. Ce type a au moins trente ans de plus que moi. Est-ce qu'il essaie de me draguer ? L'espace d'une seconde, j'essaie de me rappeler si je l'ai déjà vu me faire un clin d'œil, puis je me sors cette idée de la tête. Un portier lourdingue, c'est le cadet de mes soucis.

Lorsque l'ascenseur s'arrête au vingtième étage dans son grincement habituel et que les portes s'ouvrent sur le penthouse, je manque de sursauter. Même si je suis souvent venue ici ces derniers mois, c'est un spectacle que je n'ai jamais vu auparavant. J'en reste bouche bée.

Wendy se tient devant la porte de l'ascenseur du penthouse, elle est enfin sortie de la chambre. Et elle fixe sur moi ses grands yeux verts.

— Il faut qu'on parle, annonce-t-elle.

25

Wendy m'attrape par le bras et me tire vers le canapé. Pour une femme aussi maigre, elle a de la force. D'une certaine manière, ça ne me surprend pas tant que ça.

Je m'assieds sur le canapé et elle s'assied à côté de moi, lissant sa chemise de nuit sur ses genoux osseux. Les bleus sur son visage sont beaucoup moins moches, mais ses yeux sont tout aussi injectés de sang que la dernière fois que je l'ai vue.

— Vous avez dit que vous étiez prête à m'aider, commence-t-elle. Vous étiez vraiment sérieuse ?

— Bien sûr que oui !

Une pâle esquisse de sourire effleure ses lèvres. Et je prends conscience à ce moment-là que Wendy est très jolie. Entre l'aspect émacié de son corps et ses ecchymoses, je ne l'avais pas remarqué avant.

— J'ai suivi votre conseil.

— Mon conseil ?

— Après votre départ, dit-elle, j'ai envisagé de me tuer.

Je pousse un cri.

— Ce n'est pas le conseil que je vous ai donné.

— Je sais, se dépêche-t-elle de préciser, mais j'étais tellement désespérée… Quand j'ai obtenu que Douglas vous embauche, c'était un peu le dernier canot de sauvetage pour me sortir de cette situation horrible. Et quand je vous ai rembarrée, j'ai eu la sensation que je n'aurais jamais aucune possibilité de lui échapper. Alors je suis allée à la salle de bains et j'ai pensé à me trancher les veines.

— Oh, mon Dieu, Wendy…

Elle serre la mâchoire.

— Mais je ne l'ai pas fait. Parce que, pour une fois, je ne me sentais pas complètement seule. Et je me suis souvenue de ce que vous aviez dit sur le fait de prendre contact avec quelqu'un que Douglas ne connaît pas. Quelqu'un de mon passé qu'il n'a jamais rencontré. Et j'ai repensé à ma vieille copine de l'université, Fiona. C'était l'une de mes meilleures amies, et on ne s'est pas parlé depuis des lustres, pas plus que je n'avais de contact avec elle par le biais des réseaux sociaux.

Je hausse les sourcils.

— Alors, vous allez essayer de la retrouver ?

Les joues habituellement pâles de Wendy prennent une teinte rosée.

— C'est déjà fait. J'ai retrouvé son numéro de téléphone en appelant une autre amie de la fac – à qui, bien sûr, j'ai fait jurer de garder le secret – et ce matin, Fiona et moi, on a discuté pendant des heures. Elle a une ferme juste en lisière de Potsdam, dans l'État de New York. Elle est quasiment injoignable, hormis sur son téléphone fixe. Je lui ai tout raconté de ma situation, et elle m'a proposé d'aller vivre chez elle. Elle a dit que je pourrais rester aussi longtemps que nécessaire.

Bien que j'applaudisse son initiative, ça ne résoudra pas son problème. Car même s'il ne la retrouve pas là-bas, elle ne pourra pas rester cachée dans le nord de l'État de New York jusqu'à la fin de ses jours. Sans carte d'identité ni numéro de sécurité sociale, elle n'aura aucun moyen de se dégoter un travail. C'est pour ce genre de trucs qu'Enzo intervenait. Avec les moyens qu'a Douglas, il la retrouvera en un clin d'œil dès qu'elle utilisera son véritable nom. J'ai aussi appris d'expérience qu'il ne sert à rien d'aller voir les flics quand il s'agit de se retourner contre ces hommes incroyablement riches et puissants : ils savent quelles pattes graisser.

— Je sais que ce n'est pas une solution pérenne, reconnaît-elle. Mais ce n'est pas grave. Si je pouvais juste rester là-bas un petit moment, le temps de déterminer la prochaine étape, je pourrais peut-être trouver un avocat qui m'aiderait à naviguer dans le système pendant que je me cache. Ou peut-être que je pourrais trouver quelqu'un pour m'aider à prendre un nouveau départ. (Elle inspire péniblement.) L'important, ce serait de ne plus être avec lui. Et qu'il ne puisse pas m'atteindre.

— C'est merveilleux, Wendy.

Et je le pense, même si je suis sur le point de perdre un travail très lucratif. Bon, j'ai gardé le bracelet qu'elle m'a fourré dans la main l'autre jour, je pourrais probablement le mettre au clou pour un mois de loyer. De plus, j'ai le sentiment qu'après la conversation que je suis censée avoir avec Brock demain on pourrait emménager ensemble, tout compte fait. (Ou bien rompre pour toujours. L'un ou l'autre.)

— Seulement voilà, poursuit Wendy, j'ai besoin de votre aide.

— Bien sûr ! Tout ce que vous voulez.

— C'est quelque chose d'assez important, m'avertit-elle. Mais je vous dédommagerai.

— Vous pouvez compter sur moi.

Sa main tremble légèrement alors qu'elle tire sur son col.

— J'ai besoin d'un chauffeur. Mon plan, c'est de profiter de ce que Douglas quitte la ville demain pour m'en aller. Il sera à l'autre bout du pays, donc même s'il se doute de mon départ, il ne pourra rien y faire... Pas tout de suite, en tout cas.

— OK...

— Fiona dit qu'elle peut venir me chercher si je me rends à Albany. Elle ne peut pas laisser sa ferme toute une journée. Donc j'ai besoin d'un chauffeur pour aller à Albany. Je louerais bien une voiture, mais je devrais donner ma carte d'identité et...

— Je vais le faire, je l'interromps. Je vais louer la voiture. Je vous conduirai à Albany, pas de problème.

Elle prend mes mains dans les siennes et les serre.

— Merci, Millie. Je vous promets que je vous rendrai l'argent en liquide. Vous n'avez pas idée à quel point je vous suis reconnaissante.

— Ne vous inquiétez pas pour l'argent, je lui assure, même si je suis très inquiète pour l'argent en général. Vous en avez plus besoin que moi.

Wendy m'entoure de ses bras. Je sens vraiment en cet instant combien son corps est frêle. Je pourrais l'écraser si je la serrais juste un peu trop fort.

Quand elle me relâche, je vois des larmes dans ses yeux.

— Vous devez savoir que si vous m'aidez, vous vous mettez en danger.

— Je le comprends.

Elle passe la langue sur ses lèvres fendillées.

— Non, vous n'en avez pas idée. Douglas est un homme extrêmement dangereux, et je vous le dis, il fera tout pour me retrouver et me ramener à lui. Quoi qu'il en coûte.

— Je n'ai pas peur, Wendy.

Pourtant, dans un coin de ma tête, une voix me chuchote que si, je devrais peut-être avoir peur. Que c'est une grave erreur de sous-estimer Douglas Garrick.

26

Le lendemain matin, je loue une voiture.

Même si je lui ai dit qu'elle n'était pas obligée, Wendy m'a donné la valeur de la location en espèces, mais je vais utiliser ma carte de crédit pour louer la voiture. Je ne veux que cette location soit liée à elle en aucune façon.

Bien sûr, il existe une possibilité raisonnable que Douglas Garrick me soupçonne d'avoir quelque chose à voir avec la disparition de sa femme. Mais je ne la dénoncerai jamais, jamais de la vie. Même s'il me torture, ce qui, honnêtement, ne m'étonnerait pas de lui. Un homme qui peut faire ça au visage de sa femme est capable de tout.

— Bonjour, bienvenue chez Happy Car Rental, gazouille la fille de la réception, qui n'a même pas l'air d'avoir l'âge de louer une voiture elle-même. Comment puis-je vous servir ?

— J'ai réservé une Ford Focus grise, je lui réponds. J'ai effectué la réservation en ligne.

La fille tape mes coordonnées dans l'ordinateur pendant que je tambourine sur le bureau. Alors que je me tiens au comptoir, je ne peux m'empêcher de sentir un picotement dans ma nuque. Cette sensation d'être observée. Encore.

Je me retourne. La façade du magasin de location de voitures étant vitrée du sol au plafond, on pourrait facilement m'observer de l'extérieur. Je m'attends presque à voir un homme, le visage collé contre la vitre, qui m'épie. Mais il n'y a personne.

Je frissonne malgré moi. D'après Mme Randall, Xavier Marin est en prison. Plus de bail, m'a-t-elle dit, elle l'a expulsé de l'immeuble. Alors pourquoi ai-je encore la sensation que quelqu'un m'espionne ? Et ce n'est pas la première fois. Ça fait au moins une demi-douzaine de fois que j'ai cette sensation, depuis que Xavier a été arrêté.

La vérité, c'est que je ne sais pas qui m'observe depuis le tout début. Et si c'était vraiment Douglas Garrick qui me suivait à travers la ville ? Ça ne serait pas très logique, parce que j'ai commencé à sentir ces yeux dans ma nuque avant même de travailler pour lui. Cependant, je ne peux pas non plus écarter cette possibilité. Après tout, c'est lui que j'ai vu le soir où j'étais à la terrasse du restaurant.

Et si Douglas savait exactement ce qu'on prépare, sa femme et moi ? Et s'il était dehors, en train de tout observer ?

— Voilà, j'ai votre voiture, m'annonce la fille. C'est la Hyundai rouge.

— Non, je réplique avec impatience. J'ai réservé une Ford Focus grise.

L'anonymat, ne pas attirer l'attention sur soi, c'est la clé. J'ai appris ça d'Enzo.

— Je ne sais pas quoi vous dire. C'est écrit Hyundai rouge ici. Nous n'avons pas de Ford Focus grise dans notre flotte en ce moment.

— C'est incroyable. Je fais une réservation, et vous n'avez même pas ce que j'ai commandé ?

Elle hausse les épaules, impuissante. Ce n'est pas la première fois que ça m'arrive. Quel est l'intérêt de faire une réservation si on donne à quelqu'un d'autre ce que vous avez réservé ?

— Je ne veux pas de voiture rouge, j'insiste, déterminée. Pourquoi pas une Hyundai grise ?

Elle secoue la tête.

— Nous sommes à court de berlines. Je peux vous louer une Honda CRV grise.

Je passe un moment à me demander ce qui risque d'être le plus voyant, entre un SUV et une berline rouge. Finalement, j'opte pour la Hyundai rouge. À dire vrai, je suis juste pressée de m'en aller. Le but de ce voyage est de faire quitter la ville à Wendy, mais au bout du compte, ça ne me ferait pas de mal de quitter la ville, à moi aussi.

27

Il nous faudra environ cinq heures de route pour atteindre notre destination, en tenant compte de la circulation. Du moins, c'est ce que m'indique mon GPS.

Notre plan, c'est de trouver un motel bon marché en bord d'autoroute quand on approchera d'Albany. J'y déposerai Wendy pour qu'elle y passe la nuit, puis Fiona viendra la chercher le lendemain matin. Elle aura emporté assez de vêtements pour deux semaines et assez d'argent pour plusieurs mois.

Douglas ne la retrouvera jamais.

Je gare ma Hyundai rouge douloureusement voyante à un pâté de maisons de l'immeuble, afin que le portier, qui ne cesse de m'adresser des clins d'œil, n'aille pas rapporter à Douglas que sa femme est montée dans une berline rouge avec sa femme de ménage. La couleur de cette voiture, c'est aussi ridicule que si je conduisais un putain de camion de pompiers. Seulement je ne peux plus rien y faire, maintenant.

Alors que j'attends de voir apparaître la voiture que Wendy, un texto de Douglas arrive sur mon téléphone :

C'est toujours bon pour ce soir ?

Il m'a demandé d'aller faire le ménage pendant son absence. Ce que j'ai accepté, et je ne suis pas surprise qu'il continue à surveiller et à contrôler mon planning de présence, même s'il n'est pas en ville. Ça me met un peu mal à l'aise, vu qu'il va rentrer chez lui et découvrir que sa femme a disparu. Mais afin de faire comme si tout était aussi normal que possible, je lui réponds :

Je serai là.

Évidemment, je ne serai pas là. Je serai en train de conduire sa femme en lieu sûr.

Malgré le mécontentement que font naître en moi la confusion au bureau de location de voitures et la longue route qui m'attend, je ne peux m'empêcher de sourire. Wendy quitte enfin Douglas. C'est ça que je trouvais si gratifiant, dans ma vie d'avant. Et c'est pour cette raison que j'ai décidé de passer un diplôme d'assistante sociale. Ce que je veux, c'est passer ma vie à aider des gens comme ça.

Dans le rétroviseur, je vois Wendy descendre la rue, chargée de deux bagages. Elle a les cheveux attachés en une simple queue-de-cheval, une paire de lunettes de soleil perchée sur le nez, et elle est vêtue d'un sweat-shirt à capuche et d'un jean confortables.

Je sors de la voiture pour l'aider à ranger ses bagages dans le coffre. Elle me regarde d'un air absolument radieux.

— J'avais oublié à quel point les jeans sont confortables, commente-t-elle.

— Vous ne portez jamais de jeans ?

Elle fronce le nez.

— Douglas déteste ça. C'est pour ça que je n'ai emporté que des jeans !

Je ris en jetant ses bagages dans le coffre. Nous montons toutes les deux dans la voiture, je lance le GPS et nous prenons la route. Cela fait deux ans que je n'ai plus conduit, et il est agréable de se retrouver derrière le volant. Bien sûr, la conduite en ville est super stressante, mais je prendrai bientôt l'autoroute et ce sera plus fluide, du moins jusqu'à l'heure de pointe.

— Alors, Douglas n'a pas eu de soupçons ? je demande à Wendy.

Elle remonte ses lunettes de soleil sur l'arête de son nez en bouton de rose.

— Je ne pense pas. Il est venu me dire au revoir avant de partir, et j'ai fait semblant de dormir. (Elle baisse les yeux sur sa montre.) À l'heure qu'il est, il est probablement en train d'embarquer dans un avion pour Los Angeles.

— Bien.

Elle soulève ses lunettes de soleil pour me regarder.

— Vous n'avez parlé de tout ça à personne, n'est-ce pas ?

— Pas un mot. À personne.

Elle a l'air soulagée.

— J'ai tellement hâte d'être partie d'ici. J'ai à peine dormi, la nuit dernière.

— Ne vous inquiétez pas. Je conduis super vite. On sera au motel avant que vous n'ayez eu le temps de vous en rendre compte.

Au moment où je dis ça, je pile à un feu rouge dans un crissement de pneus, manquant de peu un piéton, qui m'adresse un doigt gracieux. OK, il faut qu'on y soit vite, mais plus important encore, il faut qu'on y arrive en un seul morceau.

En attendant que le feu passe au vert, je jette un coup d'œil dans le rétroviseur et je ne peux m'empêcher de remarquer une voiture derrière moi. Une berline noire.

Dont le phare avant droit est fissuré.

Ou est-ce le gauche ? Je tords le cou pour regarder derrière moi, parce que je confonds toujours la gauche et la droite dans le rétroviseur. Non, c'est bien le phare avant droit qui est cassé.

Je me penche davantage pour distinguer la calandre, sur laquelle se trouve un petit cercle représentant le logo Mazda. Mon cœur se serre. C'est une Mazda noire avec le phare avant droit cassé. La voiture que j'ai vue à plusieurs reprises ces deux derniers mois.

J'essaie d'apercevoir la plaque d'immatriculation, mais avant que je ne puisse distinguer quoi que ce soit, un coup de Klaxon retentit derrière moi. OK, il faut que je reparte avant que quelqu'un ne sorte une arme et ne me tire dessus.

— Ça va ? (Le front de Wendy est plissé au-dessus de ses lunettes de soleil.) Qu'est-ce qu'il y a ?

J'hésite : qu'est-ce que je peux lui dire ? Il m'est impossible de bien voir la plaque d'immatriculation pendant que je conduis, mais en même temps, Wendy est déjà extrêmement nerveuse. Je ne veux pas qu'elle panique si je lui confie que quelqu'un nous suit peut-être.

Surtout si ce quelqu'un est son mari.

Ce n'est pas forcément Douglas. Malgré les déclarations de Mme Randall, il est tout à fait possible que Xavier Marin soit sorti de prison. Et qu'il cherche à me tourmenter.

Enfin, ça n'aurait pas vraiment de sens. Qu'il soit en prison ou non, Xavier a probablement ses propres problèmes à gérer. Il ne va pas perdre son temps à me suivre dans Manhattan, et encore moins jusqu'à Albany.

Sur le trajet jusqu'à l'autoroute, j'essaie de conduire de manière inventive. Sans lâcher la Mazda de vue, je change de voie pour voir si elle change aussi. Pas toujours, mais chaque fois que je jette un coup d'œil dans mes rétroviseurs, elle est derrière moi. Et à un moment donné, je réussis à distinguer les trois premiers caractères de sa plaque : 58F.

Comme la voiture qui m'a suivie.

— Millie ! s'écrie Wendy. Ralentissez, s'il vous plaît. Je ne veux pas qu'on ait un accident.

J'ai failli emboutir un SUV vert.

— Désolée, je marmonne. Ça fait un petit moment que je n'ai pas conduit.

Nous atteignons enfin la FDR, l'autoroute qui longe l'East River, et je garde en permanence un œil sur mon rétroviseur. La Mazda noire ne m'a pas lâchée. Et elle aura encore moins de mal à me suivre quand je serai sur l'autoroute. Vu qu'on n'a pas atteint l'heure de pointe, les voies devraient être assez peu fréquentées.

Mais cela signifie aussi que je peux rouler aussi vite que je veux et la semer.

En m'engageant sur la FDR, je pose le pied sur l'accélérateur, prête à enfoncer la pédale. Voyons si cette vieille Mazda déglinguée peut monter à cent vingt. Puis je regarde dans mon rétroviseur.

La Mazda a disparu. Elle n'a pas pris l'autoroute derrière moi.

Je lâche un soupir, à la fois soulagée et perplexe. J'étais sûre que cette voiture me suivait. J'aurais parié ma vie là-dessus. Mais bon, il faut croire que ce n'était qu'une coïncidence. Personne ne me suit.

Tout va bien se passer.

28

— Arrêtons-nous au McDonald's, suggère Wendy.

Elle est si excitée à l'idée de manger au fast-food que c'en est obscène. Étant donné que, pour ma part, le fast-food représente environ cinquante pour cent de mon alimentation, je suis moins enthousiaste. Mais Douglas est strict quant à ce que Wendy peut ou ne peut pas manger. Cela dit, j'ai un peu peur que, maigre et privée de produits gras comme elle l'est, une simple frite de McDonald's ne suffise à la tuer.

Coup de chance, un panneau apparaît sur le bord de l'autoroute, avec le logo du restaurant bien en évidence. Je prends donc la sortie en question. De toute façon, j'ai besoin de remettre un peu d'essence.

Je me gare sur le parking du McDonald's et les yeux de Wendy s'illuminent. Lorsqu'elle ouvre sa portière, l'odeur de la friture envahit mes narines. Je suis sur le point de la suivre quand mon téléphone sonne. Je m'en saisis et mon ventre se noue : c'est le nom de Brock sur l'écran.

Oh non… J'étais tellement occupée à sauver Wendy que j'ai complètement oublié d'annuler notre dîner. Comment ai-je pu lui faire ça encore une fois ? Je suis folle de Brock. Pourquoi est-ce que je passe mon temps à saboter notre relation ?

Parfois, je me demande si je ne le fais pas exprès. Pour qu'il me largue maintenant, avant que je ne sois obligée de lui avouer la vérité sur moi, et qu'il ne le fasse pour une raison qui fera bien plus mal.

— Allez-y, je croasse. Je vous rejoins.

La conversation risque de durer un moment. Ou peut-être que non, elle va être très rapide au contraire.

Dès que Wendy est sortie de la voiture, je prends l'appel. Sans surprise, Brock a l'air à deux doigts de la crise de rage.

— Où es-tu ? Je croyais que tu venais à 19 heures.

— Euh… Il y a eu un changement de plan.

— OK, à quelle heure tu vas arriver alors ?

J'aimerais pouvoir répondre que je suis juste au coin de la rue, mais la vérité, c'est que je suis à des heures de route. Et je ne vois pas de moyen facile de le lui annoncer.

— Je ne pense pas pouvoir venir ce soir.

— Pourquoi ça ?

Plus que tout, j'aimerais être en mesure de le lui dire. Ce serait un soulagement de partager ça avec quelqu'un, mais Wendy m'a fait jurer le secret, et à juste titre.

— J'ai du travail. Des devoirs pour la fac.

— Tu es sérieuse ? (De presque furieux, Brock est passé à complètement furax.) Millie, on avait des projets pour ce soir. Et non contente de me planter là sans prévenir, tu me balances une excuse bidon ? Des devoirs ?

Je ne vois pas pourquoi ça ne serait pas une excuse valable. En fait, j'aurais bien besoin de bosser mes cours, ce soir !

— Écoute, Brock…

— Non, c'est toi qui vas m'écouter, grogne-t-il. J'ai été patient, mais je suis à bout de patience, là. J'ai besoin de savoir ce que tu ressens pour moi et où va cette relation. Parce que je suis prêt à franchir un cap, à avancer, et j'aimerais avoir l'assurance que je ne perds pas mon temps.

Brock est totalement prêt à s'installer. Je sais que c'est en partie à cause de son cœur fragile, ou peut-être en raison de cette indescriptible envie d'avancer qui anime tant de gens à la trentaine. Il ne batifole pas. Alors, soit je m'engage sérieusement avec lui, soit je le laisse partir. C'est comme ça qu'il faut agir.

— Tu ne perds pas ton temps, je murmure dans le téléphone. Je te le promets. Les choses sont juste un peu folles pour moi, là, mais je te le jure, je tiens vraiment à toi.

— Tu en es sûre ? Parce que parfois, j'ai des doutes.

Je sais ce qu'il attend. Et je sais que j'ai deux options. Soit je lui dis ce qu'il veut entendre, soit je romps.

Or je ne veux pas rompre. Même si je ne pense pas ce que je m'apprête à dire, Brock est un gars vraiment, vraiment bien. La vie que j'ai imaginée avec lui, c'est ce que j'ai toujours voulu. Et je ne veux pas le perdre.

— Oui, je tiens à toi. (Je prends une profonde inspiration.) Je... je t'aime.

J'entends presque la mauvaise humeur de mon petit ami se dégonfler, sa rage disparaître d'un coup d'un seul.

— Je t'aime aussi, Millie. Je t'aime vraiment.

— Et il faut qu'on parle, tu as raison.

Je dois tout lui dire sur moi, et vite. Je n'en peux plus d'attendre que l'épée de Damoclès s'abatte. Je dois tout lui dire et m'assurer qu'il veut toujours être avec moi après mon aveu.

— Dès que les choses se seront calmées, OK ? La semaine prochaine.

— OK, dit Brock. (Je suis à peu près sûre qu'il serait d'accord pour n'importe quoi, en cet instant.) Et si tu as terminé tes devoirs de fac, peut-être qu'on pourrait dîner ensemble demain ? Et passer la nuit chez moi.

On passe toujours la nuit chez lui. Je ne sais même pas pourquoi il a pris la peine de laisser des vêtements de rechange et un flacon de ses cachets chez moi. Mais il est vrai que chez lui, c'est plus joli et beaucoup plus pratique.

— Bien sûr.

— Je t'aime, Millie.

Ah. Donc maintenant, on va terminer toutes nos conversations comme ça, apparemment.

— Je t'aime aussi.

Je raccroche, sans avoir réussi à apaiser mes inquiétudes à la perspective de cette fameuse conversation. J'ai toujours mon petit ami, mais pour combien de temps ? Il dit qu'il m'aime, pourtant parfois j'ai l'impression qu'il sait à peine qui je suis.

Bon, peut-être que tout ira bien. Peut-être qu'après avoir découvert la vérité sur moi il continuera de m'aimer. Et qu'on pourra toujours être ensemble, et prendre une maison en banlieue et la remplir d'enfants… ensemble. Mener une vie normale et parfaite… ensemble.

Sauf que je soupçonne fortement que ça ne m'arrivera jamais. Je n'ai jamais été ni normale ni parfaite, et un seul homme l'a compris dans ma vie.

29

Dans des conditions idéales, le trajet aurait pris trois à quatre heures. Avec la circulation, j'ai conduit près de cinq heures, auxquelles se sont ajoutées les trente minutes de l'arrêt au McDonald's – ça valait la peine, pour voir Wendy engloutir un énorme hamburger et un cornet de frites. Après, il va encore falloir que je me farcisse le retour, bien qu'il soit plus de 21 heures. Au moins, les routes devraient être dégagées. Je suis sûre que je peux le faire en moins de trois heures.

Quand nous approchons d'Albany, je quitte l'autoroute pour m'engager sur une aire de repos qui annonce un motel. Il correspond exactement à ce qu'on cherchait : un endroit bon marché avec un néon clignotant annonçant des chambres libres, qui donnent sur l'extérieur : Wendy n'aura donc pas besoin de passer par un hall pour y accéder. Je me gare sur le parking quasi vide.

— Et voilà, on y est, j'annonce.

Wendy et moi n'avons pas beaucoup parlé pendant le voyage, on a surtout écouté de la musique, mais maintenant, je vois la panique envahir ses yeux.

— Oui… Millie, peut-être que c'est une erreur.

— Ce n'est pas une erreur. Vous avez pris la bonne décision, sans l'ombre d'un doute.

Elle serre ses mains l'une contre l'autre.

— Il est plus malin que moi. Douglas est un génie et il a une fortune à sa disposition. Il va me trouver. Il écumera chaque motel et le gars de la réception lui dira tout.

— Non, je réplique fermement. Parce que c'est moi qui vais réserver la chambre, vous vous rappelez ? Personne ne vous verra.

Wendy semble encore au bord de la crise de panique, mais elle inspire profondément et finit par hocher la tête.

— OK, vous avez peut-être raison.

Elle tire un peu d'argent de son sac à main, qu'elle me tend, et je sors de la voiture pour me rendre à l'accueil du motel. Le type qui tient la réception a une petite vingtaine d'années, une barbe touffue et un téléphone dans la main droite. Et il ne pourrait pas avoir l'air moins ravi de travailler s'il œuvrait dans un cimetière.

— Bonjour. J'aimerais réserver une chambre, s'il vous plaît.

Il ne lève pas les yeux de son téléphone.

— Pièce d'identité avec photo, je vous prie.

Je m'attendais à cette requête, raison pour laquelle je n'ai pas laissé Wendy faire sa propre réservation. En revanche, je n'ai pas de souci à lui remettre mon permis de conduire. Il ne sera pas enregistré dans le système, probablement juste sur le disque dur de cet ordinateur-là. Non que Douglas songe forcément à me chercher, moi, mais on ne sait jamais. S'il est aussi intelligent que Wendy le pense, il pourrait faire le rapprochement.

Et dans ce cas, je risque de courir un sérieux danger.

Heureusement, le gars accepte mon argent sans discuter ni me demander ma carte de crédit. J'aurais dû la lui remettre, s'il l'avait exigée, mais on va visiblement s'en tirer sans laisser de trace électronique.

— Chambre 207. (Il prend une clé sur l'étagère derrière lui. À l'ancienne.) C'est à l'arrière du bâtiment.

— Super.

Il m'adresse un clin d'œil.

— Je savais que vous préféreriez.

Je gémis intérieurement. Bien sûr, je me doutais que ce type me repérerait – une femme seule qui prend une chambre tard dans la nuit –, il reste à espérer qu'il n'en fasse pas tout un pataquès. Peut-être qu'il me pense partante pour faire des passes. C'est le but.

Je retourne à la voiture avec la clé de la chambre. Wendy descend du siège passager. Elle a enfoncé sa casquette de baseball bien bas sur son front. À un moment donné, dans un avenir proche, elle va probablement couper et teindre ses cheveux, sans doute à l'aide de ciseaux de cuisine et d'une couleur bon marché achetée dans un drugstore. En attendant, la casquette de baseball fera l'affaire.

— Merci beaucoup, me dit-elle entre ses larmes. Vous m'avez sauvé la vie, Millie.

— C'était le moins que je pouvais faire.

Elle me lance un regard.

— Nous savons toutes les deux que ce n'est pas vrai, je pense.

Je l'aide à prendre ses sacs dans le coffre et, pendant quelques secondes, on reste là, sur le parking désert, à se regarder fixement. Je ne suis pas sûre de revoir Wendy un jour. J'espère que non, car dans le cas contraire, cela signifierait que cette mission a échoué.

— Merci, elle répète.

Et avant que je ne comprenne tout à fait ce qui se passe, elle a jeté ses bras autour de moi. Une fois de plus, je m'étonne de la fragilité de son corps. J'espère qu'elle mangera beaucoup de McDonald's dans les prochaines années.

— Bonne chance, je lui dis.

— Soyez prudente, lâche-t-elle d'une voix rauque. S'il vous plaît, soyez prudente. Douglas va me rechercher, et il ne laissera rien au hasard.

— Je le gérerai. Je vous le promets.

Wendy n'a pas l'air tout à fait convaincue, mais elle s'éloigne avec ses sacs. Je la regarde se diriger vers la chambre 207, qui se trouve tout à l'arrière du motel. Je la suis des yeux jusqu'à ce qu'elle disparaisse, puis je remonte dans la voiture et je prends la route du retour.

30

Il est presque minuit quand je regagne enfin la ville.

Sacré contraste avec les embouteillages pare-chocs contre pare-chocs de l'aller : les rues sont désertes et, même lorsque je lambine avant de démarrer au feu vert, personne ne me klaxonne. Nul n'est dehors à minuit un mercredi soir.

Happy Car Rental me facturera un jour supplémentaire si je rends la voiture après minuit, autrement dit je dois arriver à temps à l'agence de location. Quand je pénètre dans le parking, il est moins cinq. Ils n'ont pas intérêt à me faire des histoires.

C'est un gars, à l'accueil, qui a l'air aussi alerte et enthousiaste que celui du motel trois heures plus tôt. Je dépose les clés de la Hyundai sur le comptoir et les pousse vers lui.

— Il n'est pas encore minuit, je l'informe. Donc ça fait juste un jour.

Je me prépare à devoir défendre mon bout de gras, mais le gars se contente d'accepter les clés avec un haussement d'épaules.

— OK.

Je laisse échapper un bâillement. J'ai conduit près de huit heures d'affilée, et je me rends compte maintenant que je tombe de fatigue. J'ai hâte de me glisser dans mon lit. Heureusement, je n'ai pas cours demain, je pourrai faire la grasse matinée. Et mon boulot de ménage, de toute évidence, n'existe plus.

Cependant, à la seconde où je retourne dans la rue, je regrette de n'avoir pas réfléchi à deux fois avant de rendre la voiture à tout prix avant minuit. Parce que maintenant, je dois retourner dans le sud du Bronx sans véhicule. Même si je suis convaincue d'être capable de me défendre, je ne suis pas emballée par la perspective de prendre le métro à cette heure. Le week-end, ça passe encore, mais un mercredi soir, il n'y aura que moi, les agresseurs et les violeurs.

Hélas, je n'ai pas les moyens de me commander un Uber en ce moment. Je n'ai même plus de travail.

Alors que je me trouve encore dans la rue de Happy Car Rental, en train de réfléchir aux options qui s'offrent à moi, des phares éclairent la chaussée. Je tourne la tête, juste à temps pour apercevoir une voiture qui s'approche. Une berline noire avec le logo Mazda sur la calandre.

Et le phare droit fendu.

Pas besoin de lire la plaque d'immatriculation, je sais déjà que c'est celle qui me suit depuis deux mois. Celle-là même qui était derrière moi cet après-midi, quand je conduisais avec Wendy à mes côtés. Et maintenant, je suis seule et coincée. Au coin d'une rue déserte. Au milieu de la nuit.

La Mazda se range sur le bord du trottoir. Je distingue à peine la silhouette d'un homme sur le siège du conducteur. Le moteur est coupé, mais il garde ses phares allumés dans ma direction, suffisamment brillants pour que je doive détourner les yeux.

Et puis la portière de la voiture s'ouvre.

31

Je ne me laisserai pas faire sans me battre.

Je fouille frénétiquement dans mon sac, à la recherche de ma bombe lacrymogène. Il m'en reste encore après avoir aspergé Xavier la dernière fois. Si c'est Douglas, je ne vais pas le laisser me soutirer la moindre information. Et si c'est Xavier, je m'en suis déjà débarrassée une fois, je peux le refaire. Même pas peur.

Pourtant mon cœur cogne sacrément fort quand je le vois sortir de la voiture.

Enfin, je sens la bombe lacrymogène dans mon fourre-tout. Je la sors, un doigt sur la buse.

— N'approchez pas ! je crache à la silhouette noire.

Lentement, l'ombre lève les mains en l'air.

— Ne tire pas, Millie.

Cette voix m'est familière. Il ne me faut pas plus d'une fraction de seconde pour la reconnaître. Immédiatement, une sensation de chaleur m'envahit et mon visage se fend malgré moi d'un sourire. J'abaisse la bombe au poivre et me jette sur l'homme toujours debout, les mains en l'air.

— Enzo ! je m'écrie en l'enlaçant. Oh, mon Dieu !

Il me serre dans ses bras et, pendant un instant, je ne ressens rien d'autre qu'une joie pure, enveloppée dans l'étreinte chaleureuse de mon ancien petit ami. Je me suis toujours sentie en parfaite sécurité quand il m'enlaçait comme ça, et je commençais à penser que je ne retrouverais jamais le confort de ses bras. Et voilà qu'il est là. Ses larges épaules, ses épais cheveux noirs, ses yeux pénétrants. Et ce que je préfère chez lui : son sourire qui me donne à penser que je suis la personne la plus extraordinaire qu'il ait jamais rencontrée.

— Millie, murmure-t-il dans mes cheveux, je suis tellement heureux d'être de retour.

— Quand es-tu rentré ?

Il hésite brièvement.

— Il y a un peu plus de trois mois.

Si un disque avait été en train de jouer une belle musique de retrouvailles, c'est à ce moment-là qu'il se serait tu. Je m'écarte d'Enzo, bouche bée.

— Trois mois ?

Son air penaud me dit tout ce que j'ai besoin de savoir – et malheureusement, tout est parfaitement, terriblement logique. Ces derniers mois, j'ai eu l'impression que quelqu'un me suivait, m'observait. J'ai mis ça sur le dos de Xavier, puis de Douglas, mais aucun des deux n'était coupable. C'était Enzo. C'est Enzo le propriétaire de la Mazda noire au phare droit cassé. Dans mon excitation de le retrouver, je n'ai pas vu ce qui était clair comme le nez au milieu de la figure.

Je lui assène une tape sur le bras.

— Tu me suivais ! Je n'en reviens pas ! Pourquoi tu as fait ça ?

— Pas pour de mauvaises raisons.

Sa mâchoire se resserre : bon Dieu, j'avais oublié à quel point il est sexy. Ça détourne mon attention, or je ne veux pas me laisser distraire, parce que je suis légitimement furieuse contre cet homme.

— Pas dans un mauvais sens, il insiste. C'était pas du harcèlement. Je suis garde du corps.

Je croise les bras, méfiante.

— Garde du corps ? Elle est faiblarde, ton excuse. Pourquoi tu n'es pas venu me dire bonjour au lieu de me suivre pendant trois mois ?

— Parce que... (Il baisse ses yeux sombres, très sombres.) Je pensais que tu étais en colère contre moi, pour n'être pas revenu quand tu voulais.

— C'est vrai. J'étais en colère. Je t'ai demandé quand tu revenais et tu n'as même pas voulu me répondre.

— Mais, Millie, je pouvais pas. Ma mère... Elle avait que moi et elle était très malade. Comment je pouvais la quitter ?

— Tu l'as bien quittée finalement, je lui fais remarquer.

Il fronce les sourcils.

— Oui. Parce qu'elle est morte.

Super, maintenant je me sens vraiment comme une sombre crétine.

— Je suis navrée, Enzo.

Il reste silencieux un moment.

— Oui.

— J'aurais... (Je ravale une petite boule qui s'est formée dans ma gorge.) Si tu me l'avais dit, j'aurais pu être là pour toi. Mais tu m'as... tu m'as balayée de ta vie ! Tu le sais.

Il serre les dents.

— Je pouvais pas revenir. C'est tout ce que je t'ai dit. Je t'ai jamais dit que je t'aimais plus. C'est toi qui as voulu arrêter, il ajoute avec un long regard. C'est toi qui as commencé à sortir avec ce Brocoli.

Je lève les yeux au ciel.

— Il s'appelle Brock.

— Je dis juste que c'est toi qui as voulu passer à autre chose. Pas moi. J'ai toujours... J'ai jamais cessé de ressentir de l'amour pour toi.

Je ricane.

— Oui, d'accord. Tu veux me faire croire que tu n'as pas été avec d'autres femmes depuis moi.

— Non. Aucune autre femme.

Ses yeux rencontrent les miens : il est sincère. S'il y a une chose qu'Enzo ne fait jamais, c'est mentir. Pas à moi, en tout cas. Mais bon, je pourrais me tromper. Je ne l'aurais jamais imaginé en *stalker* non plus.

— Tu n'aurais pas dû me suivre comme ça, j'insiste, sévère. Ça m'a fait peur. Tu aurais dû me dire que tu étais revenu.

Il hausse ses sourcils noirs.

— Pour que tu m'envoies me faire voir ? De toute façon, comme je l'ai dit, je suis garde du corps. Tu as besoin d'un garde du corps.

— Non, pas du tout. Je sais m'occuper de moi.

Cette fois, c'est au tour d'Enzo de ricaner.

— Ah oui, vraiment ? Tu habites un quartier horrible, dans le sud du Bronx, je te rappelle. Tu penses que tu as pas besoin de moi pour veiller sur toi ? Je peux te promettre qu'il y a eu au moins une fois où tu aurais pas fini ton trajet en train jusqu'à ton immeuble, si j'avais pas été derrière toi. Comme garde du corps.

Tous les petits poils de ma nuque se hérissent. Est-ce qu'il dit la vérité ? Y avait-il un danger tapi dans l'ombre derrière moi, qu'il a vaincu avant même que je me rende compte de quoi que ce soit ?

— Comme tu l'as dit, j'ai un petit ami, je chuchote. Et si j'en ai besoin, il peut me protéger, merci beaucoup.

— Comme il t'a protégée de Xavier Marin ?

Entendre le nom de cet homme sur les lèvres d'Enzo, c'est comme recevoir un uppercut.

— Qu'est-ce que tu insinues ?

Même dans le noir, je vois les poings d'Enzo se serrer.

— Cet homme… il t'a agressée. J'ai rien pu faire pour l'arrêter, parce que c'était dans ton immeuble. Et ensuite, ils l'ont laissé en liberté… Et ton Brocoli…

Mon visage me brûle.

— Brock.

— Pardon, Brock. (Sa voix est teintée de fureur.) Il fait rien. Rien. Il s'en fiche, que l'homme qui a attaqué sa petite amie est toujours en liberté. Sans punition ! Il s'en est tiré tranquille ! Mais moi, je… je m'en soucie. (Il se frappe la poitrine du poing.) Alors je fais en sorte qu'il a ce qu'il mérite, qu'il t'embête plus jamais.

J'ai soudain la tête qui tourne. Je revois Xavier, quand ils l'ont emmené, menottes aux poignets, ses cris, devant l'immeuble, disant que la drogue qu'ils avaient trouvée ne lui appartenait pas. Et Mme Randall qui a dit que tout le monde était surpris d'apprendre qu'il vendait de la drogue.

— C'est toi qui…

Il hausse une épaule.

— Je connais un gars.

C'est grâce à Enzo que Xavier est en prison. Sans lui, cet homme serait toujours dans la nature. Et Enzo a raison : Brock n'a rien fait.

Tout à coup, je ne sais plus quoi penser.

— Viens. (De la main, il me montre sa Mazda.) Je te ramène chez toi. Et tu réfléchis si tu me détestes ou pas.

Ça se tient.

Je monte dans la voiture à côté d'Enzo, qui est assis à la place du conducteur. La voiture sent son odeur. Le parfum boisé que je lui ai toujours connu. Je ferme les yeux, perdue dans le passé. Pourquoi a-t-il fallu qu'il parte ? Maintenant, la situation est compliquée. Il a fait trop de choses de travers. Je ne peux pas lui pardonner aussi facilement.

Ou si ?

— Alors, dit-il tandis qu'on prend la route du nord de la ville, où est-ce que tu es partie aussi vite aujourd'hui ?

Je tire sur un fil défait de mon jean.

— Comme si tu ne savais pas.

Il me jette un coup d'œil, le visage partiellement dans l'obscurité.

— Je sais pas tout, Millie. Dis-moi.

Alors je le lui dis.

32

Je lui raconte tout. Jusque dans les moindres détails : les abus de Douglas et l'évasion de Wendy.

J'ai promis à Wendy de n'en parler à personne, mais Enzo n'est pas n'importe qui. Il comprend. Lui et moi, on a œuvré main dans la main pour aider des femmes comme Wendy. S'il y a un être humain dans le monde entier à qui je peux faire confiance et raconter cette histoire, c'est lui.

Le temps que j'en finisse, ça me mène presque à ma porte d'entrée. Enzo n'a pas dit grand-chose. Mais bon, c'est tout lui. Je n'ai jamais rencontré personne qui écoute avec une telle attention. J'ai souvent apprécié l'intensité avec laquelle il me donne l'impression d'être écoutée. En même temps, ça me rend folle de ne pas savoir ce qu'il pense.

— Et voilà, je termine enfin après lui avoir décrit comment j'ai déposé Wendy au motel avant de retourner en ville. Elle est en sécurité maintenant.

Enzo est toujours silencieux.

— Peut-être, lâche-t-il finalement.

— Pas peut-être. Elle l'est.

— Cet homme, Douglas Garrick. C'est un homme puissant et dangereux. Je pense pas que ce sera aussi facile.

— Tu dis ça parce que j'ai réussi sans toi. Tu ne crois pas que je puisse me débrouiller seule.

Il s'est arrêté sur le trottoir, en face de mon immeuble. La rue est plongée dans l'obscurité et complètement déserte, à l'exception d'un homme seul au coin de la rue, qui fume quelque chose qui n'est probablement pas une simple cigarette. Quand je regarde cette rue, je comprends pourquoi Enzo s'est senti obligé de me protéger, même si je ne crois toujours pas en avoir besoin.

Il pivote pour me regarder dans les yeux.

— Je crois que tu peux tout faire, il chuchote. Mais Millie, je te dis juste… sois prudente.

— Wendy est très prudente.

Ses yeux sombres me transpercent.

— Non. Toi, sois prudente. Elle est partie, toi, tu es toujours là.

Je comprends ce qu'il sous-entend. Si Douglas se doute que je suis impliquée dans la disparition de sa femme, il pourrait me rendre la vie très difficile. Mais je suis prête à l'affronter. J'ai eu affaire à des hommes pires que lui et je m'en suis sortie.

— Je ferai attention, je lui promets. Ce n'est plus à toi de t'inquiéter pour moi. Donc tu n'as pas besoin de me protéger.

— Alors qui le fera ? Brocoli ?

Mon visage s'enflamme.

— En fait, je n'ai besoin d'aucun de vous deux. Quand ce connard m'a agressée dans mon immeuble, je me suis très bien débrouillée toute seule. Alors ne t'inquiète pas pour moi. Si tu dois te tracasser pour quelqu'un, crains pour la sécurité de Douglas Garrick – s'il se retrouve face à moi.

— Oui, dit-il, ça aussi.

On reste à se regarder les yeux dans les yeux un moment. Si seulement il ne m'avait pas quittée pour retourner en Italie... Il aurait pu m'aider avec Wendy, alors. Il aurait pu exprimer ses réserves plus tôt, qu'on les examine ensemble. Il aurait pu l'aider à se procurer une nouvelle carte d'identité pour qu'elle ait plus de solutions à sa disposition.

Et je rentrerais avec lui ce soir, au lieu de rejoindre Brocoli. Enfin, je veux dire Brock.

— Je vais y aller, j'annonce.

Il acquiesce lentement.

— OK.

Je détache ma ceinture de sécurité, même si je n'ai pas envie de sortir de la voiture.

— Et tu arrêtes de me suivre.

— OK.

Je le fusille du regard.

— Je suis sérieuse. Je sors avec quelqu'un d'autre, là. Tu me harcèles. C'est flippant et c'est inutile. Tu dois arrêter. Sinon... je serai obligée d'appeler la police ou quelque chose comme ça.

— J'ai dit OK, il répond, une main sur la poitrine. (Il porte un tee-shirt sous sa veste légère et, si triste que ce soit, je distingue encore tous les muscles en dessous.) Je te donne ma parole. Plus de surveillance.

— Bien.

Je n'aurai plus cette sensation dérangeante d'être observée. J'ai résolu le mystère de la Mazda noire avec le phare cassé, et cette voiture ne m'inquiétera plus jamais. Je devrais me sentir soulagée, or ce n'est pas le cas. Au contraire, je suis encore plus mal. J'avais un ange gardien et je ne le savais même pas.

J'ouvre ma portière.

— Bon... Ben au revoir, alors.

Je commence à sortir de la voiture, mais la main d'Enzo m'attrape par l'avant-bras. Je me retourne et découvre ses sourcils noirs froncés.

— J'ai toujours le même numéro de téléphone, il m'informe. Si tu as besoin de moi, tu appelles. Je serai là.

J'essaie un sourire forcé, mais il ne se matérialise pas tout à fait.

— Je n'aurai pas besoin de toi. Tu devrais... je ne sais pas, trouver une autre petite amie. Je le pense vraiment.

Il relâche mon bras, mais il a toujours l'air préoccupé.

— Tu appelles. J'attendrai.

C'est exaspérant de le voir si certain que je vais l'appeler. S'il y a une chose qu'il devrait savoir sur moi, c'est que je suis capable de me débrouiller seule. Parfois un peu trop bien.

Mais alors que je monte les marches jusqu'au troisième étage de mon immeuble, un terrible sentiment monte au creux de mon ventre. Et si Enzo avait raison ? Et si j'avais sous-estimé Douglas Garrick ? Après tout, c'est vraiment un sale bonhomme, d'après ce que j'ai vu. Et en plus de ça, il est incroyablement riche.

Ça ne peut pas être aussi facile pour Wendy de lui échapper, n'est-ce pas ? À l'époque où Enzo et moi, on aidait les femmes à quitter leurs conjoints violents, on planifiait tout méticuleusement, et même comme ça, on était parfois découverts. J'ai le sentiment que Douglas est plus intelligent que beaucoup d'autres hommes auxquels on a eu affaire. Même si je sais maintenant que ce n'est pas lui qui me suivait dans la voiture, il a peut-être d'autres moyens de garder sa femme à l'œil.

Et s'il savait exactement ce qu'on avait prévu ce soir ?

Cette pensée me tombe dessus avec la violence d'une tonne de briques, lorsque j'atteins le palier du troisième. Tout comme la rue, cet étage de mon immeuble est complètement silencieux. Et même si Enzo était encore là, dehors – contrairement à ce que je lui ai fait promettre –, il ne pourrait pas me venir en aide ici.

Je fixe la porte fermée de mon appartement. Il y a un pêne dormant à l'intérieur, mais je ne peux pas le verrouiller quand je pars pour la journée. La serrure est si facile à crocheter que c'en est pitoyable. Même moi, j'y arriverais probablement. Ça ne m'a jamais dérangée jusqu'à présent, car je n'ai rien à voler.

N'empêche que si quelqu'un voulait entrer dans mon appartement, ce serait bien trop facile.

J'ai les clés dans la main droite, mais j'hésite avant de les insérer dans la serrure. Et si Douglas avait vraiment une longueur d'avance sur moi ? Et s'il attendait dans mon appartement, prêt à me forcer, par tous les moyens, à lui révéler où se trouve Wendy ?

Où que soit Enzo, il n'a pas pu aller bien loin. J'ai son numéro enregistré dans mon téléphone, je ne l'ai jamais effacé. Je pourrais l'appeler et lui demander d'entrer dans l'appartement avec moi, juste le temps de m'assurer que c'est sans danger.

Bien sûr, après le discours que je lui ai tenu, selon lequel non, je n'ai pas besoin lui, ça impliquerait de ravaler ma fierté. Mais ça, j'y ai souvent été contrainte, au cours de ma vie. Une fois de plus ou de moins…

Je serre les clés dans ma main. Je dois prendre une décision.

Je chasse les doutes qui me rongent et j'enfonce la clé dans la serrure. Quand elle tourne, mon cœur tambourine dans ma poitrine, mais je pousse quand même la porte.

Une seconde, je m'attends presque à ce que quelque chose me saute dessus. Je me maudis de ne pas avoir ma bombe lacrymo en main. Quand j'entre, toutefois, tout est calme. Personne ne m'attend. Personne ne me saute dessus. Tout simplement parce qu'il n'y a personne.

— Ohé ? j'appelle.

Comme si l'intrus était là, tranquillou, à attendre que je le salue poliment.

Pas de réponse. Je suis seule dans cet appartement. Douglas va peut-être assembler les pièces du puzzle, mais ça ne s'est pas encore produit.

Alors je ferme la porte de l'appartement derrière moi et je verrouille le pêne dormant.

33

— Tu sais, me dit Brock en enfournant une fourchetée de son pad thaï, un poste de réceptionniste à temps partiel s'est libéré à mon cabinet d'avocats. Tu serais intéressée ?

Nous dînons tous les deux chez Brock, dans sa minuscule salle à manger. Si les Garrick ont une salle à manger somptuaire, la plupart des appartements new-yorkais n'ont qu'un tout petit espace dans un coin du salon, avec une table qui peut se rallonger manuellement pour accueillir plus de quatre personnes. Et pourtant, l'appartement de Brock est considéré comme grand par rapport aux standards de Manhattan. Dans un studio, il n'y aurait pas de salle à manger du tout et la cuisine, le salon, la chambre et la salle de bains ne constitueraient qu'une seule et même pièce, comme chez moi.

Cela dit, il pourrait avoir mieux s'il le voulait. Ses parents sont riches – pas follement riches comme Douglas Garrick, mais ils appartiennent à la classe supérieure –, pourtant il refuse leur argent, et ce n'est pas faute pour eux d'insister. « Ils m'ont appris à pêcher », comme il se plaît à répéter. Il estime qu'ils en ont bien assez fait en finançant ses études dans une université de l'Ivy League et une école de droit, et que c'est maintenant à lui de pêcher tout seul. C'est-à-dire de gagner sa vie.

Je respecte ce point de vue. C'est vraiment un type formidable. Et j'apprécie le fait qu'il n'ait pas fait pression sur moi pour que je fixe une autre date précise pour LA discussion, même si j'ai maintenant l'impression que je pourrais la reporter indéfiniment – oui, bon, je sais que je ne devrais pas.

Je mélange un peu plus de mon curry rouge avec le riz blanc. J'adore la nourriture de ce restaurant, il fait toujours des currys super épicés.

— Un travail de secrétaire ? je répète.

Brock hoche la tête.

— Tu cherches quelque chose, non ?

Ça fait trois jours que j'ai conduit Wendy à Albany. Pour Brock, j'ai inventé une vague histoire selon laquelle ils n'avaient plus besoin de mes services, et il n'a aucune raison de soupçonner quoi que ce soit. Douglas Garrick est censé revenir demain de son voyage d'affaires et, chaque fois que j'y pense, ça me donne mal au ventre. Enfin, je continue de croire que tout va bien se passer.

Dans tous les cas, je vais devoir trouver un moyen de quitter mon boulot chez Douglas. Je vais peut-être lui envoyer un SMS, la semaine prochaine, pour lui dire que mon emploi du temps s'est rempli et que je ne peux plus travailler pour lui. Ça me laissera cruellement sans ressources, si bien que l'idée d'un travail avec des horaires réguliers et – oh, là, là ! – la sécurité sociale et une mutuelle… c'est merveilleux.

— Ça a l'air super, je dis. Mais est-ce qu'un poste de réceptionniste serait compatible avec mon emploi du temps à la fac ?

— Comme je te l'ai dit, c'est à temps partiel, m'explique Brock. En fait, ils espèrent trouver quelqu'un qui puisse travailler le week-end, donc ce serait parfait pour toi.

Ce serait parfait. Absolument parfait. Et Brock m'a dit que tout le monde dans son entreprise était bien payé. Autrement dit, je n'aurais plus à travailler pour tous ces couples névrosés de Manhattan.

Bien sûr, si la compagnie de Brock envisage de m'embaucher, ils vont faire une vérification des antécédents. Et donc ils découvriront mon passé, et Brock aussi par la même occasion. Je n'ose pas imaginer le jour où quelqu'un de son cabinet le titillera à ce sujet. « Eh, Brock, j'ai entendu dire que ta petite amie avait un casier judiciaire. »

Je vois presque sa réaction d'ici. Son sourire habituel qui dégringole. « Quoi ? Qu'est-ce que tu veux dire ? » Et puis la conversation, au retour du travail… Oh, mon Dieu…

Ça devient fou. Je lui ai caché ça assez longtemps. Or si j'ai dit à Enzo que ce gars était « le bon », ça signifie que c'est du sérieux pour moi. Et ça signifie que je dois être complètement honnête.

— Aussi, ajoute Brock, mes parents viennent en ville pour un mariage le mois prochain. Et je… (Il esquisse un sourire en coin.) J'aimerais qu'on dîne tous ensemble.

Je déglutis.

— Tes parents ?

— Je veux qu'ils te rencontrent. (Par-dessus la petite table à manger, il pose sa main sur la mienne.) Je veux qu'ils connaissent la femme que j'aime.

Si on faisait un concours de « Je t'aime », Brock me battrait dix à un.

Ça devient incontrôlable. Je ne peux pas repousser LA discussion plus longtemps. Je dois tout lui dire. Maintenant.

Je pose ma fourchette.

— Écoute, Brock. Il y a quelque chose dont je dois te parler.

Il arque un sourcil.

— Ah ?

— Oui...

— Tu me fais un peu peur.

— Non, c'est... (J'essaie de déglutir, mais ma gorge est trop sèche. J'attrape mon verre, malheureusement j'ai bu toute mon eau en mangeant mon curry épicé.) Laisse-moi aller chercher de l'eau.

Brock me suit d'un regard appuyé pendant que je prends mon verre et que je me précipite à la cuisine. Je place le verre sous le robinet, regrettant pour une fois que l'eau ne coule pas un peu plus lentement. Pendant que le verre se remplit, mon téléphone vibre dans ma poche. Quelqu'un m'appelle.

Le nom de Wendy apparaît à l'écran. J'ai noté son numéro, au cas où quelque chose tournerait mal dans notre plan d'évasion et qu'elle aurait besoin de mon intervention. Mais ce téléphone-là, elle l'a laissé au penthouse. Alors comment peut-elle m'appeler maintenant ?

Je décroche et baisse la voix pour que Brock ne puisse pas entendre. Je suis sûre qu'il n'approuverait pas la situation, et il est particulièrement important de ne pas lui en toucher un mot, d'autant qu'apparemment il connaît Douglas Garrick et le trouve sympa.

— Wendy, je chuchote. Qu'est-ce qui se passe ?

Pendant une seconde, je n'entends que le silence à l'autre bout de la ligne. Puis un bruit de sanglots silencieux.

— Je suis revenue. Il m'a ramenée.

— Oh non…

— Millie. (Sa voix se brise.) Vous pouvez venir, s'il vous plaît ?

L'appartement de Brock n'est qu'à quinze minutes à pied du penthouse. Je pourrais y être dans vingt. Mais comment faire ? Je viens de lancer avec mon petit ami une discussion sérieuse qui va probablement durer toute la nuit.

Oui, mais il n'a pas autant besoin de moi que Wendy.

— Je fais au plus vite, je lui promets.

J'abandonne mon verre d'eau dans la cuisine et retourne à la salle à manger. Brock semble avoir à peine touché à son pad thaï depuis que j'ai quitté la pièce.

— Alors ?

— Brock, j'ai une urgence qui vient de me tomber dessus. Je… je dois y aller.

— Maintenant ?

— Je suis vraiment désolée. On discutera demain soir, je te le promets.

Brock fait la moue.

— Millie…

— Promis. (Je le supplie du regard.) Et… j'adorerais dîner avec tes parents. C'est une super idée.

Cette dernière déclaration semble l'apaiser.

— Je sais que tu es nerveuse à l'idée de les rencontrer, dit-il, mais tu vas adorer ma mère. Elle est de Brooklyn, elle aussi. Elle est allée au Brooklyn College, elle a le même accent que toi.

— Je n'ai pas d'accent !

Il me fait un sourire. Un petit sourire.

— Si. C'est mignon.

— Ouais, ouais…

Il se lève de table et me tend les bras. Même si ça me démange de courir au penthouse, je me laisse étreindre.

— Sache juste que quoi que tu aies à me dire à propos de toi, reprend-il, même si tu as l'impression que c'est absolument terrible, ce n'est pas grave. Je t'aime, quoi qu'il arrive.

Je plonge dans ses yeux bleus et je vois qu'il est sincère.

— On en parlera bientôt, je lui promets. Et… je t'aime aussi.

Ça devient de plus en plus facile à dire.

Il m'embrasse sur les lèvres, longuement, et l'espace d'un instant, je me prends à vraiment regretter de devoir partir. Mais je n'ai pas le choix.

34

Le mécanisme de l'ascenseur grince encore plus que d'habitude.

Je me demande quel âge a cette machine. J'ai lu quelque part que les ascenseurs ont été utilisés pour la première fois chez des particuliers à la fin des années 1920. Donc, même si celui-ci est l'un des tout premiers de l'histoire, il a tout de même moins d'un siècle. C'est rassurant... non ?

Pourtant, un de ces quatre, je suis certaine que la rouille va gripper tous ces vieux engrenages en cours de route et moi, je resterai coincée dans cette cabine jusqu'à la fin de mes jours.

Je jette un coup d'œil à ma montre. Il y a un peu moins de vingt minutes que Wendy m'a téléphoné. J'ai essayé de la rappeler pour lui confirmer que j'étais en chemin, mais elle n'a pas décroché. J'ai peur de ce que je vais trouver en arrivant au vingtième étage.

Mon Dieu, la lenteur de cet ascenseur !

Il s'arrête enfin dans un grincement et les portes s'ouvrent. Le soleil est bas dans le ciel, le penthouse, plongé dans la pénombre. Pourquoi personne n'a allumé les lumières ? Qu'est-ce qui se passe ici ?

— Bonsoir ? j'appelle.

Puis une pensée horrible me vient.

Et si Douglas était là ? Et s'il avait forcé Wendy à me téléphoner et à me demander de venir, afin de me punir pour l'avoir aidée ? C'est bien le genre de chose dont il est capable.

Je cherche ma bombe lacrymo dans mon sac à main. Je la localise à côté de mon poudrier et je la sors, bien serrée dans ma main droite.

— Wendy ? je couine.

De la main gauche, je fouille dans la poche de mon jean, où j'ai fourré mon téléphone. Je n'ai pas envie d'appeler la police, mais en même temps, j'ai un affreux pressentiment sur ce que je vais trouver dans ce penthouse.

J'entre dans le salon ; mes pas sur le sol retentissent aussi fort que des coups de feu dans cet appartement vide et silencieux. Mon cœur s'arrête dès que je remarque la tache rouge sur le tapis. Puis le corps étendu sur le canapé modulable.

— Wendy ! je m'écrie.

C'est dix fois pire que ce que je redoutais. Douglas n'est pas à la recherche de sa femme, il n'essaie pas de se venger. Il l'a déjà trouvée et, maintenant, elle est étendue morte sur le canapé. Je me précipite vers elle, m'attendant à découvrir une plaie béante dans sa poitrine, un coup de couteau, et le devant de sa robe bleu foncé taché d'écarlate. Mais je ne vois rien de tout ça.

Soudain, elle ouvre les yeux.

— Wendy !

Je crois que je suis au bord de la crise cardiaque. J'aimerais avoir les médicaments de Brock à portée de main, car je vous jure que mon cœur a pris un rythme irrégulier, un rythme bien trop fou.

— Oh, mon Dieu ! J'ai cru que vous étiez...

— Morte ?

Elle s'assied et je me rends compte alors que le rouge, par terre, c'est du vin qui provient d'un verre renversé sur la table basse – Douglas va criser si je ne le nettoie pas. Wendy lâche un rire amer.

— Oh, je préférerais !

J'étais tellement focalisée sur la recherche de blessures ou de sang sur son corps que je n'ai pas remarqué l'ecchymose toute fraîche qui orne sa joue gauche, là où la dernière s'était presque effacée. Je grimace à sa vue – je ne peux qu'imaginer ce qui a causé une telle horreur.

— Votre visage, je souffle.

— Ce n'est pas le pire. (Wendy se hisse un peu plus droite sur le canapé, mouvement qui lui tire une grimace, et elle porte la main à sa cage thoracique.) Il m'a cassé des côtes, c'est sûr.

— Vous devez aller à l'hôpital !

Elle me lance un regard d'avertissement.

— Pas question. En revanche, je veux bien une poche de glace.

Je cours à la cuisine et j'en trouve une dans le congélateur. Je l'enveloppe d'un torchon, puis je la lui apporte. Elle la prend avec reconnaissance, hésite un moment sur l'endroit où elle va la mettre, avant de la poser sur sa poitrine.

— Il m'attendait, elle lâche d'une voix qui n'est guère plus forte qu'un murmure. Quand on est arrivées à la ferme de Fiona à Potsdam. Il était déjà là. Il savait.

Je secoue la tête. Je ne comprends pas comment c'est possible. Je m'attendais à ce qu'il finisse par la trouver, mais si vite ?

Wendy ferme les yeux, comme pour chasser son mal de tête.

— Je ne sais pas comment il a pu aller aussi rapidement. Je me disais bien qu'il y avait une chance qu'il finisse par me mettre la main dessus, mais pas si vite. Je pensais que j'avais du temps…

— Moi aussi…

— Millie. (Elle se tourne, ce qui fait brièvement chuter la poche de glace.) Avez-vous dit à quelqu'un où nous allions ?

— Absolument pas !

Oui, bon, ce n'est pas tout à fait vrai. Je l'ai dit à une personne. Je l'ai dit à Enzo.

Mais Enzo ou personne, c'est du pareil au même. Il n'aurait jamais soufflé mot de quelque chose comme ça à quiconque. Au contraire, il aurait essayé de la protéger.

— J'ai été stupide de penser que je pourrais un jour lui échapper, poursuit-elle, rajustant la glace. C'est ma vie, voilà. Ce sera plus facile si je… l'accepte.

— Vous n'avez pas à l'accepter, j'insiste en lui prenant la main pour la serrer. Wendy, je vais vous aider. Vous n'êtes pas obligée de passer le reste de votre vie à supporter ce type.

— Je sais que vous voulez bien faire…

Ma mâchoire se crispe.

— Non. Écoutez-moi. Je vais vous aider. Je vous en fais la promesse.

Wendy ne répond rien. Elle ne me croit plus. Mais je vais arranger la situation, d'une manière ou d'une autre.

Je ne laisserai pas Douglas Garrick la traiter comme ça et s'en tirer à bon compte.

35

Je travaille toujours pour la famille Garrick.

Je n'ai pas pu révéler à Brock la véritable raison de ma décision de rester avec eux et de refuser l'entretien à son cabinet, je lui ai seulement expliqué qu'ils avaient finalement changé d'avis et admis avoir besoin de moi. Il n'a pas posé d'autres questions, mais c'est surtout parce que depuis, je l'évite.

La prochaine fois que je le vois, je dois lui parler de mon passé. Il est temps. Mais ça ne veut pas dire que je ne redoute pas l'épreuve. Par conséquent, comme par hasard, j'ai été « occupée » ces deux derniers jours. Je lui ai promis une explication « bientôt », mais il n'y a littéralement jamais de bon moment. Peut-être qu'il n'y en aura jamais.

Mais si, je dois lui parler. Il faut qu'il sache la vérité avant de me présenter à ses parents, merde !

Ce soir, je prépare le dîner pour les Garrick. J'ai des blancs de poulet qui rôtissent dans le four et je fais bouillir des pommes de terre sur la cuisinière, que je passerai au robot pour en faire une purée parfaitement soyeuse, comme l'aime Douglas. Je serais bien tentée de cracher dedans, si je ne savais pas que Wendy va en manger aussi.

Pendant que je vérifie le four, Wendy passe une tête dans la cuisine. Les ecchymoses de son visage sont beaucoup moins vilaines et elle ne grimace plus quand elle marche : il faut croire qu'elle commence à guérir.

— Le dîner est presque prêt, je lui annonce.

Elle s'attarde un moment dans l'encadrement de la porte. Et puis elle finit par lâcher :

— Je voudrais vous parler un moment, Millie. Pouvez-vous venir dans le salon ?

Le repas devrait pouvoir suivre son cours sans moi pendant quelques minutes. Je suis Wendy dans le salon, jusqu'à un bureau dans le coin de la pièce. Elle a une expression étrange qui m'inquiète un peu. Il y a deux jours, je lui ai promis que je trouverais un moyen de la tirer de sa situation, et je n'ai pas encore tenu cette promesse. Mais je le ferai.

J'essaie juste de voir comment y parvenir sans impliquer Enzo.

— J'ai découvert quelque chose, l'autre jour, dans la bibliothèque de Douglas, me confie-t-elle. Quelque chose que j'aimerais vous montrer.

Mi-curieuse, mi-anxieuse, je la suis dans l'escalier tandis qu'elle boitille jusqu'à une bibliothèque dans le couloir. Et en sort ce qui ressemble à un dictionnaire, qu'elle pose sur une étagère vide. Elle l'ouvre d'un coup sec et je découvre que le dictionnaire, en fait, a été complètement évidé.

Et que son intérieur recèle un pistolet.

Je me plaque une main sur la bouche.

— Oh, mon Dieu ! Il est à Douglas ?

Elle acquiesce.

— Je savais qu'il avait une arme quelque part dans la maison, mais je n'avais jamais vu où il la gardait.

— Il ne l'enferme même pas à clé ?

— Sans doute parce qu'il veut pouvoir y accéder rapidement en cas de besoin, suppose Wendy, qui soulève l'arme du livre évidé et la tient comme quelqu'un d'absolument inexpérimenté. Ça pourrait être mon échappatoire.

J'étouffe une montée de panique dans ma poitrine.

— Non. Non ! Croyez-moi, si désespérée que vous soyez, il ne faut surtout pas faire ça.

Si je n'ai pas beaucoup d'expérience avec les armes à feu, j'en ai en revanche beaucoup dans les mesures drastiques prises en désespoir de cause. Je ne m'engagerai plus jamais, jamais sur cette voie. Et elle ne devrait pas s'y engager non plus.

Mais Wendy n'écoute pas. L'arme serrée entre ses deux mains, elle la pointe sur la pièce. Si son doigt n'est pas sur la détente, l'intention est toutefois évidente.

— S'il vous plaît, ne faites pas ça, je la supplie.

— Et il est chargé, elle ajoute. J'ai regardé en ligne comment s'en assurer. Il y a cinq balles dedans.

Je continue de secouer la tête.

— Wendy, il ne faut pas. Je vous le certifie.

Elle se tourne vers moi. Sa pommette gauche, encore violette du coup infligé par son mari, vire peu à peu au jaune.

— J'ai un autre choix ?

— Vous voulez passer le reste de votre vie en prison ?

— J'y suis déjà.

Aussi précautionneusement que possible, je lui ôte l'arme des mains et la repose sur le bureau.

— Écoutez-moi. Il ne faut surtout pas faire ça. Il y a un autre moyen.

— Je ne vous crois plus.

J'imagine Wendy pointant le pistolet sur le visage de Douglas. Vu la façon dont elle tenait l'arme tout à l'heure et les tremblements qui l'agitaient, elle le raterait à tous les coups, même à bout portant.

— Vous avez la moindre idée de la manière dont on se sert de ce truc ?

Elle hausse les épaules.

— On vise la personne qu'on veut tuer, puis on appuie sur la détente. Rien de bien sorcier.

— C'est un peu plus compliqué que ça.

Ses yeux s'écarquillent.

— Vous avez déjà tiré avec un pistolet, Millie ?

J'hésite juste un peu trop longtemps. Oui, d'accord, j'ai un peu d'expérience en matière d'armes à feu. Enzo étant convaincu que c'était une compétence utile, on est allés quelquefois au champ de tir, tous les deux. On y a suivi un cours de sécurité sur les armes et obtenu des certificats. Mais je n'ai jamais tiré ailleurs que sur un pas de tir. Ça ne fait pas de moi une experte, loin s'en faut.

— Vaguement.

Elle me jette un regard appuyé.

— Millie…

— Non. (Je ramasse l'arme et la replace dans le faux dictionnaire, que je referme d'un coup sec.) Pas question.

— Mais…

Ce que Wendy s'apprête à ajouter est coupé par le bruit des portes de l'ascenseur qui s'ouvrent dans un grincement. Aussitôt, je saisis le dictionnaire et le remets à sa place sur l'étagère, tandis que Wendy se précipite dans la chambre d'amis à une vitesse effarante. Je me dépêche de descendre l'escalier avant que Douglas ne puisse se douter de ce à quoi j'étais occupée.

Il arrive dans le salon, ses épais sourcils noirs froncés marquant sa surprise de me voir descendre l'escalier.

— Je pensais vous trouver en train de préparer le dîner, s'étonne-t-il.

— C'est presque prêt, je lui assure. Le repas est dans le four.

Il me dévisage de ses yeux enfoncés dans leur orbite, avec suffisamment d'insistance pour me mettre mal à l'aise.

— Je vois, fait-il. Qu'est-ce qu'on mange, alors ?

— Blanc de poulet rôti, purée de pommes de terre et carottes au jus, je réponds, même si c'est lui qui a composé le menu du jour avec soin.

Douglas semble réfléchir à ma réponse.

— Ne mettez pas de pommes de terre dans l'assiette de ma femme. Elle ne les digère pas bien.

— D'accord…

— Et une demi-portion de poulct suffira pour elle, il ajoute. Elle n'est pas bien, je doute qu'elle mange grand-chose.

Alors que j'égoutte les pommes de terre que Wendy ne pourra pas déguster, je comprends enfin pourquoi elle est si maigre. C'est Douglas qui lui apporte à manger tous les soirs. Il contrôle chaque bouchée qu'elle ingère.

En plus de tout le reste, il l'affame. Systématiquement. Encore un autre moyen de la contrôler : si elle est faible, elle ne se rebelle pas.

Wendy a raison. Il faut que ça cesse.

Il y a tout de même un côté positif à la nouvelle : je peux cracher dans la purée, du coup.

36

Quand je me glisse dans mon lit ce soir-là, je pense encore à cette arme cachée dans le dictionnaire.

Le regard de Wendy lorsqu'elle me l'a montrée était sans équivoque. Elle est sérieuse. Elle a atteint un point de désespoir tel qu'elle se dit : « C'est lui ou moi ». Et ça n'est pas bon signe du tout. C'est quand on en est là qu'on risque de commettre des erreurs stupides.

Tôt ou tard, je vais devoir appeler Enzo. Il lui sera d'une plus grande aide que moi. Mais je ne peux pas l'appeler maintenant. Il est presque minuit, or s'il voit que je téléphone à cette heure, il va croire à un plan cul. Je ne veux pas qu'il se fasse de fausses idées.

Même si une petite partie de moi n'a pas cessé de penser à lui depuis le soir où je suis allée à Albany.

Je suis toujours furax contre lui, pour avoir disparu comme il l'a fait, cependant je ne peux nier la joie pure que j'ai ressentie en le voyant sortir de cette voiture. Je me rends compte en y pensant que je n'ai jamais éprouvé ça pour

Brock, et je ne suis pas sûre que ça arrive un jour.

Mais ce n'est pas juste vis-à-vis de ce dernier. Mon petit ami a énormément de qualités. Par-dessus tout, c'est un type solide qui ne m'abandonnerait jamais dans le besoin. Ça au moins, j'en suis sûre.

En plus, je n'ai pas pu lui dire ce qui se passait avec Wendy. Sa réaction aurait été d'appeler la police sur-le-champ et de ne pas s'en mêler. Typiquement une réaction d'avocat.

Comme s'il avait les oreilles qui sifflaient, un message de Brock arrive sur l'écran de mon téléphone :

Je t'aime.

Je serre les dents. Bon Dieu, combien de fois cet homme va-t-il me dire qu'il m'aime ? Il s'attend à ce que je lui réponde, seulement je n'arrive pas à m'y résoudre pour le moment. Ces « Je t'aime » me prennent en otage. Faute de mieux, je me photographie en train de faire un bisou et je lui envoie le cliché. C'est un peu comme dire « Je t'aime », non ? Il répond instantanément.

Trop mignonne. J'aimerais que tu sois là.

Punaise, il faut vraiment que toutes ses paroles soient destinées à me faire culpabiliser pour n'avoir pas emménagé avec lui ?

J'abandonne mon téléphone, frustrée. Je me lève pour aller me brosser les dents quand l'appareil se met à sonner. C'est probablement

Brock, vu que je n'ai pas répondu à son texto. À tous les coups, il va me demander s'il peut venir. Et je vais devoir lui répondre gentiment que non.

Sauf qu'à l'écran je constate que ce n'est pas Brock. C'est Douglas.

Pourquoi Douglas m'appelle-t-il à minuit ?

Je reste les yeux fixés sur l'écran une bonne minute, le cœur tambourinant. Je ne vois aucune raison valable pour que mon patron m'appelle à minuit. Je suis tentée de le laisser tomber sur la messagerie vocale, puis finalement je fais glisser le curseur pour prendre l'appel.

— Millie. (Sa voix me semble un peu sèche.) Je ne vous ai pas réveillée, n'est-ce pas ?

— Non...

— Bien. Je suis désolé de vous appeler si tard, mais je pense qu'il vaut mieux que vous l'appreniez maintenant. Après cette semaine, nous n'aurons plus besoin de vos services.

— Vous... vous me renvoyez ?

— Eh bien, pas exactement, disons plutôt que je vous libère. Wendy a l'air de se sentir mieux et elle aimerait avoir à nouveau un peu d'intimité dans notre maison.

— Ah...

— Ce n'est pas que votre travail nous ait déplu. (Eh ben mince, merci.) C'est juste qu'un couple marié a besoin de son intimité. Vous comprenez ce que je veux dire ?

Oh oui, le message est clair et net. Il ne veut pas que je parle à Wendy ou que j'essaie de l'aider.

— Vous comprenez, n'est-ce pas, Millie ? me presse-t-il.

— Bien sûr, je lâche entre mes dents serrées. Bien sûr que oui.

— Tant mieux, reprend-il d'un ton plus léger. Et pour vous remercier de tout ce que vous avez fait pour nous, j'aimerais vous offrir deux billets pour un match des Mets. Ça vous plairait ?

— Oui, je réponds lentement. J'aime bien les Mets...

— Super ! C'est réglé alors.

— Hmm, hmm.

— Bonne nuit, Millie. Dormez bien.

En raccrochant, j'ai toujours ce sentiment de malaise. Quelque chose m'a dérangée dans cette conversation, un détail sur lequel je n'arrive pas à mettre le doigt. Je me laisse retomber sur mon lit, et mes yeux tombent sur le tee-shirt ample que je porte pour dormir.

C'est un tee-shirt des Mets.

Je lève les yeux vers la fenêtre en face de moi. Les stores sont fermés, comme toujours. Je cours jusqu'à la vitre et j'insinue mes doigts entre les lames pour regarder dehors, vers la rue. Il fait complètement noir. Je ne vois pas de bonhomme inquiétant en train de rôder. Personne n'observe ma fenêtre avec une paire de jumelles.

C'est peut-être juste une coïncidence. Je veux dire, je suis de New York. Quel New-Yorkais n'aime pas les Mets ?

Pourtant, je n'y crois pas. Il y avait quelque chose dans le ton qu'il a employé en parlant de m'offrir des billets pour les Mets. « J'aimerais vous offrir deux billets pour un match des Mets. Ça vous plairait ? »

Oh, bon sang, est-ce qu'il m'observe ?

Enfin, ce n'est pas comme si le tee-shirt des Mets que je porte pour dormir était un secret d'État. J'ai peut-être ouvert la porte avec, à un moment donné. Et tous les petits amis que j'ai eus le savent, même si cette liste ne comprend que Brock et Enzo.

Cela dit, je dors aussi dans d'autres tee-shirts. Douglas savait lequel je porte *ce soir*.

J'ai juré à Wendy que je ne la laisserais jamais tomber, mais je dois admettre que je suis complètement paniquée. Les stores sont baissés. Je ne les ouvre jamais le soir, surtout une fois que je suis en chemise de nuit.

Les mains tremblantes, je prends mon téléphone et j'envoie un message à Brock :

Tu veux venir ?

Comme toujours, il répond dans la foulée :

J'arrive dès que possible.

37

Dès que j'ai fini de plier ce linge, je vais rejoindre Brock pour dîner.

Douglas m'a envoyé un SMS, plus tôt, et m'a indiqué une heure pour mon dernier jour de ménage. Après ça, je devrai donc chercher un nouvel emploi, du coup j'espère qu'il me donnera un énorme pourboire. Mais je ne compte pas trop dessus non plus.

Je suis contente de ne bientôt plus avoir à travailler pour les Garrick. Même si je n'ai pas renoncé à aider Wendy, je ne veux plus venir dans cette maison. Douglas Garrick me donne la chair de poule, et plus je reste éloignée de lui, mieux je me porte. Je ferai tout ce que je peux pour aider Wendy de l'extérieur.

Il y a quelque chose d'autre qui pèse lourd sur mon esprit ce soir : dès que j'en aurai fini ici, Brock et moi, on va avoir LA discussion. On a soigneusement évité toute conversation sérieuse les dernières fois que je l'ai vu, mais ça a assez duré. Je vais le retrouver à son appartement et tout lui raconter. Millie, en long, en large et en travers. Et peut-être que ce sera fini, mais peut-être aussi qu'il comprendra et que ça ira. Il n'y a qu'une façon de le savoir.

Comme les Garrick envoient la plupart de leurs vêtements au pressing, je n'ai à laver que quelques sous-vêtements, maillots de corps et autres chaussettes, qui d'ailleurs semblaient à peine sales lorsque je les ai mis à la machine à laver. Pendant que je les trie et les range dans les tiroirs appropriés, je ne peux m'empêcher de penser au pistolet caché dans la bibliothèque.

J'ai fait jurer à Wendy qu'elle n'entreprendrait rien de stupide, mais malgré sa promesse, je ne la crois pas tout à fait. Elle est au bout du rouleau. J'ai bien vu le désespoir sur son visage meurtri, quand elle tenait cette arme dans ses mains. La prochaine fois que Douglas l'énerve, elle pourrait très bien le tuer.

Non pas que je plaindrais ce trou du cul s'il se prenait un pruneau. Seulement, si elle le tue, elle ira en prison. Elle n'est jamais allée voir aucun médecin, ni n'a été à l'hôpital pour rapporter la façon dont il abusait d'elle, et même si je jurais devant un tribunal de ce que j'ai vu, ça pourrait ne pas suffire.

J'ai officiellement décidé d'appeler Enzo demain. Le mieux serait peut-être que je me mette en retrait – d'autant que je ne travaillerai plus ici – et que je le laisse s'en occuper. Après tout, c'est lui qui connaît « un gars » pour tout. Il était logique de bosser en équipe quand on sortait ensemble, mais à la vérité, il m'est difficile de le côtoyer maintenant.

Enzo aidera Wendy. Je n'ai aucun doute là-dessus.

J'en ai presque fini avec la lessive quand un bruit retentit dans le couloir. J'ai déjà entendu ce genre de bruit ici. La différence, c'est que maintenant, je sais à quoi il correspond : Wendy se fait battre.

Je sors de la chambre principale pour voir ce qui se passe. Comme toujours, la porte de la chambre d'amis est bien fermée, mais j'entends la voix de Douglas à l'intérieur :

— Je viens de voir cette dépense sur la carte de crédit ! il hurle à l'autre du bout du couloir. Qu'est-ce que c'est ? Quatre-vingts dollars pour un déjeuner à La Cipolla ?

Je ne l'ai jamais entendu lui parler de cette façon. Il a dû oublier que je suis là. Il m'a dit de partir tôt, donc il doit penser que je suis déjà loin et qu'il peut lui dire ce qu'il veut, que personne ne l'entendra.

— Je… je suis désolée. (Wendy a l'air affolée.) J'ai retrouvé mon amie Gisele pour déjeuner, et comme elle n'a pas de boulot en ce moment, j'ai proposé de l'inviter.

— Qui t'a dit que tu pouvais quitter la maison ?

— Quoi ?

— *Qui t'a dit que tu pouvais quitter la maison, Wendy ?*

— Je… je… je suis désolée, c'est tellement dur d'être à l'intérieur tout le temps que…

— Quelqu'un aurait pu te voir ! il fulmine. Voir ton visage, et alors qu'est-ce que les gens auraient pensé de moi ?

— Je… je suis désolée, je…

— Désolée, tu parles. Tu ne réfléchis à rien, ou quoi ? Tu veux que les gens pensent que je suis un monstre !

— Non. Ce n'est pas vrai. Je te le jure.

S'ensuit un long silence dans la pièce. La dispute est terminée ? Ou faut-il que je débarque, que j'appelle la police ? Mais non, je ne peux pas appeler la police, Wendy a refusé catégoriquement.

Ce que je ne donnerais pas pour avoir un ami dans la police de New York...

Je m'approche sur la pointe des pieds, aussi près que possible de la chambre, tendant l'oreille. Au moment où je m'apprête à frapper à la porte, Douglas se remet à parler, et cette fois, il est encore plus en colère.

— C'est un restaurant terriblement romantique pour y emmener une copine, non ?

— Quoi ? Non ! Ce n'est pas... romantique...

— Je vois toujours quand tu mens, Wendy. Avec qui est-ce que tu as partagé ce déjeuner chic, dis-moi ?

— Je te l'ai dit ! Avec Gisele.

— Bien sûr. Maintenant, dis-moi la vérité vraie. Est-ce que c'était avec le gars qui t'a conduite dans le nord de l'État ?

Je m'approche encore sans bruit. Wendy sanglote.

— C'était Gisele, pleurniche-t-elle.

— Tu me racontes des conneries, il siffle. Tu crois que je vais accepter que ma traînée de femme se promène partout en ville avec un autre homme ? C'est humiliant !

À ce moment-là, un craquement écœurant retentit à l'intérieur de la pièce. Et Wendy pousse un hurlement.

Je ne peux pas le laisser la cogner. Je dois faire quelque chose. Sauf que tout à coup, il n'y a plus un seul bruit dans la chambre.

Jusqu'à un gargouillement.
Comme une femme qu'on étrangle.
Fini de tergiverser. Quoi qu'il se passe dans cette pièce, je dois intervenir.
Alors je me souviens de l'arme.

38

Je sais exactement où est l'arme.

Je file à la bibliothèque et sors le dictionnaire. L'arme est nichée dans le même creux que deux jours plus tôt, quand Wendy me l'a montrée. Comme je m'y attendais. Je la sors avec des mains qui ne tremblent que légèrement.

Les yeux rivés sur le revolver dans ma paume, je me demande si je ne suis pas en train de commettre une grave erreur. Même s'il se passe quelque chose de terrible dans la chambre, j'ignore si l'introduction d'une arme à feu dans l'équation va améliorer les choses. Quand quelqu'un risque de se faire tirer dessus, les événements peuvent rapidement prendre une mauvaise tournure.

Mais je ne vais pas tirer sur Douglas. Ça, c'est tout à fait exclu. J'ai seulement l'intention de lui faire peur. Après tout, il n'y a rien de plus effrayant qu'un pistolet. Je compte sur l'élément de surprise pour mettre un terme à cette situation.

Revolver en main, je m'engage *illico* dans le couloir sombre qui mène à la chambre d'amis.

La dispute a cessé et tout est silencieux dans la pièce. Et d'une certaine manière, c'est encore plus terrifiant.

J'envisage de frapper, avant d'opter pour la poignée. Elle tourne facilement dans ma main. Au moment où je pousse la porte, une voix me souffle, surgie d'un coin de ma tête :

Pose cette arme, Millie. Gère la situation sans. Tu commets une terrible erreur.

Trop tard.

J'ouvre la porte de la chambre d'amis. La vue qui s'offre à mes yeux me coupe le souffle. Douglas et Wendy. Les mains enroulées autour de sa gorge, il l'a plaquée contre le mur, et le visage de Wendy commence à virer au bleu. Elle a la bouche ouverte pour crier, mais aucun son ne parvient à en sortir.

Oh, mon Dieu, il est en train de la tuer !

Je ne sais pas s'il va l'étrangler ou lui briser le cou à mains nues, mais je dois agir maintenant, je ne peux pas rester là sans rien faire. Seulement, j'ai appris de mes erreurs passées. Avoir une arme ne signifie pas que j'aie l'intention de tuer. La menace devrait suffire. Et ensuite, je dirai à la police ce que j'ai vu.

Tu peux le faire, Millie. Ne le blesse pas. Débrouille-toi juste pour qu'il la lâche.

— Douglas ! j'aboie. Lâchez-la !

Je m'attends à ce qu'il recule, qu'il me lance excuses et explications bidon. Au lieu de quoi, bizarrement, ses doigts ne bougent pas. Wendy émet un autre gargouillis.

Alors je pointe le pistolet vers son torse.

— Je suis sérieuse, je reprends d'une voix tremblante. Laissez-la partir ou je tire.

On dirait que Douglas ne m'entend pas. Le regard fou, il paraît déterminé à en finir, ici et maintenant. Wendy a cessé de se cramponner à lui et son corps est devenu mou. Le temps de la négociation est passé. Si je ne fais pas quelque chose dans les secondes qui viennent, il va la tuer.

Et j'aurai laissé faire.

— Je vous le jure devant Dieu, je croasse, je vais tirer si vous ne la lâchez pas !

Il ne bouge toujours pas. Ou plutôt si, il continue à serrer.

Je n'ai pas le choix. Je ne peux faire qu'une chose dans cette situation.

J'appuie sur la détente.

39

Le coup de feu claque à travers l'appartement et, presque aussitôt, Douglas tombe, tout mou. La détonation a fait plus de bruit que je ne m'y attendais, certainement assez pour que les voisins l'aient entendue. Ou peut-être pas. Les murs et les plafonds sont sans doute insonorisés, dans un immeuble comme celui-ci, et on a le premier niveau du duplex pour faire tampon.

Côté positif, Douglas a relâché le cou de Wendy.

Celle-ci s'effondre à genoux, toussant, pleurant et se serrant la gorge, tandis que son mari gît au sol à côté d'elle, inerte. Au bout d'une seconde, une flaque écarlate s'étale sur la moquette.

Oh non !

Ça ne va pas recommencer.

L'arme m'échappe des mains et atterrit à mes pieds dans un fracas sourd. Je suis pétrifiée. Douglas Garrick ne remue plus, et la flaque sous lui ne cesse de s'élargir. Je voulais lui tirer dans l'épaule, juste de quoi le blesser et le forcer à lâcher Wendy, mais pas assez pour le tuer.

On dirait que j'ai raté.

Wendy frotte ses yeux larmoyants. Par miracle, elle est toujours consciente. À genoux près de son mari, elle lui pose une main au niveau du cou, sur la carotide. Elle l'y laisse un moment, puis lève les yeux vers moi.

— Il n'y a pas de pouls.

Oh, mon Dieu...

— Il est mort, murmure-t-elle d'une voix rauque. Il est vraiment mort.

— Je ne voulais pas le tuer, je bafouille. Je... je voulais juste l'obliger à vous lâcher le cou. Je n'avais pas du tout l'intention...

— Merci, me coupe Wendy. Merci de m'avoir sauvé la vie. Je savais que vous le feriez.

On se dévisage sans un mot pendant quelques secondes. C'est vrai, je lui ai sauvé la vie. Je dois bien garder ça à l'esprit. Je devrai l'expliquer à la police quand elle va débarquer.

Wendy se lève malgré ses jambes flageolantes.

— Vous devez partir. Nous... On va effacer les empreintes de l'arme. Ça devrait marcher, n'est-ce pas ? Oui, oui, je suis sûre que ça marchera. Je n'appellerai pas la police avant une heure ou deux, et ensuite je lui dirai... Oui ! Je peux lui raconter que j'ai pris Douglas pour un cambrioleur et que je l'ai tué par accident. C'était un accident, pas vrai ? On me croira. J'en suis sûre.

Elle parle à toute vitesse, signe de sa panique. Mais même si j'adorerais faire porter le chapeau à quelqu'un d'autre, il y a un énorme trou dans son histoire.

— Sauf que le portier a vu Douglas entrer dans le bâtiment.

Elle secoue la tête.

— Non. Certains des résidents ont un accès par-derrière, et il entre toujours par là.

— Il y a une caméra là-bas ?

— Non. Pas de caméra.

— Et les caméras dans les ascenseurs ?

— Oh, ces trucs-là ? (Elle ricane.) C'est juste de la déco. L'une des deux est tombée en panne il y a cinq ans, et l'autre n'est plus en service depuis au moins deux ans.

Est-ce que ça pourrait vraiment marcher ? Je viens de tirer sur Douglas Garrick de sang-froid. Y a-t-il une chance que je m'en tire sans dommage ? Bon, c'est vrai, ce ne serait pas la première fois.

— Partez tout de suite. (Wendy enjambe le corps de Douglas, évitant soigneusement la flaque de sang.) J'en endosse la responsabilité. C'est moi. C'est moi qui vous ai embringuée là-dedans, pas question que je vous entraîne dans ma chute. Partez d'ici tant que vous le pouvez encore.

— Wendy…

— Allez ! (Ses yeux sont presque aussi fous que ceux de Douglas lorsqu'il lui agrippait le cou.) S'il vous plaît, Millie. C'est le seul moyen.

— OK, consens-je doucement. Mais… si vous avez besoin de moi…

Elle vient me presser le bras.

— Croyez-moi, vous en avez fait assez. (Elle hésite, puis :) Vous devriez supprimer tous nos SMS. Ceux de moi et aussi ceux de Douglas. Juste au cas où.

C'est une très, très bonne idée. Après quoi, Wendy et moi discutons de certaines choses que je préférerais taire à la police si elle décidait d'enquêter sur ce meurtre. Et oui, il vaudrait mieux qu'on ne voie pas les textos qu'on a échangés, Douglas et moi, où l'on peut clairement lire que ma dernière séance de ménage chez eux aurait lieu aujourd'hui. J'attrape mon sac à main, mes mains tremblent presque trop pour que j'arrive à quoi que ce soit, mais je réussis à supprimer toutes mes conversations avec les deux Garrick de mon téléphone.

— N'essayez pas de me contacter, me conseille ensuite Wendy. Je me charge de tout, Millie. Ne vous inquiétez pas.

Je m'apprête à argumenter, et finalement je me tais. Ça ne sert à rien. Wendy a déjà décidé d'endosser cette responsabilité, c'est dans mon intérêt de la laisser faire. Je fais mes adieux au penthouse, sachant que je ne remettrai plus les pieds dans cet endroit. La dernière chose que je vois en sortant de la chambre, c'est Wendy, penchée au-dessus du corps de Douglas.

Et elle sourit.

40

Du début à la fin de mon trajet en métro, je n'arrête pas de trembler.

Dans la rame, les gens doivent me prendre pour une folle : malgré la forte affluence, personne ne s'est assis à côté de moi de tout le trajet jusqu'au Bronx. Je passe pratiquement tout le voyage, enveloppée de mes bras, à me balancer d'avant en arrière.

Je l'ai tué, je n'arrive pas à y croire. Alors que je ne le voulais surtout pas.

Non, c'est faux. Je lui ai tiré dans la poitrine. Je mentirais en prétendant que je ne voulais pas le voir mort. En revanche, c'est bien le dernier scénario que j'avais envisagé en voyant cette arme dans le dictionnaire.

Mais ça va aller. Je suis déjà passée par là. Wendy s'en tiendra à son histoire et la police n'aura jamais la moindre idée que je suis impliquée de près ou de loin.

Il faut juste que je digère ce fait : j'ai tué un homme. *Encore*.

À la seconde où je sors de la station de métro, mon téléphone vibre. Je le tire de mon sac, m'attendant à moitié à ce que ce soit Wendy, mais l'écran est couvert de notifications d'appels manqués et de messages vocaux de Brock.

Oh non ! On était censés dîner ensemble ce soir. C'était même censé être le soir de LA grande discussion. Bon, ben il va falloir annuler.

Les yeux fixés sur le nom de Brock, je reste hésitante, parce que si je sais bien que je dois lui parler, je n'en ai aucune envie. Finalement, je clique sur son nom. Il répond presque instantanément.

— Millie ? Où es-tu ?

Sa voix est un mélange de colère et d'inquiétude. Je regrette déjà de n'avoir pas pris le temps de réfléchir à une excuse valable avant de l'appeler.

— Je... je ne me sens pas bien.

— Ah vraiment ? Qu'est-ce qui ne va pas, exactement ?

Il a l'air pour le moins sceptique.

— Je... J'ai une gastro. (Comme il ne dit rien, je décide de broder un peu.) C'est arrivé sans prévenir. Je me sens super mal. Je n'arrête pas... enfin, de... vomir, quoi. Et aussi... ben ça sort par les deux extrémités. Je crois que je vais devoir rester à la maison, ce soir.

Je me prépare à l'entendre s'irriter de mon histoire bidon, au lieu de quoi sa voix s'adoucit.

— Tu n'as pas l'air bien, ça s'entend.

— Ouais...

— Je pourrais passer, propose-t-il. T'apporter un bouillon de poule ? Te frotter le dos ?

J'ai le plus adorable petit ami du monde. C'est un mec tellement bien. Et dès que toute cette histoire retombera, je vais me rattraper auprès de lui, juré craché. Je l'aime vraiment. Je pense.

— Merci, mais non, je souffle dans l'appareil. J'ai juste besoin d'être seule et de récupérer. On reporte ?

— Pas de souci. Soigne-toi bien.

Quand je raccroche, je me sens coupable, en plus du reste, de la façon dont je traite Brock. Mais je ne veux pas le mêler à ce bazar. La seule personne à qui je pourrais parler de ma situation, c'est Enzo, sauf que c'est une mauvaise idée pour de multiples raisons. Non, il faut juste que je rentre chez moi et que je m'efforce de ne pas y penser. Bientôt, tout ça sera derrière moi.

41

Je me réveille avec l'impression d'avoir été renversée par un camion, et un tambourinement lancinant à la tempe droite.

Je n'ai pas pu dormir de la nuit. Je me suis tournée et retournée dans mon lit et chaque fois que je commençais à somnoler, je voyais le cadavre de Douglas étendu sur le sol de l'appartement. En désespoir de cause, je me suis traînée à la salle de bains, où j'ai pioché dans ma planque à somnifères. Après quoi, j'ai sombré dans un sommeil plein de rêves hantés par les yeux sans vie de mon ancien patron fixés sur moi.

En me tournant dans le lit, je porte les doigts à mes cheveux en queue-de-rat. Le martèlement s'intensifie à ma tempe, si bien qu'il me faut un moment pour prendre conscience que ça martèle aussi à la porte d'entrée.

Il y a quelqu'un à ma porte.

Je réussis à me tirer du lit et m'enveloppe d'un peignoir.

— J'arrive ! je croasse, dans l'espoir que le bruit cesse.

Mais celui ou celle qui frappe est insistant.

Je jette un coup d'œil par le judas. Un homme se tient là, chemise blanche impeccable et cravate noire sous un trench.

— Qui est-ce ? je crie.

— Inspecteur Ramirez de la police de New York, répond la voix assourdie de l'homme.

Oh non…

Bon, OK, il n'y a pas de raisons de paniquer. Mon patron est mort, donc on veut me poser quelques questions, c'est logique. Pas de quoi s'inquiéter.

Je déverrouille la porte et l'entrouvre. Il ne peut pas entrer sans ma permission explicite, or je n'ai pas l'intention de la lui donner. Non pas que j'aie quoi que ce soit à cacher, mais on ne sait jamais.

— Mademoiselle Calloway ? lance-t-il d'une voix étonnamment grave.

Je dirais qu'il a une petite cinquantaine, d'après les poches sous ses yeux et le ratio gris-noir de ses cheveux coupés court.

— Bonjour, je réponds timidement.

— Je me demandais si je pourrais vous poser quelques questions.

Je m'efforce de conserver une expression vide.

— À quel propos ?

Il hésite, scrute mon visage.

— Connaissez-vous un dénommé Douglas Garrick ?

— Oui…

Il n'y a pas de mal à l'admettre. De toute façon, il sera assez facile de prouver que j'ai travaillé pour les Garrick.

— Il a été assassiné la nuit dernière.

Je plaque une main sur ma bouche, tâchant de prendre un air surpris.

— Oh ! C'est affreux !

— J'espérais que vous accepteriez de venir au poste pour répondre à quelques questions.

Le visage de l'inspecteur Ramirez est un masque. Ses lèvres, une ligne droite, ne révèlent rien. Aller au commissariat ? Ça a l'air sérieux. M'enfin, il n'a pas non plus sorti une paire de menottes et n'a pas attaqué la lecture de mes droits. Forcément qu'ils prennent l'affaire très au sérieux, vu comme Douglas était riche et important.

— Quand souhaitez-vous que je vienne ?

— Maintenant, répond-il sans hésiter. Je peux vous emmener.

— Est-ce que… est-ce que je suis obligée ?

Je n'ai aucune obligation de le suivre si je ne suis pas en état d'arrestation – je ne connais que trop bien mes droits –, mais ça m'intéresse d'entendre sa réponse.

— Vous n'êtes pas obligée, non, finit-il par lâcher. Toutefois, je vous le recommande vivement. D'une manière ou d'une autre, nous devrons avoir une discussion.

Mon ventre se noue. J'ai l'impression qu'il envisage quelque chose de plus formel que quelques questions de routine sur mon employeur.

— J'aimerais appeler mon avocat, je lui annonce.

Ramirez soutient mon regard.

— Je ne pense pas que ce soit nécessaire, mais c'est votre droit.

Même si j'ignore quel genre de questions ils vont me poser, je n'aime pas l'idée d'être au poste de police sans la présence d'un avocat, quoi qu'il prétende. Malheureusement, il n'y a qu'un avocat que je connaisse assez bien pour l'appeler maintenant. Et ça promet d'être une conversation difficile.

Ramirez patiente le temps que j'aille chercher mon téléphone portable pour sélectionner le numéro de Brock. Il doit déjà être au travail, pourtant il décroche au bout de quelques sonneries seulement. Brock passe la majeure partie de ses journées à son bureau, il est rarement en salle d'audience.

— Salut, Millie. Tu vas bien ?

— Euh… Pas vraiment.

— Ta gastro s'est aggravée ?

— Quoi ?

À l'autre bout du fil, Brock reste silencieux un moment.

— Tu m'as dit hier soir que tu avais un souci à l'estomac.

Ah, ça… J'avais presque oublié le mensonge inventé pour ne pas le rejoindre à son appartement.

— Oui, si, ça va mieux, mais j'ai besoin de ton aide pour un autre truc. Quelque chose d'important.

— Bien sûr. De quoi as-tu besoin ?

— Eh bien, euh… Tu connais mon ancien patron, Douglas Garrick ? je reprends à voix plus basse afin que Ramirez ne m'entende pas. Il se trouve qu'il a… qu'il a été assassiné la nuit dernière.

— Doux Jésus ! s'écrie Brock. Millie, c'est atroce. Ils savent qui a fait le coup ?

Je jette un coup d'œil à Ramirez, qui m'observe.

— Non, mais… ils veulent m'interroger au poste de police.

— Oh, waouh. Ils pensent que tu sais quelque chose d'important ?

— Je suppose, oui, même si je ne sais rien, en fait. Bref… je me sentirais mieux avec un avocat à mes côtés. (Je m'éclaircis la voix.) Donc, ben voilà, c'est toi.

— Bien sûr, bien sûr.

J'ai envie de passer à travers le téléphone pour le serrer dans mes bras.

— J'ai deux, trois choses à terminer, et je te retrouve là-bas. Je suis sûr que tout ira comme sur des roulettes, mais je suis heureux de pouvoir être là pour toi.

Alors que je lui dicte l'adresse du poste de police où l'inspecteur Ramirez va m'interroger, je ne peux m'empêcher de penser que Brock et moi, on va bientôt finir par l'avoir, la fameuse conversation que je prévoyais pour hier soir.

42

Au moment où j'arrive au poste de police de Manhattan, je suis complètement paniquée. L'inspecteur Ramirez a essayé de faire la conversation pendant le trajet en voiture, mais je ne répondais guère que par monosyllabes, voire par grognements. Même lorsqu'il parlait de la météo, j'avais l'impression qu'il cherchait à me soutirer des informations et je veillais à ne rien lâcher.

Heureusement, Brock est là, qui m'attend à l'arrivée. Avec son costume gris et une cravate bleue qui fait ressortir ses yeux très bleus. Il sourit en me voyant entrer dans le poste avec le policier, sans avoir le moins du monde l'air inquiet. Ça va probablement changer très bientôt.

— C'est mon avocat, là-bas, j'indique à Ramirez. J'aimerais m'entretenir avec lui en privé avant d'être interrogée.

Ramirez acquiesce sèchement.

— Nous allons vous installer dans une pièce pour que vous puissiez parler et, quand vous serez prête, j'aimerais vous poser mes questions.

Il m'emmène dans une petite salle carrée avec une table en plastique et quelques chaises autour. Je ne suis pas entrée dans une salle d'interrogatoire depuis des années, et la vue de celle-ci me serre la poitrine. Surtout quand l'inspecteur me fait asseoir sur une des chaises en plastique et me laisse toute seule, porte fermée. Je pensais que Brock allait venir avec moi, mais il semblerait qu'il soit retenu dehors.

Je me demande ce qu'ils lui disent.

Je passe près de quarante minutes seule dans la pièce, de plus en plus paniquée. Quand le visage familier de Brock apparaît enfin à la porte, je manque d'éclater en sanglots.

— Qu'est-ce qui a pris si longtemps ? je demande d'une voix tremblante.

Brock a l'air perturbé. Et même un peu raide, lorsqu'il s'installe sur la chaise en face de moi. Un sillon s'est creusé entre ses sourcils.

— Millie, dit-il, j'ai parlé à l'inspecteur, là dehors. Ils ne veulent pas m'en révéler trop, mais tu n'es pas là pour un interrogatoire de routine. Tu es sérieusement suspectée.

Je le dévisage. Comment c'est possible ? Wendy a dit à la police que c'était elle qui avait tiré sur Douglas. Est-ce qu'ils doutent de son histoire ? Ça devrait être une affaire réglée.

À moins que…

— Ils ont un mandat pour fouiller ton appartement, ajoute Brock. (*Un mandat ?!*) Ils ont une équipe sur place en ce moment même.

Ils fouillent mon appartement ? Je ne vois pas bien ce qu'ils cherchent. Je n'ai chez moi rien qui soit suspect. Heureusement, je n'ai pas reçu de sang sur mes vêtements hier soir. J'ai vérifié.

Brock secoue la tête.

— Qu'est-ce qui peut bien leur donner à penser que tu l'as tué ? Cela n'a aucun sens pour moi.

Ça suffit. Je dois lui parler de mon passé. Si je le prends comme avocat, il faut qu'il sache. Sinon, il va passer pour un idiot.

— Brock, je me lance, il y a quelque chose que tu dois savoir sur moi.

Il hausse les sourcils et attend la suite.

Punaise, ce que c'est dur ! Je me maudis de n'avoir rien dit plus tôt, mais maintenant que je suis au pied du mur, je me rappelle pourquoi j'ai retardé si longtemps l'inévitable.

— Il se trouve que j'ai comme qui dirait, euh, un dossier carcéral.

On dirait que sa mâchoire est sur le point de se décrocher.

— Tu as un *quoi* ? Un dossier carcéral ? Comme les gens qui sont allés en prison ?

— Ouais. C'est à peu près le sens de « dossier carcéral ».

— Pour quel motif ?

Nous y voilà : la partie vraiment difficile.

— Pour meurtre.

Brock semble à deux doigts de tomber dans les pommes. J'espère que son cœur va tenir.

— Meurtre ?

— C'était de la légitime défense, je précise, ce qui n'est pas tout à fait vrai. Un homme était en train d'agresser ma copine et je l'ai arrêté. J'étais adolescente à l'époque.

Il me jette un drôle de regard.

— On ne va pas en prison pour de la légitime défense.

— Certaines personnes, si.

Il n'a pas l'air de me croire, mais je ne compte pas m'étendre sur l'histoire du gars qui a tenté de violer mon amie. Ni sur la façon dont j'ai fait en sorte de l'en empêcher, même si le récit des procureurs a donné l'impression que j'étais allée trop loin.

— Pas étonnant que tu n'aies jamais décroché ton diplôme universitaire, murmure-t-il comme pour lui-même. Et moi qui attribuais ça à une vocation tardive.

Je baisse les yeux.

— Je suis désolée. J'aurais dû te le dire.

— Mince, tu crois ?

— Désolée, je répète. Mais j'avais peur, si je te le racontais, que tu me regardes comme… eh bien, comme tu me regardes en ce moment.

Brock se passe une main dans les cheveux.

— Bon Dieu, Millie. Je… je savais qu'il y avait quelque chose dont tu ne voulais pas me parler, mais je n'aurais jamais imaginé…

— Ouais, je souffle.

Il desserre sa cravate bleue d'un cran.

— OK. OK, donc tu as un casier judiciaire. Cela mis à part, pour le moment, pourquoi pensent-ils que tu as tué Douglas Garrick ?

Je ne peux pas répondre à cette question, car je ne sais pas ce que Wendy a raconté à la police. Même si tout ce que je dis à Brock est censé rester confidentiel, je ne peux me résoudre à lui révéler ce qui s'est passé la veille.

— Je n'en ai aucune idée.

Il incline la tête, pensif.

— Tu m'as dit hier soir que tu étais malade. Est-ce que tu as quitté leur appartement plus tôt que d'habitude ?

— Eh bien, j'ai fini mon travail, je réponds prudemment, sachant que le portier peut confirmer à quelle heure je suis sortie. Mais comme je ne me sentais pas bien, je suis rentrée directement chez moi après. J'étais déjà presque arrivée quand on s'est parlé au téléphone. Douglas… il n'était même pas là quand j'ai quitté l'appartement.

Brock se frotte le menton.

— OK. Donc ils te font juste passer un sale quart d'heure à cause de ton casier. On va régler ça.

J'aimerais être aussi confiante.

43

Il s'avère que Ramirez ne peut pas me parler tout de suite, ce que je soupçonne être une sorte de tactique visant à me mettre sur les nerfs. Brock devant prendre un appel pour le travail, il me laisse de nouveau seule dans la salle d'interrogatoire, où je passe l'heure suivante à paniquer en silence.

Je suis au poste de police depuis plus de deux heures lorsque Ramirez entre enfin pour me parler, suivi de près par Brock, qui vient s'asseoir à côté de moi et glisse une main sous la table pour exercer une brève pression sur la mienne. C'est réconfortant de savoir qu'il ne me hait pas complètement, malgré la découverte de mon passé carcéral. Enfin, la journée n'est pas finie.

— Merci de votre patience, mademoiselle Calloway, commence l'inspecteur, dont l'expression ne révèle toujours rien. J'ai quelques questions à vous poser sur M. Garrick.

— OK.

Vu qu'on est enregistrés, je veille à garder un ton calme et mesuré.

— Où étiez-vous hier soir ? me demande Ramirez.

— Je suis allée à l'appartement des Garrick pour faire un petit ménage et de la lessive, puis je suis rentrée chez moi.

— À quelle heure avez-vous quitté le penthouse ?

— Vers 18 h 30.

— Et avez-vous parlé avec M. Garrick sur place ?

Je secoue la tête, me rappelant ce que Wendy m'a dit. On fait coïncider nos deux histoires, et ça devrait bien se passer.

— Non.

Ramirez a l'air surpris par ma réponse.

— Donc M. Garrick ne vous a pas demandé de le retrouver à l'appartement hier soir ?

Je cligne des yeux, confuse.

— Non…

Les yeux du détective semblent devenir plus sombres tandis qu'il me scrute.

— Mademoiselle Calloway, quelle est votre relation avec Douglas Garrick ?

— Ma relation ? (Je jette un coup d'œil à Brock, qui fronce les sourcils.) C'est mon employeur. Enfin, lui et Wendy, sa femme.

— Avez-vous eu des relations sexuelles avec lui ?

Je manque de m'étouffer.

— Non !

— Pas même une fois ?

Je brûle de prendre le policier par les épaules et de le secouer, mais heureusement, Brock intervient.

— Mlle Calloway a répondu à votre question. Elle n'a aucune relation avec M. Garrick autre que purement professionnelle.

L'inspecteur Ramirez prend le dossier qu'il a posé à côté de lui sur la table. Il en sort une liasse de papiers agrafés ensemble, qu'il fait glisser vers moi sur la table.

— Nous avons trouvé un téléphone prépayé dans le tiroir de la commode de M. Garrick. Et ce que vous avez là, ce sont les SMS échangés entre ce téléphone jetable et le vôtre.

Je prends les feuillets et les passe en revue, ainsi que Brock par-dessus mon épaule. Je reconnais ces SMS. Ce sont ceux que Douglas m'a envoyés, ces deux derniers mois, pour convenir de mes journées de travail. Sauf que sortis de leur contexte, ils prennent un sens un peu différent.

C'est toujours convenu pour ce soir ?

À ce soir.

On se voit ce soir.

Cela étant, tous mes messages concernant les courses et la lessive ont disparu. Du coup, ceux qui restent donnent l'air de planifier des rencards. Les yeux de Brock lui sortent des orbites à mesure qu'il lit les messages.

— Oui, ce sont nos textos, je réponds, mais ils concernent tous le travail.

— M. Garrick vous envoyait des textos pour le travail depuis un téléphone prépayé ?

Je serre les dents.

— Je ne savais pas que c'était un téléphone prépayé. Je pensais que c'était son portable habituel.

— Je vois, dit Ramirez.

— Et puis, il y avait d'autres messages, je précise. Surtout à propos des courses et de la lessive. Ils ne sont pas là… On dirait qu'ils ont été effacés.

— Avez-vous conservé ces messages sur votre propre téléphone ?

— Non… (Parce que Wendy m'a dit de les supprimer.) J'ai effacé tous les messages.

— Pourquoi ?

Je lâche un rire bien trop aigu.

— Pourquoi pas ? Je veux dire, vous conservez tous les SMS que vous recevez ?

Sans doute que oui, d'ailleurs. Il a probablement encore des SMS qui remontent à dix ans. De mon côté, pour être honnête, je n'aurais jamais effacé ces SMS de mon propre chef si Wendy ne me l'avait pas conseillé.

— Par ailleurs, reprend-il, vous avez reçu des appels jusqu'à minuit. Est-ce à dire que votre employeur vous appelait aussi tard dans la nuit ?

— C'est juste arrivé une fois, je réponds d'une voix faiblarde.

Je veux bien admettre que tout ça ne tient pas bien la route. Ça n'a pas de sens, même. Pourquoi Douglas m'envoyait-il des SMS d'un téléphone jetable ? Ce n'est pas comme s'il prévoyait de me faire porter le chapeau pour son propre meurtre. Je regarde Brock, devenu étrangement silencieux au pire moment possible.

— Et puis… (Ramirez rouvre le dossier. Oh, mon Dieu, ne me dites pas qu'il y a encore autre chose ! Comment pourrait-il y avoir pire ?) Reconnaissez-vous ceci ?

C'est la photo granuleuse d'un bracelet. Je le reconnais, oui : le bracelet que Douglas a offert à Wendy après l'avoir gratifiée d'un œil au beurre noir.

— Oui. C'est le bracelet de Wendy.

Ramirez hausse brusquement les sourcils.

— Alors pourquoi l'avons-nous trouvé chez vous, dans votre boîte à bijoux ?

— Elle… elle me l'a donné.

Ses sourcils ont quasiment rejoint la racine de ses cheveux, cette fois.

— Wendy Garrick vous a donné un bracelet en diamants d'une valeur de dix mille dollars ?

Dix mille dollars ?! C'est ce que vaut ce bracelet ? J'ai rangé un objet à dix mille dollars dans ma petite boîte à bijoux minable ?

— Elle m'a dit que c'était un cadeau de son mari, je tente.

— Et l'inscription ? (Il sort une autre photo de son dossier et me la tend.) Est-ce que ça vous dit quelque chose ?

La gravure que j'ai lue sur le bracelet de Wendy se retrouve agrandie à l'écran, si bien que Brock et moi pouvons la déchiffrer clairement.

À W. Tu es à moi pour toujours. Je t'aime, D

— C'est ça, dis-je à l'inspecteur. « À W », c'est-à-dire : « À Wendy ».

Ramirez tapote la photo.

— Votre prénom ne commence-t-il pas par un W ? Wilhelmina ?

Ma bouche est soudain très sèche. J'attends que Brock intervienne et s'insurge du tour que prennent les questions, au lieu de quoi il reste muet, comme si lui aussi attendait ma réponse.

— Je… je me fais toujours appeler Millie.

— Mais votre nom complet est Wilhelmina.

— Oui…

— Et puis…

Quoi ?! Encore autre chose ? Comment c'est possible ?

Pourtant, l'inspecteur attrape encore une fois son fichu dossier. Dont il tire un cliché imprimé.

— Et ça, c'est un cadeau de M. Garrick ?

Je lui prends la photo des mains. C'est la robe que Douglas m'a demandé de rapporter au magasin, pour laquelle il ne m'a jamais donné de reçu et dont il ne m'a pas indiqué d'où elle venait. Avec tout ce qui s'est passé par la suite, je l'avais complètement oubliée. Elle est donc restée au fond de son sac cadeau dans mon armoire.

— Non, je murmure, même si je vois déjà où ça va nous mener. M. Garrick m'a demandé de rapporter cette robe.

— Dans ce cas, pourquoi est-elle dans votre chambre depuis plus d'un mois ?

— Il… il ne m'avait pas donné le reçu.

Je n'ose même plus regarder Brock. Dieu sait quelles pensées doivent lui traverser l'esprit. Je voudrais lui assurer que tout ça n'est qu'un horrible malentendu, mais je ne peux pas avoir cette conversation avec lui devant le policier. Alors je tente de m'expliquer :

— Écoutez, je lui ai réclamé le reçu, il a dit qu'il allait le récupérer, et puis on a tous les deux oublié.

— Mademoiselle Calloway, dit Ramirez, saviez-vous que cette robe est une Oscar de La Renta et qu'elle vaut six mille dollars ? Vous croyez vraiment possible qu'il ait pu « oublier » de la rendre ?

Put…

Je hasarde un rapide coup d'œil dans la direction de Brock. Son expression est médusée, il secoue la tête très légèrement. Je l'ai fait venir ici pour qu'il me serve d'avocat, rôle dans lequel je le découvre complètement nul.

— Et puis… reprend Ramirez.

Oh non ! Ne me dites pas qu'il y a encore autre chose. Ce n'est pas possible. Je n'ai rien accepté d'autre de la part des Garrick, c'est sûr et certain. Il ne peut donc rien sortir de plus de ce dossier.

— Avez-vous passé la nuit dans un motel avec Douglas Garrick la semaine dernière ?

— Non ! je m'écrie.

Il s'éclaircit la voix.

— Je reformule : vous êtes-vous enregistrée dans un motel d'Albany mercredi dernier, pendant que M. Garrick y avait une réunion d'affaires, et avez-vous payé la chambre en liquide ?

J'ouvre la bouche, mais aucun son n'en sort.

— Mercredi dernier ? explose Brock. C'est le jour où nous étions censés nous retrouver pour dîner et où tu m'as posé un lapin ! C'est là que tu étais ?

Je ne peux pas mentir. J'ai donné mon permis de conduire au réceptionniste du motel.

— Oui, j'ai bien pris une chambre dans un motel d'Albany. Mais ce n'est pas ce que vous pensez.

Ramirez croise les bras.

— Je vous écoute.

Je ne sais pas quoi dire. Je ne veux pas éventer le secret de Wendy. S'ils apprennent les problèmes conjugaux des Garrick, le meurtre pourrait lui être imputé, à elle. Alors certes, je ne tiens pas à porter le chapeau, mais je ne veux pas qu'elle soit accusée non plus.

— J'avais juste besoin de passer une nuit ailleurs, je lâche sans conviction.

— Donc vous avez choisi un motel au hasard à Albany et vous y avez passé la nuit ?

— Je n'avais pas de liaison avec Douglas Garrick, je lance, regardant tour à tour Brock et Ramirez, tous deux apparemment très sceptiques. Je vous le jure. Et même si ça avait été le cas – mais je le répète, ça ne l'est pas –, ça ne voudrait pas dire que je l'ai tué, bon Dieu !

— Il a rompu avec vous hier soir, fait Ramirez, les yeux rivés sur moi pendant qu'il lâche sa révélation. Vous étiez furieuse contre lui et vous l'avez abattu avec sa propre arme.

Ma bouche est horriblement sèche.

— Non. Tout ça est complètement faux. Vous n'avez pas idée du point auquel c'est éloigné de la vérité.

Ramirez désigne d'un hochement de tête les photos sur le bureau.

— Vous serez d'accord avec moi pour admettre qu'on a des raisons de nourrir de sérieux doutes.

— Mais ce n'est pas vrai ! je m'exclame. Je n'ai jamais eu d'aventure avec Douglas Garrick. C'est absolument insensé.

L'inspecteur ne dit rien, cette fois. Il se contente de me dévisager.

— Je ne l'ai même jamais touché, j'ajoute. Je vous le jure ! Demandez à Wendy Garrick. Elle vous confirmera tout ce que je dis. Demandez-le-lui !

— Mademoiselle Calloway, dit l'inspecteur Ramirez, c'est Wendy Garrick qui nous a parlé de votre liaison avec son mari.

Quoi ?!

— Pardon ?

— Elle nous a dit que M. Garrick s'était confessé à elle hier, et qu'il vous avait fait venir dans l'intention de mettre un terme à votre liaison. Quand elle est rentrée, elle l'a trouvé allongé au sol, tué par balle.

Non... Elle n'a pas... Après tout ce que j'ai fait pour elle...

— Et l'arme porte vos empreintes.

44

À partir de là, l'interrogatoire part en vrille.

J'essaie de reconstituer tant bien que mal une version de la vérité. Une version qui ne se termine pas par moi qui tire sur Douglas Garrick et le laisse mort chez lui. Je raconte les violences de Douglas Garrick sur Wendy et mes tentatives pour l'aider. Je répète à Ramirez comment Wendy m'a montré l'arme, qu'elle m'a dit vouloir l'utiliser pour se protéger et que c'est ainsi que mes empreintes ont dû se retrouver dessus, même si j'ai du mal à expliquer pourquoi les empreintes de Wendy n'y sont pas, elles. Et je vois à l'expression du visage de l'inspecteur qu'il ne croit pas un mot de ce que je lui dis.

À la fin de mon histoire décousue, je suis certaine qu'il va me lire mes droits et me coller en cellule. Pourtant, il secoue la tête.

— Je reviens tout de suite. Ne bougez pas.

Il se lève et quitte la pièce. La porte claque derrière lui avec un écho retentissant, nous laissant seuls, Brock et moi, dans la salle d'interrogatoire.

Brock fixe la table en plastique d'un regard vide. Il est censé être ici en qualité d'avocat, et il n'a pas dit un mot en vingt minutes. Si j'avais su comment ça allait se passér, je ne lui aurais jamais demandé de venir.

— Brock ?

Il lève lentement les yeux.

— Ça va ? je lui demande doucement.

Son regard se fait venimeux.

— Non ! C'est quoi ce bordel, Millie ? Sérieusement ?

— Brock, je couine, tu ne crois quand même pas…

— Croire quoi ? me coupe-t-il sèchement. Il y a encore quelques heures, je ne savais même pas que tu avais été en prison pour meurtre. Et maintenant je découvre que tu m'as trompé avec ce trou du cul de richard pour lequel tu travaillais…

— Je ne t'ai pas trompé ! j'explose. Je ne ferais jamais ça !

— Alors qu'est-ce que tu faisais mercredi soir dernier ? Qu'est-ce que tu faisais hier soir ? Et tous les autres soirs où on était censés dîner ensemble et où tu as annulé ? Tu vois bien à quel point tout ça est sacrément suspect. Surtout vu que, ben voilà, apparemment, tu as déjà tué un type une fois.

En fait, pas seulement une fois. Cependant, j'ai l'impression que fournir cette information-là à cet instant précis ne plaiderait pas ma cause.

— Je t'ai expliqué que j'ai voulu aider Wendy.

— Tu voulais aider la femme qui t'accuse maintenant d'avoir eu une liaison avec son mari et de l'avoir tué ?

OK, présenté de cette façon…

— Je ne sais pas pourquoi elle a raconté ça au policier. Peut-être qu'elle a paniqué. Mais crois-moi, il était violent avec elle. Je l'ai vu de mes propres yeux.

Brock me regarde avec une expression peinée.

— Millie, quand je t'ai appelée, hier soir, tu avais l'air vraiment contrariée par quelque chose. De toute évidence, ce n'était pas un problème digestif. Là-dessus au moins, tu m'as menti.

— Oui, j'admets. Ça, c'était un mensonge.

— Millie. (Sa voix se brise sur mon nom.) As-tu tué Douglas Garrick ?

Presque tout ce dont l'inspecteur Ramirez m'a accusée était faux. En revanche, une chose est absolument vraie : j'ai tiré sur Douglas Garrick. Je l'ai tué. Et j'aurai beau nier le reste, ce fait demeure.

— Oh, bon Dieu, marmonne Brock. Millie, je n'arrive pas à croire que tu…

— Ça ne s'est pas passé comme tu penses, me dois-je de nuancer.

La chaise en plastique de Brock grince contre le sol dur de la salle d'interrogatoire lorsqu'il se lève.

— Je ne peux pas te représenter, Millie. Ce n'est pas adéquat et… je ne peux pas.

Malgré l'inutilité dont a fait preuve mon petit ami pendant l'interrogatoire, l'idée qu'il m'abandonne complètement me fait encore plus peur.

— Tu sais que je n'ai pas de quoi me payer un avocat…

— Tu peux recourir à un avocat commis d'office, dit-il. Ou emprunter de l'argent, ou… je ne sais pas. Mais ça ne peut pas être moi. Désolé.

Le menton tremblotant, je lève les yeux vers lui.

— Alors c'est fini. Tu romps avec moi.

Il secoue la tête.

— Il faut croire... Honnêtement, je ne sais même pas qui tu es. (Il se passe une main dans les cheveux, tirant sur ses mèches de façon obsessionnelle.) Je n'en reviens pas de ce qui arrive. Vraiment pas. Je voulais que tu rencontres mes parents. Je pensais vraiment que toi et moi...

Il n'a pas besoin d'aller au bout de sa pensée. Il s'était imaginé un avenir où on se mariait, lui et moi. Où on avait des enfants ensemble. Où on vieillissait ensemble. Il n'avait pas envisagé que ça se terminerait dans un poste de police, où l'on m'interrogerait pour meurtre.

Donc, vraiment, je ne peux pas lui reprocher de me laisser tomber. N'empêche, j'éclate quand même en sanglots dès que la porte se referme sur lui.

45

Le vrai miracle, c'est qu'après tout ça l'inspecteur Ramirez ne m'arrête même pas. Quand il m'annonce que je suis libre de partir, je lui demande : « Vous êtes sûr ? », tellement j'étais certaine qu'ils allaient me placer en garde à vue. Mais non, il me relâche, avec une restriction cependant : ne pas quitter la ville. Vu que je n'ai ni argent ni voiture, je n'en ai pas le projet.

Une fois sortie du commissariat, j'attrape instinctivement mon téléphone. Puis je me rends compte que je n'ai personne à appeler. D'ordinaire, j'aurais téléphoné à Brock pour lui annoncer ma libération, mais j'ai comme qui dirait l'impression qu'il va s'en moquer.

En revanche, il y a quelqu'un que ça intéresserait. Enzo.

Enzo m'aiderait, lui. Si je l'appelais, il croirait à mon histoire sans hésitation. Seulement, je ne suis pas sûre de vouloir à nouveau m'engager sur ce chemin. Et puis, je lui ai tenu tout mon petit discours, comme quoi je n'ai pas besoin de son aide, donc je ne vais pas ramper vers lui une semaine plus tard en le suppliant de me sauver.

Je peux m'en tirer seule. Je ne suis même pas en état d'arrestation. Peut-être que tout va finir par s'arranger.

Ayant soupesé mes options un moment, je sélectionne le numéro de Wendy dans ma liste de contacts. Je ne sais pas si c'est très malin de l'appeler maintenant, mais j'ai besoin de réponses. Parce qu'hier soir, on a passé un accord, or ce que prétend le policier va complètement à l'encontre de ce qu'on avait décidé. Bon, il se peut qu'il ait inventé des choses pour me faire peur et me pousser à avouer ou à accuser Wendy. Rien ne m'étonnerait de la part de cet inspecteur.

Naturellement, l'appel tombe directement sur la messagerie vocale.

Autant rentrer chez moi. Après tout, ils pourraient aussi bien m'arrêter demain, et alors je ne pourrais plus y rentrer, chez moi. Parce que, bon, ce n'est pas comme si j'avais les moyens de payer une caution.

Je prends le train pour retourner dans le Bronx. Après tout ce qui s'est passé aujourd'hui, j'arrive à peine à mettre un pied devant l'autre. Je dois fouiller dans mon sac pendant cinq bonnes minutes, à la recherche de mes clés, avant d'arriver à la conclusion que je les ai perdues. Enfin, au moment où je suis sur le point de renoncer, je les trouve coincées au fond du sac.

— Millie !

Presque à la seconde où j'entre dans l'immeuble, ma propriétaire, Mme Randall, sort en trombe de son appartement du premier étage, vêtue d'une de ses robes très amples qui ne marquent pas la taille. Son visage ridé est d'autant plus fripé qu'elle grimace.

— La police est venue ! crie-t-elle. Ils m'ont obligée à ouvrir votre appartement et ils l'ont fouillé ! Ils avaient un papier indiquant que je devais les laisser entrer !

— Je sais, je grogne. Je suis désolée.

Mme Randall plisse les yeux.

— Vous cachez de la drogue là-haut ?

— Non ! Certainement pas !

J'ai juste assassiné quelqu'un, pas de quoi en faire un plat !

— Je ne veux plus de problèmes dans mon immeuble, reprend-elle. Vous ne faites que m'en causer, vous. La police est venue deux fois à cause de vous ! Je ne veux plus de vous ici. Je vous laisse une semaine.

— Une semaine ! je m'exclame. Mais madame Randall...

— Une semaine et je change les serrures, siffle-t-elle. Je ne veux plus vous voir dans les parages, quoi que vous fabriquiez dans votre appartement.

Mon cœur se serre. Bon sang, comment je vais me débrouiller pour trouver un autre logement avec tout ce qui m'arrive ? Finalement, il vaudrait peut-être mieux que je me fasse arrêter. Au moins, j'aurais un toit au-dessus de la tête. Et le couvert gratuit.

Je gravis les deux étages jusqu'à mon appartement. Je m'attends à le trouver mis à sac, et je ne suis pas déçue. Les policiers qui ont conduit la perquisition n'ont même pas essayé de remettre les choses à leur place. Je vais passer le reste de la nuit à tout ranger.

Je me laisse tomber sur mon canapé, épuisée. Je n'ai pas la force de m'attaquer à ce bazar ce soir. Peut-être demain. Peut-être jamais. À quoi bon, si de toute façon je vais en prison ?

J'opte pour la télécommande et j'allume ma télévision pourrie. Voilà donc à quoi je vais occuper ma dernière nuit de liberté.

Manque de chance, la télévision est réglée sur une chaîne d'information, et le meurtre de Douglas Garrick fait la une des journaux. Les cheveux blonds bien brillants, la présentatrice à l'écran annonce que la police interroge en ce moment un « témoin capital ».

Je fais la une… super ! Je suis « un témoin capital ».

Tout à coup, une vidéo de Wendy apparaît à l'écran. Les yeux injectés de sang et bouffis, elle parle à un journaliste. Les bleus sur son visage ont complètement disparu, on dirait, sans doute grâce au maquillage. Elle se tourne vers la caméra.

— Mon mari Douglas était un homme incroyable, déclare-t-elle d'une voix étonnamment forte qui ne lui ressemble pas du tout. Il était gentil, brillant, et nous avions prévu de fonder bientôt une famille ensemble. Il ne méritait pas que sa vie prenne fin aussi brutalement. Ce n'est pas juste qu'il… (Elle s'arrête de parler, étouffée par l'émotion.) Je… je suis désolée…

C'était quoi, ça ?!

Comment Wendy peut-elle parler de Douglas de cette façon, après ce qu'il lui a fait subir ? Je comprends qu'on ne veuille pas dire du mal des morts, mais là, elle le fait passer pour une sorte de saint. Cet homme était à deux doigts de l'étrangler quand j'ai mis fin à sa vie. Pourquoi n'a-t-elle pas raconté ça à la journaliste ?

L'image est recadrée sur la présentatrice blonde, ses yeux bleu clair braqués sur la caméra.

— Si vous venez de nous rejoindre, l'information principale de ce soir est le meurtre brutal du multimillionnaire PDG de Coinstock, Douglas Garrick. Il a été retrouvé mort la nuit dernière, dans son appartement de l'Upper West Side. Tué d'une balle dans la poitrine.

L'écran zoome sur la photo d'un homme d'une quarantaine d'années, avec la légende : « Douglas Garrick, PDG de Coinstock ». Je fixe des yeux l'écran, les cheveux bruns et les prunelles marron de cet homme, son double menton et les plis autour de ses yeux lorsqu'il sourit à l'objectif. Et devant la photo de Douglas Garrick, je prends conscience d'une chose.

Je n'ai jamais vu cet homme de ma vie.

L'homme dont la photo est affichée à l'écran, je ne le connais pas du tout. Il ressemble un peu à celui avec qui j'ai interagi dans le penthouse, si bien que de loin, on ne verrait peut-être pas la différence. Sauf que ce n'est pas lui. Ce n'est absolument pas lui. Cet homme est quelqu'un de complètement différent.

Donc si l'homme à l'écran est Douglas Garrick...

Qui est celui que j'ai tué hier soir ?

PARTIE II

46

Wendy

Vous devez penser de moi que je suis une horrible bonne femme. Est-ce que ça me dédouanerait un peu si je vous disais que, si Douglas n'a jamais levé la main sur moi, c'était quand même un mari atroce ? Qui m'humiliait et me faisait mener une vie de misère ? Vraiment, j'aurais été ravie de pouvoir divorcer.

Tout ça n'était pas forcé de se terminer par son meurtre. Ça, c'est entièrement sa faute, à lui.

Et Millie ? Eh bien, c'est une malheureuse victime collatérale. Enfin, elle n'est pas aussi innocente que vous pourriez le penser. Si elle passe sa vie derrière les barreaux, ce sera un bien pour la communauté.

Cela dit, même après avoir entendu ma version de l'histoire, vous pourriez encore penser que je suis une horrible bonne femme. Que Douglas ne méritait pas de mourir. Que c'est moi qui mérite d'aller en prison pour le restant de mes jours.

À la vérité, je m'en fiche un peu.

Comment assassiner son mari sans se faire prendre – Guide de procédure par Wendy Garrick

Étape 1 :
Rencontrer un homme célibataire, naïf et riche à millions

Quatre ans plus tôt

Je ne comprends rien à l'art contemporain.

Mon amie Alisa m'a envoyé une invitation à une exposition, mais ce qui est exposé dans cette galerie est trop bizarre pour moi. J'ai l'habitude d'admirer les peintures qui sont de belles œuvres faisant montre de talents artistiques. Mais ces trucs-là ? Je ne sais même pas comment les qualifier.

Le titre de l'exposition en dit déjà long : « Vêtements ». Et c'est exactement ça, ni plus ni moins. Des vêtements, accrochés aux murs, découpés en lambeaux, reconstitués en un patchwork de velours côtelés, de satins, de soies et de polyesters. Complètement absurde. Depuis quand l'art est-il un truc qui ressemble à ce qu'un enfant aurait produit en cours d'arts plastiques à l'école ?

L'œuvre que je regarde en ce moment s'intitule *Chaussettes*. Elle porte bien son nom. C'est un cadre immense, au moins aussi grand que moi, dont chaque centimètre carré est couvert de chaussettes de formes et de tailles diverses.

Je… Ben, je ne comprends pas, voilà.

— J'ai un trou dans une de mes chaussettes, lance une voix masculine derrière moi. Vous pensez qu'ils seraient d'accord pour que j'emprunte une de celles-ci ?

Je tourne la tête pour identifier le propriétaire de la voix. Immédiatement, je reconnais Douglas Garrick. Avant cet événement, j'ai attentivement examiné l'une des rares photos de lui qu'Alisa m'a dégotée, j'ai mémorisé ses cheveux bruns négligés, les plis aux commissures de ses yeux et ce presque sourire, son incisive gauche de travers. Il porte une chemise blanche bon marché qui semble sortir de chez Walmart, lundi boutonné avec mardi. Non, attendez, il a tout boutonné de travers, tout décalé d'un cran. Et il aurait grand besoin d'un coup de rasoir.

On ne croirait jamais que cet homme est l'une des personnes les plus riches du pays.

— Je ne pense pas qu'elle leur manquerait beaucoup, réponds-je en m'efforçant de garder un air décontracté alors que mon cœur fait des sauts périlleux dans ma poitrine.

Large sourire aux lèvres, il me tend la main. C'était à peine perceptible sur la photo que j'ai vue, mais dans la vraie vie, il a un double menton – rien qu'un régime et un peu d'exercice ne puissent éliminer.

— Doug Garrick.

Je prends sa main, qui est chaude et enveloppe la mienne comme si elles étaient conçues pour s'imbriquer.

— Wendy Palmer.

— Très heureux de vous rencontrer, Wendy Palmer, réplique-t-il en plongeant ses yeux marron dans les miens.

— Moi de même, monsieur Garrick.

— Alors… (Il se balance sur les talons de ses mocassins usés.) Que pensez-vous de « Vêtements » ?

Je balaie du regard les œuvres d'art centrées sur les vêtements. J'en ai appris un peu au sujet de Douglas Garrick, et je le crois homme à apprécier la franchise.

— Pour tout vous dire, je n'y comprends pas grand-chose. Je pourrais créer n'importe laquelle de ces pièces moi-même, avec un peu de colle et un carton de vêtements de chez Goodwill.

Douglas fronce les sourcils.

— Mais n'est-ce pas justement le but ? L'artiste essaie de remettre en question le *statu quo*, de proposer une critique de l'art traditionnel en démontrant que même les objets les plus ordinaires peuvent être transformés en quelque chose qui déclenche des émotions.

Merde, maintenant il me faut trouver quelque chose d'intelligent à répondre !

— Oh. Eh bien, c'est vrai que l'interaction de la texture et de la couleur…

Je m'arrête net en voyant le sourire en coin de Douglas. Il se retient une fraction de seconde, puis il éclate carrément de rire.

— Est-ce que mon laïus donnait l'impression que je savais de quoi je parlais ?

— Un peu, j'avoue, penaude.

— Vous savez ce que j'adore dans cette galerie ? reprend-il. Le buffet. Il est… (Il embrasse le bout de ses doigts.) Spectaculaire. Je suis prêt à me fader des murs entiers de chaussettes rien que pour avaler leurs canapés.

— Oui, je murmure.

Je n'ai rien mangé depuis que je suis arrivée. Cette robe Donna Karan me va comme un gant, elle épouse amoureusement aussi bien mes seins que mon ventre et mes fesses, mais si je me mets à me gaver de crevettes à la sauce cocktail, la moindre bosse disgracieuse va se voir.

Douglas baisse les yeux sur mes mains vides.

— Laissez-moi vous faire goûter quelques-uns de mes préférés. Faites-moi confiance.

Je lui souris.

— Je suis intriguée.

— Ne bougez pas d'un muscle, Wendy Palmer.

Et sur un clin d'œil, il se rue vers la table des amuse-bouche. Il prend une assiette et entreprend d'y empiler un nombre inquiétant de petits-fours. Oh Seigneur ! Pourquoi met-il autant de nourriture dans cette assiette ? Je ne prends pas grand-chose au petit déjeuner et au déjeuner, et j'ai déjà mangé une salade avant de venir ici. Qu'est-ce qu'il me fait, cet homme ?

Je suis presque en panique devant toute la nourriture qu'il amoncelle, mais je me rassure en remarquant que l'assiette est petite. Ça va aller. Je ferai l'impasse sur le repas de demain soir.

Douglas se dépêche de revenir, impatient de me montrer ce qu'il a glané pour moi.

— Tenez. Ce sont mes préférés. Commencez par la tarte aux champignons.

J'en prends une bouchée. C'est en effet divin. À vue d'œil, cette seule bouchée contient probablement environ cinq cents calories. Pas étonnant que Douglas ait un double menton. Sauf qu'il s'en fiche, lui, parce qu'il n'est pas une femme et qu'il est incroyablement riche.

— Il y a là-bas une pièce intitulée *Pantalons*, ajoute-t-il. Vous voulez essayer de deviner ce qu'elle présente ?

Il me sourit, les yeux toujours dans les miens malgré le décolleté impressionnant de ma robe. Quand je suis venue ici ce soir avec l'intention de séduire Douglas Garrick, je ne m'attendais pas à tomber sur un homme comme lui.

Ça s'annonce beaucoup plus facile que je ne le pensais.

47

Étape 2 :
S'attacher l'homme riche à millions

Trois ans plus tôt

Douglas peut être absolument exaspérant.

Il me tourmente. Il joue le type sympa – même terre à terre, compte tenu de son travail et de sa fortune personnelle –, mais en réalité c'est un vrai sadique. Je ne vois pas d'autre explication à son comportement.

— Qu'est-ce que tu fiches ? je lui crie dessus.

Il a au moins la bonne grâce de paraître penaud. C'est bien la moindre des choses ! Déjà qu'il passe son temps dans le salon, en caleçon – en caleçon ! Bref, ce soir, on est censés être dans moins d'une heure à une fête organisée chez Leland Jasper et il n'est pas prêt du tout. J'avais tout parfaitement chronométré pour qu'on arrive avec pile poil le retard qu'il fallait, mais non, je le trouve dans la cuisine, en pantalon de survêtement et tee-shirt, qui mange du Nutella à même le pot avec un couteau à beurre.

Mon cœur ne supportera pas cette folie.

— J'ai eu un petit creux, argue-t-il, reposant le couteau sur le plan de travail de la cuisine.

Et évidemment, il met de la pâte à tartiner partout sur la surface de marbre, désormais tachée de marron foncé. Ma patience s'étiole à la vitesse grand V.

— Douglas, on est censés y aller dans dix minutes. Tu n'es même pas habillé !

— Aller où ?

Il me tourmente, je vous dis. Il le fait exprès. Ce comportement est intentionnel, je ne vois pas d'autre explication. On ne peut pas être aussi largué, personne.

— Chez Leland ! La fête a lieu ce soir !

Il gémit et se frotte les tempes.

— Ah, d'accord. Bon sang, on est vraiment obligés d'y aller ? On déteste Leland et son mari. Ce n'est pas ce qu'on s'est dit ? Et puis, qui s'appelle Leland ? Elle l'a inventé, ce nom, c'est pas possible.

Il a raison sur tous les points, mais ça ne veut pas dire qu'on peut zapper cette fête. Tout le monde sera là. Et je veux qu'on me voie dans ma nouvelle robe Prada, avec mes cheveux auburn parfaitement coiffés et mis en valeur, accrochée au bras de mon séduisant, incroyablement riche fiancé, qui portera pour sa part un costume Armani parfaitement étudié pour dissimuler sa bedaine. Je l'ai choisi dans ce but précis. Avant moi, Douglas se promenait dans des costumes bon marché qui ne laissaient planer aucun doute quant à la proéminence de son ventre.

— On doit y aller, je lâche entre mes dents. Fin de la discussion. Alors tu vas t'habiller… maintenant.

Douglas m'attrape le bras et m'attire vers lui. Son haleine sent la noisette.

— Wendy… Allez, ça va être une tannée, cette soirée. Si on allait… je ne sais pas, voir un film, juste tous les deux ? Comme avant, au début qu'on sortait ensemble ? Le nouveau *Avengers* par exemple ?

Une chose que je n'avais pas comprise à propos de Douglas avant de le rencontrer, c'est le geek invétéré qu'il est. Il n'essaie même pas de le cacher. Tout ce qui l'intéresse, c'est de regarder des films de super-héros affalé sur le canapé, avec son ordinateur portable posé sur les cuisses, en mangeant du Nutella à même le pot. La seule raison pour laquelle il est devenu le PDG de Coinstock, c'est qu'il est une sorte de savant fou inventeur d'une technologie qu'utilisent désormais toutes les banques du pays.

— On va à cette fête, je répète pour ce qui me semble la centième fois. (Je vous jure, cet homme ne m'écoute pas. Jamais.) Maintenant habille-toi. Allez, hop, hop, hop !

— OK, OK.

Il se penche pour me donner un baiser au Nutella, mais je porte du Prada, alors je fais un pas en arrière et je lève les mains afin de le garder à distance.

— Tu pourras m'embrasser une fois que tu te seras changé.

Douglas remet le bocal dans le placard et sort de la cuisine en traînant le pas, direction notre bien trop petit salon. Cet appartement dans son ensemble est une honte. Nous n'avons que trois chambres, dont une qui sert de bureau à Douglas, donc c'est comme si nous n'avions que deux chambres. Dès qu'on sera mariés, il va falloir qu'on monte sérieusement en gamme, sans parler de la maison de mes rêves en banlieue. En fait, c'est plutôt la maison de rêve de Douglas, parce que mon rêve, à moi, n'est certainement pas de vivre en banlieue.

Je souris chaque fois que je pense à la maison où nous vivrons un jour. Quand j'étais petite, mon père était ouvrier d'entretien et ma mère gagnait à peine le salaire minimum en travaillant dans une école maternelle. On habitait dans une maison minuscule où je partageais une chambre avec ma petite sœur, qui a fait pipi au lit jusqu'à l'âge de huit ans. J'ai travaillé assez dur à l'école pour obtenir une bourse d'entrée dans un lycée privé prétentieux, où tous les autres élèves se moquaient de moi parce que je n'étais pas aussi bien habillée qu'eux.

Tout ce que je voulais, c'était un jean de marque comme ma belle et cruelle camarade de classe Madeleine Edmundson. Et peut-être un manteau d'hiver qui ne m'ait pas été transmis par un autre enfant, avec des trous dedans.

Je pensais que les choses changeraient à l'université, mais ça ne s'est pas passé comme je l'espérais. Il y a eu cet horrible incident où on m'a accusée de triche, et je n'ai pas été autorisée à revenir en deuxième année. Toutes mes perspectives de carrière se sont envolées le jour où on m'a renvoyée du campus.

J'aimerais qu'ils puissent me voir maintenant, tous autant qu'ils sont.

La sonnerie retentit à la porte pile à ce moment-là. Rageant. Avant que je ne puisse crier à Douglas que je vais ouvrir, il m'annonce :

— C'est sans doute Joe. Il doit passer me déposer des papiers dont j'ai besoin. Ça ne prendra qu'une minute.

Joe Bendeck est l'avocat de Douglas. Bien qu'il soit probablement l'une des raisons pour lesquelles Douglas est si riche, ce n'est pas la personne que je préfère au monde, et il montre également un dégoût à peine dissimulé envers ma personne. Alors ça m'arrange que Douglas se charge de l'expédier.

C'est quand même étrange qu'il passe si tard dans la soirée. Pas sans précédent, mais quand même inhabituel. Je me demande ce qu'il veut…

Pendant que Douglas va parler à Joe, je m'attarde suffisamment près, histoire d'entendre leur conversation. Douglas n'a pas pour habitude de me mêler à ses affaires, mais il vaut mieux que je sache autant que possible ce qui se passe.

— Tout est là ? demande la voix de Douglas.

— Oui, répond Joe, et j'ai autre chose pour toi…

Un bruit de papier. Douglas ouvre une enveloppe.

— Oh, Joe. Je te l'ai dit, je ne peux pas lui demander ça…

— Doug, tu dois le faire. Ton mariage a lieu dans quelques semaines, tu ne peux pas épouser cette femme sans contrat de mariage.

— Pourquoi pas ? Je lui fais confiance.

— Grosse erreur.

— Écoute, je ne peux pas… C'est comme commencer un mariage du mauvais pied.

— Laisse-moi te donner un conseil juridique gratuit, Doug. Si ça tourne mal, elle obtiendra la moitié de tout ce pour quoi tu as travaillé. Ce document est la seule chose qui te protège. Tu serais complètement idiot de l'épouser sans le lui faire signer.

— Mais...

— Il n'y a pas de « mais ». Tu n'épouses pas cette femme à moins qu'elle ne signe ça. Si elle t'aime vraiment et qu'elle tient à rester mariée avec toi, ça ne devrait pas lui poser de problème, non ?

Je retiens mon souffle : que va décider Douglas ? J'attends qu'il envoie balader Joe. Seulement, en plus d'être son avocat, Joe est aussi son plus vieil ami, et le plus proche.

— OK, concède Douglas. Je m'en occupe.

48

— C'est extrêmement généreux, m'informe Joe Bendeck.

Planté au-dessus de Douglas et moi, dans notre salon, il m'explique les termes du contrat de mariage. Douglas ne me l'a pas donné l'autre soir. Il a attendu quelques jours en tâchant d'adoucir le coup avec quelques fleurs et un collier en diamant de chez Tiffany. Ça n'a pas adouci grand-chose.

— Je ne suis pas à l'aise avec l'idée d'un contrat de mariage, je réponds avec un coup d'œil à Douglas. (Il est assis à côté de moi, habillé comme un plouc en jean et tee-shirt.) Chéri, on est vraiment obligés d'en passer par là ?

— Il est *très* généreux, répète Joe. Dix millions de dollars en cas de divorce. Mais vous ne pouvez pas prétendre à ses autres biens.

Je pose la main sur le genou de Douglas. Le tissu de son jean est usé sous mes doigts.

— Je ne veux pas de ses biens. Je veux me marier en toute simplicité.

— Alors signez, insiste Joe. Et je ne vous embêterai plus jamais avec ça.

Je sors un mouchoir brodé de ma poche et me tamponne les yeux.

— C'est juste... Je pensais que tu me faisais confiance, Douglas.

— Oh, pour l'amour de Dieu, marmonne Joe. Doug, tu te fais vraiment avoir par ces conneries ?

Douglas lance un regard noir à son ami et passe son bras autour de mes épaules. Il a un faible pour les femmes qui pleurent.

— Wendy, ce n'est pas du tout ça. Bien sûr que je te fais confiance. Et je t'aime énormément.

Je lève vers lui mon visage couvert de larmes.

— Je t'aime aussi.

— Mais je ne peux pas t'épouser sans contrat de mariage, ajoute-t-il. Désolé.

Et je vois dans les yeux marron de Douglas qu'il est sincère. Joe l'a convaincu. Et maintenant il boit son Kool-Aid.

Je jette un bref coup d'œil aux papiers sur la table basse devant moi, une liasse d'au moins cinq centimètres d'épaisseur. Joe a eu la prévenance de m'en surligner les points principaux. Il est écrit noir sur blanc que si nous divorçons, je recevrai dix millions de dollars. C'est loin d'être la moitié de ce que vaut Douglas, mais ce n'est pas non plus négligeable. Cela me permettra de rester à l'aise jusqu'à la fin de ma vie, si les choses ne fonctionnent pas ici.

Non pas que je m'attende à ce que nous divorcions. Je pense que Douglas et moi serons ensemble jusqu'à ce que la mort nous sépare, et tout le tralala. Mais on ne sait jamais. Douglas est un bien à rénover, et il n'est pas exclu que j'échoue à le rénover à mon goût, je l'admets.

— Bien, je capitule. Je vais le signer.

49

Étape 3 :
Profiter de la vie de couple...
du moins un petit moment

Deux ans plus tôt

— Doux Jésus. Cet endroit est insensé !

Douglas hésite à acheter ce penthouse. Pour lui, on devrait rester vivre dans son minuscule quatre-pièces jusqu'à la fin de notre vie. Bon, il y a bien la maison qu'on a achetée sur l'île, mais je ne sais pas combien de temps je vais y passer. Douglas l'aime bien, cela dit. Elle a cinq chambres, et il n'arrête pas de parler de tous les enfants avec lesquels on va les remplir. C'est irritant.

— Ce penthouse n'est pas plus grand que celui d'Orson Dennings, je lui fais remarquer.

Tammy, notre agent immobilier, dodeline de la tête avec enthousiasme.

— Ce n'est qu'un penthouse de standing moyen, renchérit-elle.

Douglas lève les yeux vers les puits de lumière, cligne des paupières.

— Je ne comprends pas pourquoi il nous faut absolument un penthouse. On a une maison entière !

Je n'avais pas pris conscience du point auquel mon mari était radin jusqu'à ce qu'on se mette en quête d'un appartement. Tout ce qui comporte plus de quatre chambres à coucher est « beaucoup trop grand ». Et il ne cesse d'invoquer la maison sur l'île, comme si on pouvait envisager de passer tout son temps à Long Island. Non, mais au secours, quoi !

— Je gardais l'appartement pour le cas où j'aurais besoin de rester en ville pour des réunions, me rappelle-t-il. Mais ce n'est pas là qu'on va vivre. On vivra dans la maison.

— Pourquoi ne vivrait-on qu'à un endroit ?

— Parce qu'on n'est pas cinglés ?

— Beaucoup de gens ont deux résidences, une en banlieue et une en ville, intervient Tammy.

— Nous avons déjà une résidence en ville ! insiste Douglas.

Je sens monter sa frustration. Douglas a grandi avec une mère célibataire, dans un appartement de Staten Island. Il est allé au lycée public du centre-ville, spécialisé pour les enfants surdoués, et a pu entrer au MIT grâce à une addition de bourses, de travail étudiant et de prêts bancaires. Il n'est pas habitué à avoir de l'argent. Il ne sait pas quoi en faire.

Il devrait prendre exemple sur moi. Mon père ne conduisait que des voitures d'occasion et ma mère découpait les coupons de réduction. Aucun vêtement acheté pour ma sœur aînée n'était jeté avant que nous ne l'ayons également porté toutes les trois. Et chaque vêtement était jugé mettable tant qu'il n'était pas usé jusqu'à la corde.

Je détestais vivre comme ça. La nuit, je restais éveillée dans mon lit, à rêver de ce que ce serait d'être riche un jour. Alors maintenant que je le suis, pourquoi ne pourrais-je pas avoir tout ce dont j'ai toujours rêvé ?

Après une enfance vécue dans la pauvreté, on a tous les deux de l'argent. Donc laissez-moi vous dire qu'on va en profiter.

— Douglas. (Je fais courir un doigt le long de son bras.) Je sais qu'il paraît un peu extravagant, mais c'est l'appartement de mes rêves. J'en suis déjà amoureuse.

— Et puis, ajoute Tammy, le prix est en baisse.

— Parce que personne ne peut se payer cet endroit ridicule, grogne Douglas.

Mais je vois bien qu'il est au bord de craquer. J'y vais de mon petit battement de cils.

— S'il te plaît, chéri. Ce sera tellement bien d'avoir un endroit où passer la nuit quand on amènera les enfants en ville.

Ce genre d'argument marche toujours sur lui. Chaque fois que je veux arriver à mes fins, je n'ai qu'à évoquer nos potentiels futurs enfants. Douglas en veut quatre : pardi, ce n'est pas lui qui doit les pondre.

Son regard s'adoucit.

— Très bien. Après tout, pourquoi pas ? Je parie que ça peut se déduire des impôts, si ça se trouve.

— Bien sûr ! gazouille Tammy, folle de joie.

— Merci, mon cœur.

Je me penche pour embrasser mon mari. Alors qu'il me serre dans ses bras, je ne peux m'empêcher de remarquer qu'il a pris un peu de gras, depuis notre rencontre, ce qui n'est absolument pas la direction qu'il est censé prendre. On va devoir travailler davantage sur ce sujet, entre autres. Douglas est toujours une œuvre en cours.

50

J'adore déjeuner avec mon amie Audrey. Elle me rapporte les meilleurs potins du coin.

J'ai toujours rêvé d'avoir une vie comme celle que je vis aujourd'hui. Où je suis libre au milieu de la journée pour déjeuner avec une amie, dans l'un des restaurants les plus chers de la ville. Parfois, j'ai envie de me pincer afin de vérifier que ce n'est pas un rêve.

Et puis, il y a d'autres moments où je suis avec Douglas et où il me bouffe toute mon énergie. Et là, c'est lui que j'ai envie de pincer.

Rien qu'à voir Audrey, je la devine débordante de bons potins. Elle est mariée à un homme plutôt riche (et un peu plus âgé qu'elle), mais pas autant que Douglas. Jamais elle ne pourrait s'offrir un penthouse comme le nôtre.

— Devine quoi, lance Audrey en tamponnant ses lèvres couleur framboise. (C'est toujours sa phrase d'accroche pour les ragots les plus incroyables. Je ne sais pas comment elle apprend tout ça, en tout cas je ne lui confierai jamais le moindre secret me concernant.) Le divorce de Ginger Howell a été prononcé.

— Ooh.

Alors là, c'est du lourd.

Carter, le mari de Ginger, est l'opposé de Douglas. Un type super possessif qui ne quittait jamais Ginger des yeux lorsqu'on était en soirée. Et quand elle sortait avec nous, elle devait toujours lui annoncer exactement le moment où elle partait, ce qu'elle faisait et l'heure à laquelle elle rentrerait. Je ne doute pas que ça devait être épuisant pour elle, et pourtant il y avait aussi dans l'autorité de son mari quelque chose que je trouvais sexy. Sans compter que Carter est d'une beauté ravageuse et qu'il se maintient en forme, contrairement à mon mari.

Audrey grignote une feuille de laitue.

— Oui. Et elle a été aidée par Millie.

— Millie ? Qui est-ce ?

Audrey me regarde avec étonnement, et je m'empourpre. Millie serait quelqu'un d'important dans notre cercle social, dont j'aurais oublié l'existence ? Et puis Audrey ajoute :

— C'est une femme de ménage.

— OK…

Audrey baisse alors d'un ton, signe qu'elle est sur le point de me révéler quelque chose de *très* juteux.

— Mais elle a une réputation… auprès des femmes qui ont des problèmes avec leur mari. Elle les aide à s'en sortir. Elle s'en charge à leur place.

— Des problèmes ?

Dans mon cerveau, je coche la liste des mauvaises habitudes de Douglas. Chaque fois qu'il va aux toilettes, il utilise la moitié du rouleau de papier hygiénique. Il mange la nourriture directement dans les récipients au réfrigérateur, alors que je lui ai demandé à maintes reprises de ne pas le faire. Lorsque nous allons dans un restaurant chic, il ne prend même pas la peine de vérifier quelle fourchette utiliser au bon moment, y compris lorsque je le lui indique au début du repas. Il se trompe encore la moitié du temps, ce qui me donne à penser qu'il fait tout vraiment au hasard.

J'ai cru un temps pouvoir changer Douglas. Qu'avec mon aide il s'améliorerait, comme je l'ai fait, moi. J'ai l'impression au contraire qu'il ne fait que régresser.

— Des problèmes graves, précise Audrey. Par exemple, le mari de Ginger était violent. Il la frappait, il lui a même cassé le bras.

Je lâche un petit cri.

— Oh ! Quelle horreur !

Au moins, c'est un problème que je n'ai pas. Douglas ne lèverait jamais la main sur moi. Cette simple idée l'horrifierait.

Elle acquiesce sobrement.

— Donc il y a cette femme, Millie, qui aide les femmes. Elle t'explique quoi dire et quoi faire. Elle te trouve des ressources adaptées. Elle a déniché un super avocat pour Ginger. Et j'ai même entendu dire qu'elle a aidé certaines femmes à disparaître, quand il n'y avait pas d'autre solution.

— Waouh !

Audrey croque une autre feuille de salade, puis se tamponne les lèvres avec sa serviette.

— Ce n'est pas tout. J'ai entendu dire que dans quelques situations sans issue, Millie… enfin, tu sais, elle s'est débarrassée du type.

Je me couvre la bouche.

— Non…

— Si ! s'exclame Audrey, ravie de partager sa révélation. Elle est hard-core, je te prie de me croire, le genre dangereux. Si elle pense qu'un gars fait du mal à une femme, elle est capable d'à peu près tout pour mettre fin à la situation. Elle-même est allée en prison pour s'être déchaînée sur un type qui essayait de violer une copine à elle. Elle a tué le gars.

— Bonté divine…

Audrey prend une autre bouchée de sa salade, puis repousse son assiette.

— Je n'en peux plus, annonce-t-elle, alors qu'elle en a à peine mangé la moitié – la moitié d'une petite salade verte. Wendy, tu es sûre que tu ne veux rien manger ?

Je prends une gorgée de mon cocktail.

— J'ai pris un énorme petit déjeuner.

Elle me dévisage, paupières plissées, peut-être parce qu'au cours de nos trois derniers déjeuners ensemble je n'ai pas commandé la moindre nourriture. En revanche, je prends toujours un verre.

— Je devine que rien n'a encore abouti, côté bébé, commente-t-elle.

Je me maudis d'avoir évoqué en passant, il y a quelques mois, à quel point Douglas avait hâte que je tombe enceinte. Ça m'a échappé. Or ça fait à peu près un an qu'on essaie d'avoir un bébé. Ça ne marche pas : entendez par là que non, je ne suis pas enceinte.

— Pas encore, je dis.

— Je connais un fabuleux spécialiste de la fertilité, me confie Audrey. Laura est allée le voir, regarde un peu où elle en est.

Notre amie Laura a eu des jumeaux qui, d'ailleurs, n'ont pas arrêté de hurler la dernière fois que je l'ai croisée dans la rue. Je grimace.

— Non, mais ce n'est pas grave. On préfère essayer à l'ancienne.

— D'accord, cela dit, tu ne rajeunis pas, me rappelle-t-elle. Tic-tac, tic-tac, Wendy.

— OK. Donne-moi le nom de ce gynéco.

J'enregistre son numéro dans mon téléphone, même si je n'ai aucune intention de l'appeler. En revanche, si Douglas me pose des questions à ce sujet, je pourrai au moins prétendre que j'agis.

51

Étape 4 :
Prendre conscience que votre mari
et vous n'êtes pas du tout faits l'un pour l'autre

Un an plus tôt

Douglas entre dans la salle à manger de notre maison de Long Island et s'arrête net en découvrant les deux couverts.

— Où est le reste de notre dîner ? me demande-t-il. Dans la cuisine ?

Je suis déjà attablée, une serviette sur les genoux.

— Non. Tout est là. Blanca nous a préparé une salade.

Douglas contemple le saladier de verdure comme si on lui avait servi du poison.

— C'est tout ? C'est tout ? répète-t-il.

Je soupire. J'ai remarqué le double menton de Douglas le jour où je l'ai rencontré, je m'en souviens parfaitement, et je me suis juré ce soir-là de le faire disparaître, de remettre cet homme en forme. Au lieu de quoi, il est encore moins en forme aujourd'hui qu'à l'époque. Je vous jure, on croirait qu'il s'en fiche.

— Nous avons de la laitue, des tomates, des concombres et des carottes râpées, lui fais-je remarquer. C'est en mangeant de la salade tous les jours que j'évite de gonfler. Tu devrais essayer.

— Wendy, tu es mince par nature, réplique-t-il. L'idée de manger autre chose qu'une feuille de salade ou un bâton de céleri te terrifie.

Je me raidis.

— Je fais juste attention.

Il s'assied avec un regard réprobateur pour la salade de la discorde.

— Je m'inquiète pour toi. Tu ne manges rien. Et tu t'es évanouie après ton footing d'hier.

— Je ne me suis pas évanouie !

— Si ! Tu étais toute pâle, puis tu t'es assise sur le canapé et je ne pouvais plus te réveiller. J'étais sur le point d'appeler une ambulance.

— J'étais fatiguée. Je venais de faire un long footing, voilà tout. (Je m'illumine.) Pourquoi tu ne viendrais pas courir avec moi demain ?

— Oh, là, là, je ne pense pas que je pourrais suivre ton rythme.

Je penche la tête.

— Hmm. Alors, c'est lequel d'entre nous qui n'est pas en forme ?

Douglas gratte ses cheveux bruns.

— En plus, c'est peut-être cette maigreur qui t'empêche de tomber enceinte. J'ai lu que ce n'était pas bon pour la fertilité.

— Oh, mon Dieu ! je gémis. Il faut toujours qu'on en revienne à ça, alors ? On ne peut plus avoir une conversation sans que tu me reproches de ne pas être encore enceinte ?

Douglas ouvre la bouche pour répondre, puis il paraît se raviser.

— Pardon, tu as raison.

Il baisse les yeux sur la salade devant lui. Plisse le nez.

— Il y a de la vinaigrette dessus au moins ?

— Une vinaigrette sans graisse.

— Je ne vois rien.

— Elle est incolore.

Il enfonce sa fourchette dans la salade croquante et en pique quelques morceaux, qu'il se fourre dans la bouche et mâche.

— Tu es sûre qu'il y a de la vinaigrette là-dedans ? J'ai l'impression de manger la pelouse devant la maison.

— J'ai dit à Blanca de ne mettre que quelques gouttes. Parce que même sans gras, la sauce n'est pas sans calories.

Douglas continue de mâcher. Sa pomme d'Adam monte et descend lorsqu'il avale la bouchée de salade. Après quoi, il recule sa chaise qui grince sur le parquet et se met debout.

— Où vas-tu ? je lui demande.

— Au KFC.

Je me lève à mon tour.

— Quoi ? Oh, allez, Douglas. Tu peux le faire. On va y arriver ensemble.

— Pourquoi tu ne viens pas avec moi ?

— Tu plaisantes ?!

— Il nous arrivait d'aller au fast-food, au début de notre relation, me rappelle-t-il. (Et c'est vrai, même si je m'efforce pour ma part d'oublier ces horribles souvenirs.) Allez, viens. On passe au drive. Ça va être amusant. J'ai entendu dire qu'ils avaient un sandwich dont le pain est fait de poulet frit. Tu n'as pas envie de le goûter ? Ou au moins, de voir à quoi il ressemble ?

J'étais censée être débarrassée des fast-foods lorsque j'ai épousé un millionnaire de la tech. Je secoue la tête.

Douglas me lance un regard triste, mais ça ne l'empêche pas de quitter la maison, de monter dans sa voiture et de la démarrer, probablement pour aller s'acheter un sandwich dont le petit pain sera fait de poulet frit.

À cet instant précis, je comprends que je ne peux plus être fidèle à mon mari, car je ne le respecte plus.

52

Confrontée à l'effondrement de mon mariage, je décide qu'une thérapie par le shopping s'impose. En l'occurrence, il nous faut de nouveaux meubles.

J'attends d'être de retour en ville, parce qu'il est impossible de trouver quelque chose de décent sur l'île. À mon insu, Douglas s'est arrangé pour faire déménager la plupart de ses meubles de son appartement jusque dans notre penthouse, et ils sont tous plus moches les uns que les autres. Le genre de meubles que l'on achète dans un magasin dont le nom contient le mot « discount » ou « dépôt ». Je peux à peine supporter de poser les yeux dessus.

J'ai essayé d'expliquer à Douglas que les meubles, dans une maison, doivent être accordés, et que des meubles classiques et anciens s'accorderaient non seulement ensemble, mais aussi avec le style de notre bâtisse gothique. Douglas m'a regardée d'un air absent – oui, parce que je ne parlais ni en JavaScript ni en Klingon, ou je ne sais quel langage qu'il comprend mieux.

Au bout du compte, il a hoché la tête et m'a dit de prendre ce que je voulais.

Me voilà donc partie en quête de belles antiquités pour décorer notre appartement, lorsque je tombe sur Marybeth Simonds dans le hall de mon immeuble.

Marybeth est réceptionniste dans l'entreprise de Douglas. Je l'ai rencontrée une poignée de fois et elle est assez agréable. Petite quarantaine, cheveux blonds qui virent au gris, visage fade. Et elle porte de ces jupes ringardes qui sont exactement de la bonne longueur pour faire paraître ses mollets le plus larges possible. La première fois que j'ai posé les yeux sur elle, je l'ai aussitôt rangée dans les menaces zéro pour la fidélité de mon mari, puis je l'ai oblitérée de mon esprit.

— Wendy ! s'exclame-t-elle. Oh, je suis contente de tomber sur vous.

Elle tient dans ses mains une enveloppe en papier kraft, probablement des documents d'un inintérêt crasse, destinés à Douglas. Elle doit venir les lui remettre, vu qu'il se déplace rarement au bureau. Il préfère travailler dans des cafés ou autres lieux en ville, ou bien depuis notre maison de Long Island.

— Doug est là ? me demande-t-elle.

Je jette un coup d'œil à ma montre.

— Je crains que non. Et je n'ai pas le temps de prendre des papiers pour lui. Vous allez devoir les laisser au portier.

Le sourire de Marybeth retombe légèrement, mais elle acquiesce. Douglas l'apprécie pour son bon caractère, ce qui, je le soupçonne, signifie qu'elle est un paillasson.

— Bien sûr, bien sûr, Wendy. Où partez-vous comme ça ?

Je suis un peu prise de court par sa familiarité, mais cela me rappelle la fascination que la vie quotidienne des incroyablement riches exerçait sur moi lorsque j'étais pauvre. Je lisais des articles sur des gens comme moi à l'heure actuelle, à l'époque.

— Je dois juste acheter quelques meubles, je réponds.

Ses yeux s'illuminent.

— Des meubles ? Vous savez, mon mari Russell est directeur d'un magasin de meubles. C'est un petit magasin, mais leurs meubles sont superbes. Et il vous ferait un bon prix. (Elle fouille dans son sac, manquant de faire tomber l'enveloppe kraft, et finit par sortir une carte rectangulaire blanche avec une petite tache de rouge à lèvres dessus.) Voici sa carte. Dites-lui que vous venez de ma part.

Je prends la carte entre le bout de mon index et de mon pouce, hésitant à la toucher après son séjour parmi le mystérieux contenu du sac de Marybeth.

— Oui. Peut-être.

Elle m'adresse un sourire radieux.

— Bon… C'était un plaisir de vous voir, Wendy.

Elle se dirige déjà vers la loge du portier, mais je la rappelle avant.

— Marybeth ?

Elle se retourne, toujours le même sourire agréable aux lèvres.

— Oui ?

— Je préférerais que vous m'appeliez Mme Garrick. Nous ne sommes pas amies, après tout. Je suis la femme de votre patron.

Marybeth peine à conserver son sourire, cette fois.

— Bien sûr. Je suis vraiment désolée, madame Garrick.

Je me demande si ma réaction est mesquine. Mais je n'ai pas épousé l'un des hommes les plus riches de la ville pour me faire appeler Wendy par sa réceptionniste.

53

Juste pour prouver que je ne suis pas la plus horrible mégère de la planète, je décide d'acheter un meuble ou deux à Russell Simonds. Histoire de les faire profiter un peu de notre argent. Et si ces pièces s'avèrent vraiment trop ringardes pour trouver une place chez moi – ce que je soupçonne fort –, je pourrai toujours en faire don.

Sans surprise, le magasin est petit. En revanche, là où je m'attendais à des canapés carrés, raides, je tombe dès l'entrée sur une très jolie commode. Je m'arrête un instant pour admirer le superbe meuble en chêne, soigneusement poncé et teinté, et orné d'un magnifique miroir ouvragé. Je fais courir mes doigts sur l'un des trois tiroirs à queue d'aronde, chacun avec son petit trou de serrure.

C'est exactement ce que je cherchais. Il me faut absolument ce meuble pour chez moi.

— C'est une belle pièce, n'est-ce pas ?

Je pivote la tête pour identifier l'homme à la voix riche et profonde qui a parlé derrière moi. Pendant une fraction de seconde, je crois presque me trouver face à mon mari. Mais non, cet homme n'est absolument pas Douglas Garrick. Il est à peu près de la même taille que Douglas, avec une carrure similaire – disons plutôt la carrure que Douglas pourrait avoir s'il allait à la salle de sport de temps en temps – et ses cheveux sont à peu près de la même couleur, mais soigneusement coupés. Et bien qu'il travaille dans un magasin de meubles, il porte une chemise blanche impeccable et une cravate savamment nouée. Bref, cet homme ressemble à ce en quoi j'avais espéré transformer Douglas lorsque je l'ai rencontré à l'exposition d'art moderne. Il est le Douglas 2.0, alors que mon mari est à peine la version bêta.

— C'est une pièce vintage, me dit-il, mais je l'ai restaurée personnellement.

— Vous avez fait un travail remarquable, je souffle. J'adore.

Il me sourit et mes genoux flageolent légèrement.

— Ce n'est pas la meilleure façon de marchander.

— Je n'ai aucune envie de marchander, lui réponds-je. Quand je veux quelque chose, je fais tout ce qu'il faut pour l'avoir.

Mon commentaire allume une lueur amusée dans ses yeux.

— Je m'appelle Russell. (Il me tend la main et, quand je la saisis, un délicieux picotement me parcourt le bras.) Je suis propriétaire de ce magasin, et je serais donc ravi de vous vendre cette commode aujourd'hui. Je parie qu'elle serait superbe dans votre appartement.

Russell Simonds. Ce doit être le mari de Marybeth. Bizarrement, je m'attendais à un homme avec une bedaine et des cheveux gris, voire une bonne grosse calvitie. Pas à cet homme-là, en tout cas.

— Wendy Garrick. Votre femme Marybeth travaille pour mon mari. C'est elle qui m'a suggéré de venir ici.

Le sourire espiègle s'attarde sur ses lèvres.

— J'en suis bien content.

Quand j'en ai terminé, j'ai acheté à peu près la moitié du magasin. Chaque fois que Russell me montre un nouveau meuble vintage restauré, il faut que je l'aie. Et puis, au moment où je lui tends ma carte de crédit au plafond scandaleusement élevé, il sort sa carte de visite, impeccablement blanche et nette, et y griffonne dix chiffres au dos.

— Au moindre problème avec les meubles, me dit-il, vous m'appelez.

Je glisse la carte dans mon sac à main.

— Je n'y manquerai pas.

Et tandis que Russell encaisse mes achats, je ne peux m'empêcher de penser qu'il y a dans cette boutique autre chose que j'aimerais bien ramener chez moi. Or quand je veux quelque chose, je fais tout ce qu'il faut pour l'avoir.

54

Étape 5 :
Tenter de trouver le bonheur ailleurs

Six mois plus tôt

Je suis peut-être en train de tomber amoureuse.

J'ai essayé de tomber amoureuse de Douglas. Vraiment. Je pensais que ça viendrait. Je pensais qu'il changerait, de la même façon que j'ai changé quand j'ai décidé de prendre ma vie en main. Douglas ne se rend pas compte qu'il pourrait être génial s'il prenait la peine de s'occuper de lui, s'il consentait ne serait-ce qu'à une petite chirurgie esthétique ou s'il faisait redresser sa dent de travers (pour l'amour de Dieu, quel multimillionnaire se promène avec des dents imparfaites ? Il se croit en Angleterre ou quoi ?).

Seulement voilà, Douglas n'en a rien à fiche de tout ça. Il se moque éperdument d'être l'homme qui correspond à mes désirs. Il veut être lui-même, et basta.

Russell, en revanche…

Même si on couche ensemble depuis six mois, je ne peux pas m'empêcher de le contempler de l'autre côté de la table, cet homme-là. Son épaisse crinière couleur chocolat noir, courte sur les côtés mais assez longue sur le dessus pour friser juste ce qu'il faut, et ses épais sourcils puissants. Je n'avais jamais qualifié une paire de sourcils de « puissants » auparavant, mais je vous jure que cet homme pourrait mettre toute une pièce sous ses ordres rien qu'avec ses sourcils. C'est ce que je préfère dans son physique. Cela dit, pour être honnête, j'aime tout chez lui.

Sauf son compte en banque.

La serveuse s'approche de notre table, un sourire jusqu'aux oreilles. Dans un restaurant aussi cher, le personnel de service est toujours d'une affabilité inébranlable. Douglas déteste les endroits comme celui-ci. « Je n'aime pas qu'on tourne tout le temps autour de moi. »

— Puis-je vous proposer un dessert ? nous demande la serveuse. Nous avons un incroyable gâteau au chocolat sans gluten.

— Non, merci, répond Russell.

Je hoche la tête, approbatrice. On ne commande jamais de dessert. Comme moi, Russell prend bien soin de lui. Il va à la salle de sport plusieurs fois par semaine et son corps est tout en muscles sculptés, avec à peine une petite bedaine, inévitable à cet âge-là. Tant pis pour Marybeth si elle ne l'apprécie pas à sa juste valeur. Elle ne prend même pas la peine de teindre ses cheveux blonds : d'ici quelques années, elle sera grise comme une mule.

Par-dessus la table, Russell me prend la main. Étant donné que nous sommes en public et tous les deux mariés, c'est complètement déplacé. Pourtant, au cours des dernières semaines de notre relation torride, nous avons un peu oublié la prudence. Une partie de moi a presque envie qu'on se fasse prendre. Parce que, pour la première fois de ma vie, je suis amoureuse.

Si Douglas veut divorcer, j'empoche mes dix millions et je m'en vais.

— J'aimerais ne pas avoir à retourner au travail, murmure Russell.

— Tu pourrais peut-être arriver en retard ? je suggère.

Un sourire se dessine sur ses lèvres. J'adore son empressement. Douglas n'a pas été comme ça depuis que nous sommes mariés, et même avant, il n'a jamais été aussi doué au lit que Russell. Il n'avait tout simplement pas autant… d'endurance.

Au début, on réservait des chambres d'hôtel pour nos ébats, mais ces derniers temps, Douglas ne vient plus que rarement à notre penthouse, alors j'y emmène Russell et voilà. Il passe par l'entrée de derrière, où je sais avec certitude qu'il n'y a pas de caméras, ce qui nous évite les yeux inquisiteurs du portier.

— Je ne devrais pas, dit-il. On a beaucoup de monde au magasin en ce moment.

— Ce n'est pas justement à ça que servent les vendeurs ?

En général, Russell a un vendeur qui travaille au magasin, mais il aurait sans doute les moyens d'en embaucher un de plus, vu comme je fais tourner son magasin avec mes achats. Pour être honnête, j'adore absolument tous les beaux meubles anciens que j'y ai achetés. Russell a un goût impeccable. S'il avait de l'argent, il saurait comment bien le dépenser, lui.

— Pourquoi pas ce soir ? suggère-t-il.

— Et Marybeth ?

Ses lèvres se retroussent sur une expression de dégoût, comme chaque fois qu'on évoque sa femme. C'est un sujet qui nous a rapprochés, lui et moi : le dégoût similaire que nous inspirent nos conjoints respectifs.

— Je lui dirai que je reste encore tard au travail.

La serveuse revient avec l'addition et je lui tends ma carte Platinum. C'est toujours moi qui paie lorsque nous allons dans des restaurants chics, car même s'il n'aime pas l'admettre, Russell est un peu juste niveau finances. Mais ça ne me dérange pas. Je ne l'aime pas pour son argent, j'en ai plein à moi, de toute façon.

— Je vais compter les secondes jusqu'à ce soir, murmure Russell.

Sous la table, ses doigts remontent le long de ma jupe et je sens mon souffle s'accélérer un peu.

— Russell, je glousse doucement. Pas ici. Il y a des gens partout.

— Je ne peux pas m'en empêcher quand je suis avec toi.

— Russell…

Le plaisir lié à ce que me fait mon amant sous la table est interrompu par la serveuse qui s'éclaircit la voix. Elle a ma carte Platinum à la main.

— Je suis vraiment navrée, mais ça n'a pas marché. La transaction a été refusée.

Je lève les yeux au ciel.

— Vos machines ne fonctionnent pas. Veuillez réessayer.

— J'ai essayé trois fois.

Je laisse échapper un soupir. Mon Dieu, les employés des restaurants sont bien gentils, mais parfois d'une incompétence crasse. Pas étonnant qu'ils gagnent leur vie à faire serveurs. Je fouille dans mon sac et sors ma Visa.

— Essayez celle-ci.

Sauf qu'une minute plus tard la serveuse revient avec la deuxième carte.

— Celle-ci a été refusée aussi, m'informe-t-elle.

Et d'un ton qui n'est pas aussi poli que pendant le repas. À la table d'à côté, les gens commencent à nous reluquer.

Je ne sais pas ce qui se passe. Je suis mariée à Douglas Garrick. Mon crédit est illimité. C'est à l'évidence un problème qui vient de leur côté, or personne d'autre que moi ne voit sa transaction refusée, apparemment.

— Essayez ma carte, intervient Russell, qui sort la sienne de son portefeuille et la tend à la serveuse.

Pendant que celle-ci file s'exécuter, je lui lance un regard d'excuse.

— Je suis vraiment désolée. Je ne sais pas ce qui se passe.

— Pas de problème.

Il n'empêche qu'il n'a pas du tout les moyens de dîner dans un restaurant comme celui-ci. Ce n'est pas le genre d'endroit où nous serions allés si nous avions su qu'il devrait payer. Enfin, il n'y a pas d'autre solution à ce stade.

La carte de crédit de Russell passe sans problème. Quelque chose cloche avec les miennes. Aurions-nous des problèmes financiers dont je ne suis pas au courant ? Les gens comme nous n'ont pas de soucis de cartes de crédit. Mais la vérité, c'est que je ne suis pas au courant des finances de notre ménage. J'ai mes cartes de crédit et je les utilise sans réfléchir.

Je vais devoir en discuter avec Douglas ce soir.

55

Je n'arrête pas d'appeler Douglas, il ne décroche pas. Je lui ai également envoyé de nombreux SMS auxquels il n'a pas répondu.

Je ne sais pas ce qui se passe. J'ai essayé mes cartes de crédit dans un autre magasin, elles ont encore été refusées. Ça ne venait donc pas du restaurant.

J'ai appelé la banque, histoire d'aller au fond des choses. Et on m'a révélé quelque chose de sidérant : mes cartes ont été annulées. Toutes mes cartes.

Je finis par décider de me rendre à notre maison de Long Island pour parler à Douglas. Notre appartement en ville a beau être magnifique, rempli désormais de meubles anciens, il préfère la maison. Il dit qu'il aime le calme. Qu'il dort mieux sans le concert incessant des Klaxons et des sirènes de la ville, qu'il apprécie le bon air. Pourtant Long Island est d'un ennui mortel. Il n'y a absolument aucune occupation, là-bas, et nulle part où faire un minimum de shopping.

Quand j'arrive à la maison, elle est vide. Je prends conscience que je ne suis pas venue ici depuis plus d'une semaine, alors que Douglas y dort presque toutes les nuits. Il faut croire que mon mari et moi, on a pris quelques distances, récemment. On n'a plus de rapports sexuels qu'une fois par mois, quand on essaie de concevoir un enfant.

La maison est propre, au moins – lorsque j'ai franchi la porte, je m'attendais à trouver des boîtes de pizza à moitié vides et des chaussettes sales sur le canapé, tellement Douglas peut être flemmard parfois. Le salon est... douillet, c'est le mot qui me vient. Douglas s'est débarrassé du canapé blanc que j'avais choisi et l'a remplacé par un bleu foncé aux coussins un peu défraîchis. Je m'y assieds en attendant qu'il rentre, et je dois admettre que ce divan est confortable, malgré son incroyable laideur.

Vers 21 heures, enfin, j'entends le bruit de la porte du garage qui s'ouvre. Je me redresse sur le canapé, puis décide de me lever. Ça va être le genre de conversation pour laquelle il faut se tenir debout. Je le sens.

Douglas entre par l'arrière une minute plus tard. Il est encore plus échevelé que d'habitude, avec des cernes sous les yeux. Sa cravate lui pendouille autour du cou et, quand il me voit dans le salon, il s'arrête net.

— Tu as annulé mes cartes de crédit, je lâche entre mes dents serrées.

— Je me demandais jusqu'où il faudrait aller pour te faire venir ici.

Il prend ça pour une blague ou quoi ?

— Je voulais payer mon déjeuner et ma carte a été refusée. Je n'avais aucun moyen de régler. Tu te rends compte ?

Douglas entre dans le salon en tirant sur sa cravate pour l'enlever complètement.

— Quoi ? Russell n'avait pas sa carte ?

Ma mâchoire se décroche.

— Je...

Il jette sa cravate sur le canapé.

— Je ne comprends pas pourquoi tu es si surprise. Tu crois que tu peux te promener partout en ville, bécoter un autre gars sans que je l'apprenne ? Tu crois que tu peux payer une chambre d'hôtel avec ma carte de crédit et que je n'en saurai rien ? Tu me prends pour un idiot fini ?

— Je... je suis désolée.

Mon cœur bat la chamade. Je n'ai jamais entendu Douglas parler comme ça, mais en même temps, une partie de moi se réjouit qu'on ait cette conversation. J'en ai assez d'être mariée à Douglas Garrick. Je suis contente qu'on mette tout ça sur la table.

— Je ne voulais pas que ça se passe de cette façon.

Il me regarde avec dégoût.

— Oh, s'il te plaît. Tu n'as pas trouvé mieux ? Le mari de Marybeth, en plus ? Comment as-tu pu, Wendy ? Marybeth est pratiquement de la famille.

De sa famille à lui, peut-être. Moi, je n'ai jamais apprécié cette femme, même avant de coucher avec son mari. Et maintenant que je suis au courant de sa nullité auprès de Russell, je la déteste encore plus.

— Est-ce qu'elle le sait ?

Il secoue la tête.

— Je ne peux pas lui faire ça. Ça la détruirait. Évidemment, ce détail te passe au-dessus, ajoute-t-il avec un ricanement.

— Ce n'est pas comme si on filait le parfait mariage, Douglas, lui fais-je remarquer. Tu le sais aussi bien que moi.

Mon commentaire lui fait perdre un peu de son assurance. Ses yeux bruns s'adoucissent. Au fond, mon mari est un peu chiffe molle. C'est pour ça que je l'ai épousé, d'ailleurs. Je savais qu'il me donnerait tout ce que je voulais.

— Je pense qu'on devrait aller voir un conseiller conjugal, dit-il. J'ai trouvé un thérapeute hautement recommandé. Je sais que je suis très occupé, mais je vais dégager du temps pour ça. Pour nous.

Je m'imagine avec Douglas dans le bureau d'un thérapeute, à discuter de la myriade de problèmes qui s'ajoutent à nos ambitions complètement différentes dans à la vie.

— Je ne sais pas...

— Wendy. (Il s'approche de moi et prend ma main dans la sienne. Je le laisse faire un instant, sachant que je la lui reprendrai d'ici quelques secondes.) Je ne veux pas renoncer à nous. Tu es ma femme. Et même si on rencontre quelques difficultés dans ce domaine, je veux que tu sois la mère de mes enfants.

Je comprends alors que c'est maintenant, le moment où je dois me montrer honnête avec lui. Je dois arracher le pansement d'un coup, sinon je ne serai peut-être jamais libérée de cet homme. Et puis, après tout ce temps, il mérite la vérité.

— En fait, je ne peux pas avoir d'enfants.

Finalement, c'est lui qui lui retire sa main le premier.

— Quoi ? De quoi tu parles ?

— Il y a des années, j'ai eu une infection qui a détruit mes trompes de Fallope, je lui avoue.

J'avais vingt-deux ans. Je souffrais d'horribles douleurs dans la région pelvienne, et les médecins ont compris trop tard que l'infection était restée asymptomatique, entretemps elle s'était propagée à mes trompes. La douleur était si forte que j'ai subi une procédure laparoscopique pour effacer certaines des cicatrices, et on m'a annoncé dans la foulée que je ne pourrais jamais concevoir un enfant naturellement. « Il y a une petite chance que vous puissiez tomber enceinte grâce aux techniques de procréation médicalement assistée, mais même ainsi, c'est extrêmement improbable en raison des cicatrices qui restent », m'a-t-on dit.

Une annonce dévastatrice, sur le moment. À l'époque, j'ai maudit cette malchance. Même si j'avais grandi dans la pauvreté, je rêvais de fonder un jour un foyer avec des enfants, d'en remplir ma maison comme l'avaient fait mes parents. J'ai pleuré pendant vingt-quatre heures sans m'arrêter lorsque j'ai appris la nouvelle.

Avec les années, toutefois, j'ai découvert que c'était une bénédiction. J'ai vu tant de mes amies prisonnières de leurs enfants, la vitesse avec laquelle les gamins vident vos comptes en banque. J'ai compris que j'avais de la chance de ne pas en avoir. Au fond, cette infection était la meilleure chose qui me soit arrivée.

Douglas secoue la tête.

— Je ne comprends pas. Tu veux dire que pendant tout ce temps, tu savais que tu ne pourrais jamais tomber enceinte ?

— C'est exact.

Il s'écroule sur son canapé confortable, le regard vide.

— Ça fait des années qu'on essaie. Tu n'as jamais dit un mot là-dessus. Je n'en reviens pas que tu m'aies menti comme ça.

Je l'ai contrarié, mais c'est pour le mieux. Comme je l'ai dit, mieux valait arracher le pansement d'un coup.

— Je savais que tu ne voudrais pas l'entendre.

Il lève vers moi ses yeux légèrement humides.

— Bon, mais pourquoi ne pas adopter alors ? Ou…

Oh, Seigneur, la dernière chose dont j'aie envie, c'est de m'occuper de gosses pondus par quelqu'un d'autre.

— Je ne veux pas d'enfants, Douglas. Je n'en ai jamais voulu. Ce que je veux, c'est en finir avec ce mariage.

Sa mâchoire inférieure tremblote. Il a toujours son double menton. Tout le temps qu'a duré notre mariage, je n'ai pas réussi à l'aider à s'en débarrasser. J'avais cru que Douglas était une œuvre en construction, mais en fait je n'ai jamais progressé. Pas vraiment.

— Mais… je t'aime, Wendy. Tu ne m'aimes pas ?

— Plus maintenant. (C'est plus gentil que de lui dire que je ne l'ai jamais aimé.) Je ne veux plus être avec toi. Je ne te respecte plus et nous ne voulons pas la même chose. Mieux vaut nous séparer.

Quand j'aurai mes dix millions de dollars, je n'aurai plus à m'inquiéter qu'il annule ma fichue carte de crédit. Je serai indépendante. Russell pourra quitter sa femme et nous ferons tout ce que nous voudrons.

Douglas se lève difficilement.

— Bien. Tu veux en finir avec ce mariage ? D'accord. Mais tu n'auras pas un centime de mon argent.

Malheureusement, ce n'est pas à lui de décider. Il veut me punir, seulement je connais mes droits.

— Le contrat de mariage m'accorde dix millions de dollars. Je ne demanderai pas plus.

Les prunelles brunes ont perdu leur aspect vitreux, elles sont maintenant acérées et concentrées sur mon visage comme un rayon laser.

— Oui. Tu as droit à dix millions de dollars si on divorce. Mais le contrat de mariage précise que si j'ai la preuve de ton infidélité, tu ne toucheras rien.

Je repense à cette épaisse liasse de documents que Joe m'a remise avant le mariage. J'avais envisagé de les confier à un avocat, mais je voyais écrit noir sur blanc que je recevais dix millions en cas de divorce. Je ne voulais pas gaspiller des milliers de dollars que je n'avais pas pour engager un avocat.

— Je serai heureux de te montrer la clause qui le stipule, ajoute Douglas avec un sourire aux lèvres. C'est écrit en toutes lettres à la page 178. Je ne sais pas comment tu as pu manquer ça.

Mes mains se crispent et deviennent deux poings.

— Joe m'a piégée. Depuis le début, il a fait en sorte que tu te méfies de moi.

Douglas déboutonne son col.

— Non, le contrat de mariage était mon idée. Tout comme la clause sur l'infidélité. Je lui ai demandé d'agir comme si ça venait de lui, pour que tu ne sois pas en colère contre moi. Je voulais que tu me fasses confiance. Même si moi, je ne te faisais pas confiance.

Je dévisage mon mari, de plus en plus furibonde.

— Tu ne peux pas ajouter de clause sans me le dire. C'est… c'est de la malhonnêteté.

Il hausse les sourcils.

— Oh, tu veux dire comme quand tu as omis de me signaler que tu ne pourrais jamais tomber enceinte ?

Ma poitrine est oppressée. J'ai du mal à respirer. Douglas parle toujours de l'air, prétendument meilleur ici, mais je ne le sens pas.

— Très bien, je lâche. Mais bonne chance pour prouver que je t'ai été infidèle.

Même si ça va me tuer, je vais cesser de voir Russell pendant un moment. Je ne peux pas fournir à Douglas la moindre chance de prouver mon infidélité.

— Oh, ne te tracasse pas. J'ai déjà des photos, des vidéos… tout ce qu'il faut.

Je pousse un petit cri.

— Tu as engagé un détective pour m'espionner ?

Le regard qu'il rive sur moi est rempli de venin.

— Il m'a suffi de poser quelques caméras discrètes dans notre propre appartement. La discrétion, ça te dit quelque chose ?

Zut. On n'aurait jamais dû être aussi imprudents. Si seulement j'avais su...

— Tu pourras peut-être récupérer ton ancien travail, conclut Douglas d'un air pensif. C'était quoi, au fait ? Tu ne bossais pas dans une boutique de chez Macy's ? Ça a l'air sympa.

Je déteste cet homme. J'ai ressenti beaucoup d'émotions pour lui au cours des trois dernières années, mais je n'ai jamais éprouvé ce genre de haine pour personne de toute ma vie. D'accord, je n'ai pas été entièrement honnête avec lui. Mais me laisser sans le sou ? C'est vraiment un sadique.

— Dans ce cas, je ne divorcerai pas, je lance. Je ne signerai pas les papiers. Tu ne me feras pas sortir de ta vie.

— Bien, dit-il avec un calme exaspérant, mais tu ne récupéreras pas tes cartes de crédit. Et tous les comptes bancaires sont à mon nom. Je te coupe les vivres.

Je n'aurais pas imaginé que Douglas ait cette énergie en lui. Enfin, je suppose qu'on ne devient pas PDG d'une si grande entreprise sans une bonne paire de couilles.

— Tu peux rester au penthouse, ajoute-t-il. Pour l'instant. Mais d'ici quelques mois, je le mettrai en vente. Tu décideras à ce moment-là de ce que tu veux faire.

Sur ces mots, il tourne les talons et sort du salon. Sa cravate est toujours sur le canapé, et une partie de moi est tentée de l'attraper, de la lui enrouler autour du cou et de l'étrangler avec.

Je ne le fais pas, bien sûr, même si l'idée est terriblement séduisante.

Parce que si Douglas divorce avec la preuve de mon adultère, je n'aurai rien. En revanche, s'il est mort, son testament m'attribue tout ce qu'il a.

56

Étape 6 :
Trouver comment transformer votre mari
en un homme qui mérite de mourir

Quatre mois plus tôt

— Douglas menace de mettre le penthouse en vente, j'annonce à Russell. Je ne sais pas quoi faire.

Nous sommes allongés ensemble dans le gigantesque lit *king size* de la chambre principale. Comme j'ai d'abord paniqué à l'idée de revenir ici après avoir appris de la bouche de Douglas qu'il avait installé des caméras, j'ai engagé un expert pour les trouver et les désactiver. Il n'était pas question que je renonce à vivre dans cet appartement ; après tout, il est autant à moi qu'à Douglas. C'est moi qui ai choisi ce lit, alors que je peux probablement compter sur les doigts de la main le nombre de fois où Douglas a dormi dedans. Il n'a jamais aimé le penthouse. Russell, par contre, s'en est complètement entiché. Il l'aime autant que moi.

Hélas, même si je touchais les dix millions de dollars, je ne pourrais pas rester ici. Et sans cet argent, c'est un rêve ridicule.

Russell fait courir ses doigts sur mon ventre nu.

— Il ne le fera pas. S'il vend l'appartement, tu devras aller vivre avec lui. Et ce n'est pas ce qu'il veut.

J'ai envie de lever les bras au ciel.

— Qui sait ce qu'il veut ? Mais qu'est-ce que je peux faire ?

Il essaie de me punir, c'est tout. Mon mensonge, le fait que je l'aie laissé croire que j'essayais de tomber enceinte, l'a clairement poussé à bout. Il veut me faire souffrir en punition de mes péchés.

— Tu pourrais divorcer quand même, suggère Russell. Et être avec moi. Je quitterais Marybeth.

— Mais on serait sans le sou !

Il semble vexé par ma réaction.

— Non, Wendy. J'ai mon magasin. Et tu pourrais aussi trouver quelque chose. Nous ne serions pas sans le sou.

Parfois, j'ai l'impression que Russell et moi sommes faits l'un pour l'autre, mais d'autres fois, le voilà qui me sort ce genre de choses.

Pour l'instant, j'attends que ça passe. Une fois que Douglas et moi aurons divorcé, ce sera fini, je n'aurai plus aucun droit sur son argent. Alors tous les jours, je croise les doigts pour qu'il se fasse renverser par un bus en traversant une rue. Ça arrive tout le temps en ville. Pourquoi ça ne pourrait pas arriver à mon mari pour une fois ?

— Si seulement il pouvait mourir… Avec la quantité de gras qu'il mange, il aurait déjà dû mourir d'une crise cardiaque.

— Il n'a que quarante-deux ans, me fait remarquer Russell.

— Des tas d'hommes meurent de crise cardiaque à la quarantaine, je réplique. Douglas prend même des médicaments pour le cœur. Donc oui, ça pourrait arriver.

— Espérer que Douglas meure d'une crise cardiaque n'est pas un plan très solide pour l'avenir.

Contrairement à moi, Russell n'a pas l'air d'aimer fantasmer sur la mort de Douglas. Sans doute parce qu'il ne le connaît pas comme moi.

— Il doit y avoir un moyen de se tirer de ce problème de contrat de mariage, je reprends. Douglas est un connard et un sadique, il doit payer pour la façon dont il me traite. Il devrait exister un moyen de punir les maris qui traitent leur femme de cette façon. Me couper les vivres et menacer de me prendre mon foyer… ça s'apparente à de la maltraitance, pour ainsi dire.

Alors que je prononce ces mots, quelque chose me revient vaguement en mémoire. Une histoire que mon amie Audrey m'a racontée il y a des années. À propos d'une sorte de gouvernante qui prend la défense des femmes maltraitées par leur mari.

« Elle est hard-core, je te prie de me croire… Si elle pense qu'un gars fait du mal à une femme, elle est capable d'à peu près tout pour mettre fin à la situation. »

Je ferme les yeux pour tâcher de me rappeler le nom de la femme. Et puis ça me revient : *Millie*.

Douglas n'est pas cruel à la façon du mari de Ginger, il n'est pas violent physiquement. Mais il n'en est pas moins méchant et manipulateur. La violence, ce n'est pas nécessairement physique : mon mari qui me jette hors de chez moi et me laisse sans le sou, ça n'est pas aussi brutal que de me casser un os ?

Cette femme de ménage, est-ce qu'elle serait d'accord avec moi ? Je ne sais pas. Il faudrait peut-être la persuader.

Mais… si elle voyait un homme me traiter très, très mal, et qu'elle croyait qu'il s'agit de mon mari ? Bien sûr, ça ne pourrait pas être Douglas, vu comme il m'évite. Et puis, Douglas ne lèverait jamais la main sur moi, même si je le provoquais. Mais cette Millie ne sait pas qui est mon mari. Douglas a méticuleusement nettoyé Internet de toute photo de lui. Si Millie voyait un homme me gifler, ça lui donnerait une bonne motivation pour m'aider. Si cet homme se comportait suffisamment mal, je pense même que je ne pourrais pas l'empêcher d'intervenir.

Lentement, un plan prend forme dans ma tête.

57

Quelques semaines plus tôt

Quand je me regarde dans le miroir, je manque de pousser un hurlement.

Mon visage ressemble à un cauchemar, couvert de coquards violacés mélangés à d'autres hématomes qui virent plutôt au jaune. C'est douloureux rien qu'à regarder. Russell me contemple, impressionné, tandis que je mets la touche finale à ma pommette.

— Tu es une magicienne, Wendy. On dirait des vrais.

J'ai passé des heures à m'entraîner devant des vidéos sur YouTube, et maintenant, je suis l'une des expertes mondiales en matière de création d'ecchymoses réalistes. C'est vrai, on dirait vraiment que quelqu'un m'a flanqué une sévère raclée.

J'espère que Millie appréciera le temps investi dans ce chef-d'œuvre.

Dans l'ensemble, j'ai l'impression que Millie adhère plutôt bien à notre petit jeu. Et pardessus le marché, comme cuisinière et femme de ménage, elle est excellente. Elle a même réussi à me trouver des cucamelons à confire, mes fruits préférés. Je regrette vraiment ce qui va lui arriver.

Mais il n'y a pas d'autre solution.

— C'est presque parfait, conviens-je en rangeant ma palette à maquillage. Il manque juste un petit quelque chose.

Russell hausse un sourcil. Depuis l'arrivée de Millie, il joue le rôle de Douglas à la perfection. C'est incroyable : quand on combine le physique et la personnalité de Russell avec la richesse et le pouvoir de Douglas, on obtient vraiment l'homme idéal.

— Ah bon ? Moi, je trouve ça déjà parfait.

J'inspecte mon visage dans le miroir encore une fois. Parfait, ça n'est pas suffisant. Il faut que ce soit mieux que parfait. Si Millie soupçonne une seconde que c'est du maquillage, tout tombe à l'eau. Il faut que ce soit impeccable.

— Tu dois me cogner.

Russell rejette la tête en arrière et part d'un gros rire.

— Bien sûr. Bonne idée.

— Je ne plaisante pas. J'ai besoin que tu me fendes la lèvre. Il faut que ça ait l'air super réel.

Le sourire de Russell disparaît lorsqu'il comprend que je suis on ne peut plus sérieuse.

— Quoi ?

— Elle ne doit pas se douter que c'est du maquillage, j'insiste. Et je ne peux pas simuler une lèvre fendue avec mon matériel. Alors frappe-moi.

Russell me lance un regard horrifié et recule de quelques pas.

— Pas question que je te frappe au visage.

— Tu n'as aucune raison de te sentir mal, puisque c'est moi qui te le demande.

— Je n'ai jamais frappé une femme de ma vie.

Il a l'air presque au bord de vomir, ce qui m'amène à me demander s'il a vraiment le cran de mener notre plan à son terme. Il va devoir faire bien pire que me frapper au visage, si on veut aller au bout.

— Je ne vais pas te frapper, Wendy.

— Tu dois le faire.

— Je ne le ferai pas. Je ne *peux* pas.

Je suis tellement frustrée que je pourrais crier. Il croit que c'est une blague ou quoi ? J'ai quelques petites économies que j'ai mises de côté sur mon compte personnel, en prévision des jours de disette, plus un peu d'argent que j'ai gagné en vendant des bijoux et des vêtements. Mais j'ai utilisé cet argent pour les dépenses quotidiennes et pour payer Millie – un salaire extrêmement généreux. Une bonne partie est également passée dans l'achat d'une robe, que la police devra finalement soupçonner Douglas d'avoir offerte à Millie, tout comme un bracelet gravé très coûteux. Et bien sûr, j'ai rempli le placard de produits ménagers, que j'ai achetés au prétexte de terribles allergies, alors qu'en réalité c'était pour que le portier ne surprenne pas Millie en train de trimballer des flacons de nettoyant pour les sols et de cire pour les meubles.

Bref, le peu d'argent qui me reste ne va pas me durer très longtemps. Je dois en finir… sans tarder.

Raison pour laquelle j'ai besoin qu'il me cogne.

— Tu es pathétique, je lui crache. Je n'en reviens pas que tu ne sois même pas capable de faire ce petit truc-là pour moi. On a une chance de devenir riches, et toi, tu fous tout en l'air.

— Wendy…

Je lui ricane au nez.

— Pas étonnant qu'à la quarantaine tu ne sois que vendeur de meubles. C'est pathétique.

— Ça suffit, Wendy, siffle Russell entre ses dents.

Il a serré le poing droit. Sa carrière, c'est un sujet sensible pour lui. Je le sais. Il a toujours rêvé de devenir un homme d'affaires prospère, et son magasin de meubles anciens est très loin de ce rêve. Je pourrais l'aider à obtenir beaucoup mieux, je pourrais le transformer en l'homme qu'il aspire à être. L'homme qu'il mérite d'être.

Il faut juste qu'il me frappe.

— Quel loser ! je continue. Qu'est-ce que tu vas faire quand le magasin fera faillite ? Te dégoter un boulot chez McDonald's et saler les frites ?

— Assez ! Arrête !

— Tu veux que je m'arrête ? Alors frappe-moi !

Avant que je ne comprenne ce qui se passe, une douleur intense explose sur le côté gauche de mon visage. Avec un hoquet, je titube de quelques pas en arrière et me rattrape au porte-serviettes. L'espace d'une seconde, je vois des étoiles.

C'est le cri d'angoisse de Russell qui me tire de ma torpeur.

— Wendy ! Bon sang, pardon, pardon !

Il a l'air à deux doigts de fondre en larmes, pourtant il est loin d'être aussi mal en point que mon visage. Bon Dieu, il a frappé super fort. Je n'étais pas sûre qu'il ait ça en lui. Je porte une main à mon visage : j'ai du sang qui me coule du nez.

— Tu saignes, halète-t-il.

Il a attrapé des mouchoirs en papier et je fais de mon mieux pour contenir le flot de sang. Au bout de quelques minutes, j'ai l'impression que mon nez ne pisse plus. Enfin, presque plus.

Quand je lève les yeux vers Russell, je découvre ses épais sourcils froncés.

— Ça va ? Je suis vraiment désolé.

Dans la salle de bains, c'est le chaos. Mon sang a dégouliné partout par terre. Et il y a une empreinte de main ensanglantée sur le bord du lavabo, là où je l'ai agrippé quand je cherchais désespérément à faire cesser mes saignements de nez.

Oh, bon Dieu, c'est parfait !

58

Étape 7 :
Tuer le salaud

Nuit de l'assassinat de Douglas

Les engrenages de l'ascenseur grincent douloureusement. Douglas arrive.

C'est le moment. C'est ce à quoi nous œuvrons depuis des mois. Millie a quitté l'appartement il y a une heure, tremblante et convaincue qu'elle venait de tuer mon mari. La police va l'interroger. Elle va craquer et avouer ce qu'elle a fait. Et j'ai soigneusement placé des preuves destinées à les convaincre qu'elle a agi ainsi parce qu'elle avait une liaison avec Douglas. Je ne peux pas me permettre d'être impliquée.

Maintenant, il ne reste qu'une pièce du puzzle à placer. Nous devons tuer Douglas, pour de bon cette fois.

Russell attend dans la cuisine, cramponné à l'arme que Millie vient d'utiliser sur lui avec des balles à blanc – sauf que désormais, elles sont bien vraies. Il est prêt.

Les portes de l'ascenseur s'ouvrent et je me dirige vers le couloir pour accueillir mon mari une dernière fois. Je m'arrête net, surprise par son apparence. Il a perdu du poids depuis la dernière fois que je l'ai vu, des profonds cernes mauve foncé s'étalent sous ses yeux et son menton est piqué d'une barbe d'au moins deux jours.

— Tu as une mine affreuse, je lâche.

Douglas lève brusquement les yeux.

— Ravi de te voir aussi, Wendy.

J'écarte une mèche de cheveux de mon visage. J'ai pris soin de bien enlever tout le maquillage qui a servi pour mes faux hématomes après le départ de Millie.

— Je veux dire... Je veux dire, tu as l'air... fatigué.

Il pousse un long soupir torturé.

— Je travaille vingt-quatre heures sur vingt-quatre sur une nouvelle mise à jour du logiciel. Et puis, tu m'appelles pour me supplier de venir ici pratiquement au milieu de la nuit.

— Tu les as apportés ?

Douglas me montre la mallette en cuir râpé qu'il trimballe toujours avec lui.

— J'ai les papiers du divorce. J'espère que tu es prête à les signer.

Pas exactement. Mais ça, il n'a pas besoin de le savoir.

Je précède Douglas au salon. Mon corps se crispe, car j'attends que Russell jaillisse de la cuisine et tire sur mon mari à bout portant, en pleine poitrine. Il est censé le faire pile au moment où nous entrons dans la pièce. C'est-à-dire... maintenant.

Merde.

Douglas réussit à atteindre notre canapé sans se faire assassiner par mon amant. Je suis assez déçue. Il s'enfonce dans les coussins et pose la mallette sur la table basse.

— Finissons-en, marmonne-t-il.

Non, pas encore. Je ne l'ai pas attiré ici pour signer des papiers de divorce. C'est même le contraire de ce pour quoi je veux l'avoir là. Sauf que Russell ne se montre pas. Je ne le vois pas, et je ne l'entends pas. Qu'est-ce qui se passe ?

— Je peux t'offrir quelque chose à boire ? je demande et, comme il semble sur le point de refuser, je me hâte d'ajouter : Je vais te chercher de l'eau.

Avant que Douglas ne puisse protester, je détale à la cuisine, l'abandonnant sur le canapé avec les papiers du divorce. Je suis absolument furieuse. Jusqu'à présent, tout s'est passé exactement comme je l'avais prévu. Il ne reste plus qu'une chose à faire. Russell doit tuer Douglas.

Sauf que quand j'arrive dans la cuisine, le pistolet est posé sur le plan de travail. Russell est recroquevillé dans un coin, en pleine crise de panique, on dirait. Ses mains gantées de cuir agrippées au comptoir, il respire trop vite, il est blanc comme un linge.

— Russell ! je lui siffle. Qu'est-ce que tu attends, bon sang ?

Toute la soirée, il s'est montré particulièrement pénible. Déjà, avant que Millie n'arrive, il a menacé de faire marche arrière, en m'énonçant une longue liste de points d'inquiétude. « Tu es sûre que c'est sans danger de se faire tirer dessus avec une arme à blanc ? Ce n'est pas comme ça que Brandon Lee est mort ? Et si elle me poignarde à la place ? »

J'ai fini par réussir à le convaincre de jouer la scène où il fait semblant de m'étrangler. Et puis, comme Millie lui a tiré dessus avec un pistolet à blanc et qu'il n'est pas mort, j'ai pensé qu'on avait franchi le cap, que le plus dur était fait. Mais apparemment non, et maintenant, il a même l'air d'avoir du mal à respirer. Son front est en sueur et ses sourcils puissants se sont rejoints au milieu de son front.

— Je ne peux pas le faire, halète-t-il. Je ne peux pas le tuer, Wendy. S'il te plaît, ne me force pas à le faire.

Il plaisante, là ? Ça fait des mois qu'on prépare ça ensemble. On a pris soin de toujours entrer par la porte de derrière et de planter le décor exactement comme il fallait. Je quitte à peine l'appartement, de peur de tomber sur Millie, et j'ai consacré toute mon énergie à lui faire croire que Douglas vivait toujours ici. J'ai même acheté un tas de vêtements d'homme pour qu'elle les lave. (Même que le premier jour, j'ai bêtement oublié de tout déplier. Elle a dû nous prendre pour une bande de psychopathes qui plient leur linge sale.) J'ai dépensé énormément de temps et d'énergie à élaborer cette mise en scène.

Et le voilà, lui, sur le point de tout gâcher.

— Tu es absolument ridicule, je lui lance entre mes dents. Qu'est-ce qui ne va pas chez toi ? C'est le plan qu'on met au point depuis le début ! Qui nous permettra d'avoir enfin tout ce qu'on veut.

— Je ne veux pas de ça ! me répond-il d'une voix qui s'apparente à un chuchotement plein d'urgence. Je veux juste être avec toi. Et on peut encore y arriver. (Il traverse la cuisine et essaie de me passer les mains autour de la taille.) Écoute-moi, on n'est pas obligés de faire ça. On peut partir, là, maintenant. Tu quittes Douglas, je quitte Marybeth, et on peut être ensemble. On n'est pas obligés de le tuer.

Je refuse son étreinte, furieuse contre lui. Je pensais que Russell voulait les mêmes choses que moi, mais là, je n'en suis plus si sûre. Parce que si c'était le cas, mon mari aurait déjà une balle dans le caisson, à l'heure où on parle.

— Sauf qu'on n'aura rien. C'est le seul moyen, Russell.

— Je ne veux pas faire ça. (Il pleurniche, maintenant.) Je ne veux pas le tuer, Wendy. S'il te plaît, ne m'oblige pas. S'il te plaît...

Oh, Seigneur !

Je suis dans cette cuisine depuis bien trop longtemps. Douglas va commencer à se demander ce qui me prend autant de temps et venir voir ce qui se passe. Pire, il pourrait entendre Russell paniquer. Je n'ai pas le temps de convaincre Russell. Je dois m'en occuper moi-même.

Je prends sous l'évier une paire de gants en caoutchouc jetables que Millie utilise pour nettoyer la cuisine. Je les enfile, puis je verse son dernier verre d'eau à mon mari. J'attrape le pistolet et, après avoir hésité une seconde, je le glisse dans la poche de mon gilet. Les poches sont grandes, le pistolet y tient parfaitement – à croire que, lorsque j'ai mis ce gilet, je savais que j'allais devoir m'acquitter de la tâche parce que Russell se transformerait en chiffe molle et manquerait de tout gâcher.

Au salon, Douglas est toujours sur le canapé, en train de feuilleter la liasse des papiers qui constituent notre accord de divorce. Ça fait longtemps qu'il me demande de les signer et que je refuse. Je savais que ma capitulation le ferait accourir ici.

De ma main libre, je tâte le pistolet dans la poche de mon gilet. Il est lourd, son poids déforme légèrement le tissu. Aucune raison d'attendre. Je pourrais le sortir maintenant et tirer. Mais non. J'ai besoin de lui tirer dessus de face. Pour qu'on croie que Millie l'a tué de sang-froid.

Et aussi, une partie de moi veut voir son visage, le moment venu. Qu'il comprenne à quoi ça mène de s'en prendre à moi. Il a essayé de tout me confisquer et de me laisser sans ressources, eh bien, il va récolter ce qu'il a semé.

Je pose le verre d'eau sur la table basse, rapidement, pour qu'il ne remarque pas que je porte des gants en caoutchouc, puis je replonge les mains dans mes poches. C'est Millie qui a rangé cette vaisselle, donc il y aura ses empreintes partout sur le verre. C'est trop parfait.

— J'ai un stylo quelque part, marmonne Douglas en fouillant dans sa vieille mallette. (Au bout d'un moment, il en sort un stylo à bille.) Ah, le voilà.

J'ai la main serrée sur le revolver dans ma poche.

— Bon, d'accord. Finissons-en, comme tu dis.

Douglas s'apprête à me tendre les papiers, mais se ravise. Ses épaules s'affaissent.

— Je ne veux pas que ça se finisse comme ça, Wendy.

Je le dévisage, les sourcils froncés.

— Qu'est-ce que ça veut dire ?

— Ça veut dire… (Il jette les papiers du divorce sur la table basse.) Je t'aime, Wendy. Je ne veux pas divorcer, ça me rend malade, tout ça. Je me fiche de ce qui s'est passé… Je suis prêt à recommencer du début. Juste toi et moi.

Une expression pleine d'espoir s'est peinte sur son visage. Je dois admettre que l'idée est séduisante. On a eu beau planifier les événements de ce soir, il n'y a aucune garantie que Russell et moi nous en tirions sans être accusés de meurtre. Mon plan initial était de passer ma vie avec Douglas et, bien que je n'aie pas réussi à le façonner à ma guise, tout n'est pas à jeter chez lui. Et surtout, on aura une fortune incommensurable. On peut être heureux auprès de n'importe qui, avec assez d'argent.

— Peut-être… consens-je.

Un sourire effleure ses lèvres et les cercles violets sous ses yeux s'éclairent un peu.

— J'aimerais vraiment beaucoup. J'aimerais prendre un tout nouveau départ.

— De quelle manière ?

— D'abord, je veux me débarrasser de tout ça, commence-t-il en balayant des yeux notre spacieux appartement. On n'a pas besoin de cet endroit gigantesque, ni même de l'immense maison de Long Island, si on n'est que tous les deux. Tout cet argent s'est mis en travers de notre mariage. On en a trop. (Il sourit timidement.) J'ai évoqué avec Joe l'idée de créer une fondation caritative avec ma fortune. Si on ne peut pas avoir d'enfants, il y a des tas de choses positives qu'on pourrait faire avec tout cet argent, non ? Dieu sait qu'on n'en a pas besoin, nous. Tu pourrais être partie prenante dans la fondation ? On bâtirait ça ensemble.

Est-ce qu'il a complètement perdu la tête ? Comment peut-il penser une seule seconde que c'est ce dont j'ai envie ?

— Douglas, je ne veux pas de ça. Je veux que notre vie redevienne comme avant.

Son visage s'assombrit.

— Mais tu n'étais pas heureuse avant. Tu m'as trompé. On était complètement déconnectés.

Je serre les dents.

— Et alors, tu penses qu'être pauvres nous rendra heureux ?

Il se frotte les genoux.

— Non, mais… Écoute, on ne sera pas pauvres. On ne sera juste plus multimillionnaires. Et je ne vois rien de mal à ça. Comme je te l'ai dit, je ne sais même pas pourquoi on a besoin de tout cet argent. Je n'en veux pas !

Voilà pourquoi Douglas et moi, on ne sera jamais heureux ensemble. Il ne comprend pas. Il ne sait pas ce que c'est que de voir les autres filles se moquer de toi et te demander si tu as trouvé ton manteau dans une poubelle. Il ne sait pas ce que c'est que d'avoir un père qui se blesse au dos et devient invalide, mais dont les indemnités ne sont pas suffisantes pour garder les lumières allumées, alors de temps en temps, on doit tout faire dans le noir, à la lampe de poche. Et même si tes sœurs se comportent comme si c'était un jeu, ça n'est pas le cas. Ce n'est pas un jeu. C'est juste être pauvre et ne rien avoir.

Douglas ne comprend pas ça. Il ne le comprendra jamais. On a enfin l'argent dont j'ai rêvé quand je faisais mes devoirs à la lumière d'une lampe de poche, et lui, il veut tout distribuer ! Ça me met tellement en colère que j'ai envie de l'étrangler de mes mains, comme Russell, quand il a fait semblant tout à l'heure avec moi, mais pour de vrai.

Sauf que je n'ai pas besoin de l'étrangler.

J'ai un pistolet dans la poche.

Je sors l'arme, d'une main étonnamment stable lorsque je la pointe sur la poitrine de mon mari. Ses yeux légèrement injectés de sang s'arrondissent. Il savait que les choses allaient mal, mais il ne savait pas que c'était aussi grave.

— Wendy, croasse-t-il. Qu'est-ce que tu fais ?

— Je pense que tu le sais.

Douglas baisse les yeux sur le canon de l'arme et son corps paraît rétrécir. Il secoue la tête presque imperceptiblement. J'aurais pensé qu'il allait me supplier de lui laisser la vie sauve, mais non. Il y a un air de résignation dans ses yeux.

— Est-ce que tu m'as jamais aimé ? finit-il par me demander.

La réponse à cette question le blesserait. En dépit de tout, je ne veux pas le briser dans les derniers instants de sa vie. Alors je me contente de répondre :

— Il ne s'agit pas de ça.

Je n'ai jamais tiré au pistolet, mais ça m'a toujours semblé évident. J'avais prévu que Russell s'en charge, seulement il est toujours recroquevillé dans la cuisine. C'est donc à moi de m'y coller.

Le coup de feu est beaucoup plus sonore que je ne l'aurais cru – une puissante détonation qui résonne encore dans la pièce, longtemps après le claquement initial. La force du recul me remonte le long du bras, jusque dans les épaules, projette mon cou et ma tête en arrière. Malgré tout, je reste bien ferme.

La balle atteint Douglas en pleine poitrine. C'est un bon tir, surtout pour une première fois. Avant qu'il ne meure, il s'écoule une seconde ou deux, qu'il passe à regarder le sang se répandre rapidement sur sa chemise blanche avant de comprendre ce qui arrive. Son visage se vide ensuite de ses couleurs et il s'effondre contre le canapé.

Ses yeux sont toujours entrouverts, révulsés dans leurs orbites, sa poitrine ne bouge plus.

— Je suis désolée, je chuchote. Vraiment. J'aurais aimé que ça fonctionne entre nous.

Mes oreilles sifflent encore quand Russell arrive en courant. Sa première réaction est de se plaquer une main sur la bouche, et moi, je me dis : « Pourvu qu'il ne vomisse pas partout par terre ». Parce que ça poserait vraiment un gros problème quand la police va débarquer.

— Tu l'as fait, halète-t-il. Je n'y crois pas, tu l'as fait.

Je me lève du canapé et dépose l'arme sur la table basse. J'enlève les gants en caoutchouc.

— Eh oui. Et si tu ne veux pas aller en prison, je te suggère de sortir d'ici tout de suite.

Russell a toujours l'air de peiner à contrôler sa respiration.

— Tu penses vraiment que tu peux mettre tout ça sur le dos de Millie ?

— Observe et apprends.

Partie III

59

Millie

Ma tête n'arrête pas de tourner.

J'éteins la télévision et je ferme les yeux une minute. Ça ne fait qu'un jour que j'ai tiré, que j'ai tué un homme par balle dans un appartement de l'Upper West Side, mais ce que je viens de voir a tout changé.

J'essaie de convoquer l'image de Douglas Garrick. Je vois clairement ses cheveux gominés, ses yeux marron enfoncés, ses pommettes saillantes. Je l'ai vu un nombre incalculable de fois au cours des deux derniers mois. Et cet homme, dans le reportage télévisé, n'était pas lui.

Du moins, je ne le pense pas.

Je sors mon téléphone et j'ouvre le navigateur internet. J'ai déjà effectué une recherche sur Douglas Garrick et si j'ai trouvé des articles sur son poste de PDG de Coinstock, jamais je n'ai vu de photos. Maintenant, des dizaines de liens apparaissent à l'écran et, quel que soit celui sur lequel je clique, c'est le même cliché qui apparaît.

Je scrute l'image sur l'écran de mon téléphone. Cet homme ressemble vaguement à celui que je connais, mais ce n'est pas lui. L'individu de la photo fait au moins dix ou quinze kilos de plus et son incisive gauche est de travers. Ses traits aussi sont légèrement différents – son nez, ses lèvres, son début de double menton. Bon, c'est vrai que certains ne se ressemblent pas sur leurs photos. Il est peut-être très retouché ?

Oui, au fond, c'est peut-être la même personne. Forcément. Non ? Parce que sinon, tout ça n'a aucun sens.

Oh, bon Dieu, j'ai l'impression de devenir dingue.

Peut-être que je deviens vraiment folle. Peut-être que si, j'ai bien eu une liaison secrète avec Douglas Garrick. Parce que ce policier, Ramirez, il avait quand même beaucoup de preuves. Et apparemment, Wendy Garrick l'a confirmé.

En revanche, je n'ai pas passé la nuit à l'hôtel avec Douglas (ou qui que soit l'homme que je pensais être Douglas). Et je peux le prouver. Parce que je suis rentrée en ville après avoir déposé Wendy. Et j'ai un témoin.

Enzo Accardi.

Jusqu'à présent, je suis restée réticente à l'idée de contacter Enzo, mais je n'ai plus le choix. Mon petit ami m'a lâchée, ce qui n'est pas entièrement une surprise, mais me fait tout de même bien souffrir. Je n'ai pas réussi à me rapprocher réellement des gens, ces quatre dernières années, tant je redoutais ce qu'ils penseraient de moi quand ils découvriraient mon passé. Et j'avais raison. À la seconde où Brock a entendu parler de mon séjour en prison, il est parti. Et je me retrouve là, sans personne dans mon camp. Sans personne qui croie en moi.

Sauf Enzo. Il me croira, lui.

Et dans le cas contraire, j'aurai la preuve ultime que je suis vraiment dans la mouise.

Je trouve le nom d'Enzo dans mes contacts, toujours là comme s'il m'attendait. J'hésite une fraction de seconde, puis je clique dessus.

La première sonnerie est à peine terminée qu'il décroche. J'éclate presque en sanglots au son de sa voix familière.

— Millie ?

— Enzo, je parviens à répondre, je suis dans le pétrin.

— Oui. J'ai vu les infos. Ton patron est mort.

— Et euh… (Je tousse dans ma main.) Y aurait moyen que tu passes me voir ?

— Donne-moi cinq minutes.

60

Millie

Quatre minutes plus tard, j'ouvre la porte à Enzo.

— Merci, je lui dis alors qu'il entre dans mon petit appartement. Je… je ne savais pas qui appeler d'autre.

— Brocoli est pas là pour t'aider ? raille-t-il.

Je baisse les yeux.

— Non. C'est fini.

Son visage se décompose.

— Je suis désolé. Je sais que tu l'aimais bien, ton Brocoli.

Vraiment ? Je l'aimais bien, oui, mais la vérité, c'est que chaque fois qu'il me déclarait son amour, ça me donnait la chair de poule. Ce n'est pas ce qu'on est censée ressentir pour son compagnon. Brock était presque parfait, pourtant je n'ai jamais pu tomber entièrement amoureuse de lui ; entre lui et moi, ça m'a toujours paru temporaire. Je suis sûre qu'il rendra une autre femme extrêmement heureuse, mais ça n'aurait jamais pu être moi.

— Je vais bien, réponds-je finalement. J'ai des problèmes plus importants en ce moment.

Enzo me suit dans l'appartement et nous nous asseyons sur mon futon miteux. Quand on vivait ensemble, lui et moi, notre canapé était à peine mieux que celui-ci. Mais j'ai dû renoncer à cet appartement quand Enzo n'a plus été là pour payer sa moitié du loyer, et comme je n'ai pas trouvé le moyen de transporter le canapé, je l'ai laissé derrière moi. Enfin, mieux vaut écarter ces pensées. Rien ne sert de s'énerver contre Enzo alors qu'il essaie de m'aider.

— La police raconte plein de trucs fous sur moi, je commence. Wendy lui a dit que j'avais une liaison avec Douglas. Ça n'a aucun sens, mais elle a réussi à déformer un tas de choses qui se sont passées pour donner l'impression que je couchais avec lui.

Enzo hoche lentement la tête.

— Je t'avais avertie qu'ils étaient dangereux.

— Tu disais que Douglas Garrick était dangereux.

— C'est pareil.

— Non, ce n'est pas pareil. Bref, en regardant les infos tout à l'heure, j'ai remarqué quelque chose. L'homme qui m'a embauchée, qui se faisait appeler Douglas Garrick, ce n'est pas celui qu'ils montrent aux infos. Rien à voir.

Voilà qu'Enzo m'observe comme si j'avais perdu la tête.

— Je sais que ça a l'air dingue, j'admets. J'entends les mots qui sortent de ma bouche, et… bref, j'ai conscience que c'est bizarre, mais c'était un autre gars, dans l'appartement. J'en suis sûre.

Plus j'y pense, plus j'en suis certaine. Sauf que si ce n'était pas Douglas, qui était-ce ? Et où était le vrai Douglas, pendant que ce type était chez lui ?

Qui est l'homme que j'ai assassiné ?

— Bon, je vais te raconter quelque chose d'intéressant, lâche lentement Enzo. Quand tu m'as parlé des Garrick, j'ai fait une recherche sur eux. Et tu sais quoi ? Ce penthouse à Manhattan n'est pas indiqué comme leur résidence principale.

— Quoi ?

— C'est vrai. Cet appartement, c'est juste une résidence secondaire pour eux. Leur résidence principale est une maison à Long Island. Enfin, ils appellent ça une maison. Moi, je dirais plus un manoir.

Je commence à comprendre un peu mieux. Si le vrai Douglas Garrick habitait en fait à Long Island, il aurait pu être facile pour deux autres personnes de faire croire qu'elles vivaient dans l'appartement de Manhattan. Sans que le vrai Douglas Garrick en ait rien su.

— Alors, tu me crois ?

Ma question semble contrarier Enzo.

— Bien sûr que je te crois !

— Mais il y a quelque chose que tu dois savoir, je reprends, essuyant mes paumes moites sur mon jean. La nuit où Douglas a été tué, j'ai vu… enfin, j'ai cru le voir essayer d'étrangler Wendy. J'ai vu quelqu'un essayer de l'étrangler dans l'appartement. Et il ne voulait pas arrêter. Alors j'ai pris leur arme et je… je lui ai tiré dessus. Pour qu'il arrête.

Je n'ai jamais été une grande pleureuse, mais là, je sens la fontaine sur le point de se mettre à couler pour la deuxième fois aujourd'hui. Enzo se penche vers moi et je sanglote contre son épaule. Il me garde enlacée un long moment, me laisse pleurer tout mon soûl. Quand je me redresse enfin, il reste une tache humide sur son tee-shirt.

— Désolée de t'avoir sali.

Il agite une main.

— C'est juste un peu de morve. Rien de grave.

Je baisse les yeux.

— Je ne sais pas quoi faire. La police pense que j'ai tué Douglas Garrick et, même si je sais que je ne l'ai pas fait, j'ai tiré sur quelqu'un, cette nuit-là. Quelqu'un est mort à cause de moi.

— Ce n'est pas certain.

— Bien sûr que si !

— Tu penses avoir tué quelqu'un, nuance-t-il. Mais après avoir tiré sur ce gars, tu es repartie chez toi. Est-ce que tu as pris son pouls, vérifié qu'il était mort ? Qu'il ne respirait pas ?

— Je... Wendy a dit qu'il n'avait pas de pouls.

— On est censés croire Wendy ?

Je le regarde en clignant des yeux.

— Il y avait du sang, Enzo.

— Est-ce que c'était bien du sang ? C'est facile de simuler le sang.

Je fronce les sourcils en repensant à la nuit dernière. Tout s'est passé si vite. Le coup de feu, Douglas qui tombe, et puis tout ce sang qui se répand sous son corps. Mais en effet, je ne me suis pas approchée pour l'examiner. Je ne suis pas médecin. Après avoir tiré sur lui, je n'avais qu'une envie : décamper au plus vite.

Est-il possible que rien de tout cela n'ait été vrai ? Et dans ce cas...

— Elle m'a dupée, je lâche dans un souffle. Elle m'a complètement manipulée.

Depuis le début, j'éprouve de la pitié pour Wendy. J'ai voulu la protéger. Et pendant ce temps, elle racontait à qui voulait l'entendre que j'avais une liaison avec son mari – c'est sûrement pour ça, le sourire ironique d'Amber Degraw quand elle a évoqué Douglas Garrick le jour où je l'ai croisée dans la rue. Et le portier, pas étonnant qu'il n'ait pas arrêté de me faire des clins d'œil ! Tout le monde ignorait que je ne me suis jamais trouvée seule avec Douglas, puisqu'il entrait par-derrière, où il n'y a ni portier ni caméra.

Enfin, non, pas Douglas. Je n'ai jamais rencontré Douglas Garrick. Je n'ai aucune idée de l'identité de cet autre homme.

— Où est la maison de Wendy ? je demande à Enzo. Il faut que je lui parle.

Il secoue la tête.

— Tu penses pouvoir t'y rendre ? Il y a un million de journalistes qui campent autour de chez elle. Et de toute façon, elle ne te parlera pas. Si tu y vas, ça ne fera qu'ajouter à tes problèmes.

Je sais qu'il a raison, n'empêche que c'est quand même super frustrant. Après ce qu'elle m'a fait, j'ai envie de la regarder droit dans les yeux et de lui demander pourquoi. Mais Enzo a raison. Rien de bon ne sortira d'une visite de ma part là-bas.

Enzo se frotte le menton.

— Cet homme qui se faisait appeler Douglas Garrick… Tu as une idée de comment on peut le trouver ? Lui, il est peut-être plus facile d'accès que Wendy Garrick.

Je serre les poings sous l'effet de la frustration.

— Non. Tout ce que je sais, c'est que son nom n'est pas Douglas Garrick. Je n'ai aucune idée de sa véritable identité.

— Tu as une photo de lui ?

— Non, aucune.

— Réfléchis, Millie. Il y a forcément quelque chose. Peut-être un détail distinctif ?

— Non. C'est juste un homme blanc d'âge moyen tout ce qu'il y a de banal.

— Il doit bien y avoir quelque chose…

Je ferme les yeux pour tâcher de convoquer une image de l'homme qui se faisait passer pour Douglas Garrick. Il n'y avait absolument rien de distinctif chez lui, et c'est peut-être pour ça que Wendy l'a choisi. Il ressemblait juste un peu au vrai Douglas Garrick.

Mais Enzo a raison. Il y a forcément quelque chose…

— Attends. Oui, il y a un truc !

Enzo hausse les sourcils.

— Oui ?

— Je l'ai vu entrer dans un immeuble une fois, je me rappelle. Il était avec une autre femme. Une blonde. J'ai cru que c'était sa maîtresse, et c'était peut-être le cas, mais… il s'agissait d'un immeuble d'appartements. Donc soit il y vit, soit la femme y vit, soit…

Enzo fait craquer ses articulations.

— C'est bien, ça. On va y aller et les trouver, soit lui, soit la femme. Ensuite, on obtiendra la vérité.

Pour la première fois depuis que l'inspecteur Ramirez m'a interrogée au poste de police, je sens une étincelle d'espoir. Il y a peut-être une chance que je m'en sorte sans perdre ma liberté.

61

Enzo m'aide à ranger mon appartement, qu'on croirait frappé par un ouragan après la perquisition de la police. Heureusement, il n'y a que deux pièces, donc malgré le désordre, ça ne prend pas très longtemps. En fait, ça me fait surtout du bien d'avoir de la compagnie. Ce serait vraiment trop déprimant de nettoyer ça toute seule.

— Merci, je dis à Enzo, sans doute pour la centième fois.

On est en train de remettre dans les tiroirs de ma commode les vêtements qui semblent avoir été jetés partout à travers la chambre.

— Pas de problème.

En lâchant un tee-shirt dans le panier à linge, je remarque qu'il n'est pas aussi plein qu'hier. Je passe en revue son contenu : il manque des vêtements.

Ils ont embarqué ce que je portais la nuit dernière.

En me rongeant l'ongle du pouce, je tâche de me rappeler le tee-shirt et le jean que j'ai enlevés hier soir avant de m'écrouler dans mon lit. Il n'y avait pas de sang dessus, j'en suis sûre.

Quasiment sûre, du moins. Mais s'il y avait quand même le genre de particules microscopiques qu'on retrouve en pratiquant des tests ? Ça semble possible. Cela dit, si la théorie d'Enzo est correcte, il n'y a pas eu le moindre sang versé pendant que j'étais dans cet appartement. Seulement, je n'en suis pas absolument certaine.

Enzo est occupé à remplir un tiroir de vêtements. Je lui suis reconnaissante de sa présence, mais une partie de moi voudrait qu'il parte pour que je puisse paniquer vraiment à fond. Je m'éclaircis la voix.

— Si tu veux y aller, c'est bon, je lui dis.

— Non, j'aime bien faire ça. C'est joli, ça, ajoute-t-il en me montrant une culotte rose en dentelle qui traîne encore par terre. C'est nouveau ?

Je la lui arrache des mains. Au moins, il me change les idées.

— Je ne me rappelle pas.

— Je comprends pourquoi le Brocoli t'aimait autant, avec de si jolies culottes.

Je lui lance un regard.

— Enzo…

Il baisse la tête.

— Pardon. C'est juste que… je comprends pas.

On a réussi à travailler pendant plus d'une heure sans parler de Brock. Enfin, je ne devrais sans doute pas m'étonner qu'il mette le sujet sur le tapis.

— Qu'est-ce qu'il y a à comprendre ?

— Il ressemble pas au genre d'homme qui te plaît.

— Oui, eh bien… (Je me laisse tomber sur mon lit, un sweat-shirt en boule sur les genoux.) C'est un type bien. Enfin, il était gentil. C'est un avocat à succès. Il n'y a rien qui cloche chez lui.

Enzo s'installe à côté de moi sur le lit.

— Si c'est un type bien, il est où maintenant ?

Il n'a pas tort, seulement il ne connaît pas non plus toute l'histoire.

— Je lui ai caché des choses sur mon passé. Ça l'a blessé de les apprendre après coup. Il a dit qu'il avait l'impression de ne pas savoir qui je suis. C'est compréhensible, comme réaction.

Ses yeux noirs fouillent intensément les miens.

— Qui tu es, ça se résume pas à quelque chose que tu as fait quand tu étais adolescente. La personne que tu es, elle saute aux yeux. S'il a pas su le déterminer en passant du temps avec toi, alors il a raison, il mérite pas d'être avec toi.

Si notre relation, à Enzo et à moi, n'atteignait pas la perfection, loin de là, je n'ai en revanche jamais douté qu'il me comprenait. Parfois, il semblait même me comprendre mieux que moi-même. Et je savais qu'en cas de problème il ferait n'importe quoi pour m'aider.

— Parfois, je pense (je me mordille la lèvre inférieure) … qu'on n'a jamais vraiment été connectés. Et c'est probablement ma faute, vu que je lui ai caché des choses. Quoi qu'il en soit, c'est fini.

— Tu es sûre ?

Je revois le regard que Brock m'a lancé quand il est sorti de la salle d'interrogatoire.

— Oui. Certaine.

— Donc si je t'embrasse, reprend Enzo, il me flanquera pas son poing dans la figure ?

— Lui non, mais moi, peut-être.

Un sourire se dessine sur ses lèvres.

— Je vais tenter ma chance.

Il se penche pour m'embrasser, et j'ai l'impression que j'attendais ça depuis presque deux ans. Je comprends enfin pourquoi j'ai hésité à emménager avec Brock et à lui raconter mes secrets. Parce que je n'ai jamais ressenti ça pour lui. Loin de là.

Et Enzo avait vu juste. Je ne lui flanque pas mon poing dans la figure.

62

On est en planque devant l'immeuble en grès brun depuis 6 heures du matin.

Ça n'a pas été facile de me traîner hors du lit si tôt, d'autant plus qu'Enzo et moi, on n'a pas beaucoup dormi, si vous voyez ce que je veux dire. Et la nuit précédente, mon sommeil n'avait pas non plus été des plus paisibles. Mais Enzo a été catégorique : il fallait qu'on soit là dès le matin, pour être sûrs de ne manquer aucune entrée ou sortie.

On porte ce qu'Enzo appelle un « déguisement ». Quand il l'a suggéré, je me suis imaginé de grosses lunettes noires avec des fausses moustaches, alors qu'en fait on a juste chacun des lunettes de soleil et une casquette de baseball. Enzo en porte une des Yankees et il m'en a donné une qui dit : « *I love New York.* » Sauf qu'à la place du mot « *love* », il y a un gros cœur rouge. Punaise, j'ai l'air d'une touriste. C'est humiliant, pour quelqu'un qui est né et a grandi à Brooklyn.

— Touriste, c'est le meilleur déguisement, me dit Enzo.

Il a peut-être raison, n'empêche que je déteste la sensation. Mais bon, je suis prête à tout pour découvrir ce que c'est que ce bordel. Avant de finir de nouveau en prison.

Comme on ne peut pas rester au même endroit toute la matinée, on se déplace, sans quitter des yeux l'entrée de l'immeuble. S'il y a une porte à l'arrière, comme pour le penthouse des Garrick, on est foutus. Cependant, vu le nombre d'allées et venues des résidents, j'ai bon espoir que ce soit la seule issue.

Il est 8 heures du matin. On est là depuis deux heures et aucun signe de l'homme mystère – si effectivement je ne l'ai pas assassiné, comme le pense Enzo – ni de la femme blonde. Il y a environ dix minutes, Enzo a annoncé qu'il avait faim. Il est donc entré dans le Dunkin' Donuts de l'autre côté de la rue. Il en ressort maintenant avec deux tasses de café et un sac en papier kraft.

— Prends, m'ordonne-t-il.

Je m'empare du café avec gratitude.

— Qu'est-ce qu'il y a dans le sac ?

— Des bagels.

Mon estomac se retourne à l'idée de manger quoi que ce soit. Je ne sais même pas pourquoi j'ai posé la question.

— Beurk. Je préfère passer mon tour.

— Tu vas devoir manger à un moment ou à un autre.

— Pas maintenant, je réponds en scrutant la bâtisse derrière mes lunettes de soleil. Pas avant qu'on ne l'ait trouvé.

J'ai peur de quitter le bâtiment des yeux. Les manquer signifierait ne jamais retrouver l'homme mystère. J'ai peur que la police vienne m'arrêter aujourd'hui et, même si Enzo continue d'essayer de m'aider, il ne sait pas à quoi ressemble cet individu. La seule personne qui puisse le repérer, c'est moi.

— Alors, dit Enzo, la nuit dernière… c'était bien, oui ?

Je prends une longue gorgée de mon café.

— Je ne suis pas en mesure de me concentrer sur quoi que ce soit en ce moment, Enzo.

Il baisse les yeux sur son propre gobelet.

— Ah. Oui. Je sais.

— Mais oui, c'était bien.

Un coin de ses lèvres se soulève.

— Tu m'as tellement manqué quand j'étais parti, Millie. Je suis vraiment désolé pour ce qui s'est passé. Je regrette pas d'être rentré en Italie pour ma mère, mais je voulais pas avoir à choisir entre les deux personnes les plus importantes de ma vie. Je voulais que tu m'attendes, seulement je pouvais pas te le demander.

— J'aurais dû attendre, je souffle, la tête basse.

Enzo ouvre la bouche pour ajouter autre chose, mais avant qu'un seul mot n'ait pu franchir ses lèvres, je lui attrape le bras.

— C'est elle ! C'est la femme !

Enzo plisse les yeux à travers ses lunettes de soleil et observe, de l'autre côté de la rue, la blonde qui sort de l'immeuble, vêtue d'une jupe à hauteur de genou et d'un blazer.

— Tu es sûre ?

— Quasi sûre.

Je reconnais son visage et la couleur de ses cheveux, même s'ils sont coiffés différemment. Il est possible que ce ne soit pas elle, mais je n'ai vu personne d'autre qui lui ressemble.

— Et maintenant ? je demande.

La femme ajuste la sangle de son sac à main, puis traverse la rue. Je m'apprête à la suivre, mais elle entre dans le Dunkin' Donuts dont Enzo vient de sortir. À en juger par la queue, elle n'en ressortira pas avant au moins dix minutes.

Enzo fait craquer ses articulations.

— Je vais aller lui parler.

— Toi ? Qu'est-ce que tu vas lui dire ?

— Je trouverai bien quelque chose.

— Tu crois que tu vas l'aborder dans un Dunkin' Donuts et qu'elle va tout te balancer, comme ça ?

Il pose une main sur son torse.

— Oui ! Je suis tellement charmant !

Je lève les yeux au ciel. Il me serre le bras, puis me tend le sac en papier plein de bagels.

— Regarde-moi faire, Millie. Je m'en vais tout découvrir.

63

Enzo est encore au Dunkin' Donuts. Ça s'éternise.

Il m'a dit de rester de l'autre côté de la rue mais, au bout de dix minutes, je commence à avoir la bougeotte. Que se passe-t-il là-dedans ?

J'aurais dû y aller avec lui. Je ne pense pas que ça l'aurait trop handicapé. Enfin, peut-être que si. Mais comme c'est ma vie qui est en jeu, j'aimerais savoir ce qui se passe.

N'y tenant plus, je traverse la rue. La façade est vitrée, il est donc assez facile de regarder à l'intérieur. Au début, je ne les vois pas du tout. Puis je les repère. À l'autre bout du magasin, là où les gens récupèrent leurs commandes. Ils sont en grande conversation tous les deux. Les yeux noirs d'Enzo semblent complètement concentrés sur les siens.

L'espace d'un instant, je ressens un pincement au cœur. J'ai toujours fait confiance à Enzo, mais il y a des moments où je ne suis pas entièrement sûre qu'il en soit digne. Après tout, s'il a quitté l'Italie, c'est parce qu'il a quasiment battu un homme à mort. Il avait une très bonne raison, du moins selon lui, mais le fait est là. Et puis le voilà qui est reparti en Italie, en prétendant que le méchant en question avait connu une mort prématurée, sans toutefois daigner se fendre d'une explication plus poussée sur le sujet.

Il m'a dit que sa mère était malade. Qu'elle avait eu une attaque. Mais si on y regarde bien, je n'avais que sa parole. Ce n'est pas comme si je l'avais déjà vue, sa mère prétendument malade.

Et en revenant aux États-Unis, au lieu de m'appeler comme l'aurait fait n'importe quelle personne normale, il me suit pendant trois mois – trois mois ! –, sous prétexte de me protéger. Je lui ai tout raconté sur la famille Garrick, en détail. Il est assez malin pour avoir deviné que Wendy m'arnaquait, même si je n'y ai vu que du feu, moi. Pourquoi n'a-t-il rien dit ?

Et, oh bon Dieu, de quoi parlent-ils si longtemps, là-dedans ?

Maintenant que je suis plus proche, je remarque que la femme blonde a les yeux boursouflés, comme si elle avait pleuré. Mais ensuite, elle sourit à une parole d'Enzo, et son visage s'illumine légèrement. Bon, la discussion a l'air assez innocente, je dois l'admettre. C'est vrai qu'il est charmantissime quand il veut. Entre son accent et son physique, il est très doué pour parler aux femmes.

Au bout de ce qui me paraît durer encore dix minutes, Enzo et la femme sortent du Dunkin' Donuts. Il lui fait un signe de la main et lui lance un : « *Ciao, bella !* » qui la fait rougir.

Quand il me voit devant la boutique, il m'adresse un regard désapprobateur.

— J'avais dit reste de l'autre côté de la rue, oui ou non ?

Je croise les bras.

— Tu as mis longtemps, dis donc.

— Oui, et je sais tout maintenant. (Il penche la tête.) Tu veux savoir ?

Je plonge dans les prunelles sombres d'Enzo. Cet homme ne fait pas toujours tout selon les règles. Comme moi, il a parfois mal agi, même si c'était pour de bonnes raisons. Je l'ai vu risquer sa propre vie pour aider des femmes en danger. S'il y a quelqu'un en ce monde à qui je peux faire confiance, c'est bien lui. Je n'aurais jamais dû douter de lui, pas même une seconde.

— Oui. Je suis tout ouïe.

Enzo jette un coup d'œil à la rue, vers la femme qui entre dans une station de métro.

— Cette femme, c'est l'assistante de Douglas Garrick. Et l'épouse de l'homme que tu recherches.

Je le dévisage, médusée.

— Sérieusement ? Tu es sûr ?

— On va pas tarder à le savoir. (Il plonge la main dans sa poche, en sort son téléphone, tape quelque chose sur l'écran, fait défiler les pages, puis me tend l'appareil.) C'est lui ?

À l'écran, une photo tirée de LinkedIn : je reconnais immédiatement celui qui a pris la pose. L'homme qui a essayé d'étrangler Wendy la nuit dernière. L'homme que j'ai abattu d'une balle dans la poitrine.

— C'est lui, je souffle.

Je lis le nom du profil LinkedIn : Russell Simonds.

Enzo me retire le portable des mains.

— Et aux dernières nouvelles… il était encore vivant.

Vivant. Autrement dit, je n'ai tué personne. Le soulagement que je ressens est quelque peu tempéré par le fait que, si je n'ai tué personne, la police pense le contraire.

— Mais ce matin, il est parti en… eh bien, sa femme parle d'un voyage d'affaires. Cet homme est très occupé, selon elle. Il travaille toujours tard.

C'est peut-être pour ça qu'ils se disputaient, le jour où je les ai vus dans la rue. Ou peut-être parce qu'elle le soupçonnait de voir une autre femme.

Wendy.

— Et maintenant ? je demande. On fait quoi ? On attend qu'il revienne de son prétendu voyage d'affaires ?

— Non, répond Enzo. Maintenant j'en apprends plus sur ce Russell Simonds.

— Comment ?

— Je connais un gars.

Évidemment.

64

On finit à l'appartement d'Enzo.

Il n'est qu'à une dizaine de pâtés de maisons de chez moi, ce qui est logique s'il jouait effectivement le rôle de mon garde du corps secret. Il est encore plus petit que le mien, juste un studio, une même pièce qui sert de cuisine, de chambre, de salon et de salle à manger. Heureusement, il y a une salle de bains séparée. On est loin du penthouse des Garrick ou même du spacieux trois-pièces de Brock.

Dès qu'on entre, Enzo jette ses clés sur une petite table à côté de la porte, puis va dans la kitchenette, où il fait couler de l'eau et s'en asperge le visage. Je me demande s'il est aussi fatigué que moi. Je ressens un étrange mélange d'épuisement et d'excitation. Je n'ai pas assez dormi la nuit dernière, mais l'angoisse de voir la police débarquer pour m'arrêter me donne des palpitations à tout moment.

— Tu t'assieds, m'ordonne-t-il. Je te sers une bière ?

— Il est à peine 11 heures du matin.

— La matinée a été longue.

Ça, c'est sûr.

Je refuse quand même la bière. Je m'affale sur un futon qui a l'air récupéré du trottoir, il est même légèrement pire que le mien. La plupart de ses meubles paraissent venir des encombrants, en fait.

— Qu'est-ce que tu fais comme travail ? je lui demande.

Il avait un boulot correct avant de partir, mais je suis sûre qu'on ne le lui a pas gardé en réserve.

— J'ai trouvé un job dans une entreprise d'aménagement paysager. Ça va, ajoute-t-il avec un haussement d'épaules. Ça paie les factures.

Je baisse les yeux sur son téléphone, qu'il a posé sur une table basse.

— Qu'est-ce qu'il va découvrir, ton gars ?

— Je sais pas trop. Peut-être un casier judiciaire pour Russell. Une information qu'on pourrait donner à la police, et ils pourraient vérifier au penthouse s'il y a ses empreintes digitales. Je suis sûr qu'ils ont trouvé des empreintes inconnues là-bas, donc ça aiderait si on arrivait à leur trouver une correspondance. N'importe quoi qui puisse détourner l'attention de toi.

— Et si ça ne suffit pas ?

— Je suis sûr qu'on trouvera quelque chose.

— Et sinon ?

— Fais-moi confiance, réplique Enzo, il y a une solution. Tu iras pas en prison pour quelque chose que tu as pas fait.

Comme par hasard, son téléphone se met à sonner. Il s'en saisit et saute du futon pour prendre l'appel dans la kitchenette. Je tends le cou afin de jauger son expression, qui ne révèle pas grand-chose. Ses réponses non plus, d'ailleurs, qui consistent principalement en une série de « hmm, hmm » et de « OK ». À un moment donné, il prend un stylo et griffonne quelque chose sur une serviette en papier.

— *Grazie*, dit-il à la personne au bout du fil, avant de poser l'appareil sur le comptoir de la cuisine.

Pendant un instant, il reste là, à regarder l'essuie-tout.

— Alors ? je finis par le relancer.

— Pas de prison. Son casier est vierge.

Mon cœur se serre.

— OK...

— J'ai l'adresse d'une seconde résidence, par contre. Près d'un lac à deux ou trois heures au nord de la ville. Peut-être... peut-être que c'est là qu'il habite.

Je saute du futon et attrape mon sac à main.

— Alors on y va !

— Et on fait quoi ?

Je me dirige vers l'endroit où il se tient dans la kitchenette, regarde l'adresse sur la serviette. Je vois vaguement où c'est. Google Maps m'y conduira.

— On lui extorque la vérité.

— On la connaît, la vérité, dit-il en me retirant la serviette en papier. C'est la police qui doit l'apprendre.

— Et donc, tu suggères quoi ?

Il se frotte les yeux de la paume.

— Je ne sais pas bien. Mais t'inquiète pas. On va trouver. J'ai juste besoin de réfléchir.

Super. Et pendant qu'il réfléchit, la police est occupée à monter un dossier contre moi.

— Je pense qu'on devrait y aller.

— Et moi, je pense que ça va empirer les choses.

Je suis perplexe, mais ça me démange d'agir, là, maintenant. Parce que la police ne reste pas plantée dans une kitchenette, en ce moment, à méditer sur la situation.

Avant que je ne tente de persuader Enzo, mon téléphone sonne dans mon sac. J'ai le souffle coupé en découvrant le nom à l'écran.

— C'est Brock.

65

Les prunelles déjà noires d'Enzo s'assombrissent encore plus. Il n'est pas ravi que mon ex-petit ami m'appelle. Mais il n'est pas non plus du genre jaloux qui m'interdirait de répondre. Et même s'il le faisait, je ne l'écouterais pas.

— Juste une minute, je lui dis.

Il acquiesce.

— Fais ce que tu as à faire.

Je savais qu'il serait d'accord. Bon, il n'a pas l'air ravi mais, au moins, il ne proteste pas.

— Allô ?

— Millie ? Salut…

La voix de Brock est distante, comme si on était deux quasi-inconnus. On n'a rompu qu'hier, et déjà ça me fait bizarre de penser qu'on est sortis ensemble.

— Salut, je réponds d'un ton raide.

Je n'imagine même pas ce qu'il peut bien me vouloir. Pas qu'on se remette ensemble, ça c'est sûr. Il est probablement encore en train de remercier sa bonne étoile qu'on n'ait pas emménagé tous les deux. *De rien, Brock.*

— Écoute, je… je voulais m'excuser de t'avoir lâchée au poste de police hier.

— Ah ?

Il pousse un soupir.

— J'étais contrarié, mais c'était quand même extrêmement peu professionnel de ma part. Peu importe ce que tu as fait de mal, tu m'as demandé de te seconder en tant qu'avocat, et je te devais de rester.

— Merci. J'apprécie tes excuses.

— Et c'est pour ça que je t'appelle. (Il marque une pause.) J'ai reparlé à l'inspecteur ce matin : j'ai l'impression que je me dois de te prévenir qu'ils ont effectué des tests sur certains des vêtements qu'ils ont pris dans ton panier à linge.

Je cramponne le téléphone plus fort.

— Ils cherchaient du sang ?

— Non, des résidus de poudre. Et c'était positif.

Ma mâchoire se décroche. J'étais partie du présupposé qu'ils cherchaient du sang sur mes vêtements. Il ne m'était même pas venu à l'esprit qu'ils pouvaient chercher autre chose.

— Oh…

— Je pense qu'ils attendaient les résultats pour s'assurer que l'affaire était pliée d'avance, continue-t-il. Je pense qu'ils sont en train d'obtenir un mandat d'arrêt en ce moment même.

Je me fige, mes genoux tremblent.

— Oh…

— Je suis désolé, Millie. Je voulais juste t'en avertir en amont. Je te dois bien ça.

— Oui…

— Et… (Il tousse dans l'appareil.) Bonne chance, enfin tu sais, pour tout ça.

Je me détourne d'Enzo afin qu'il ne voie pas mes yeux s'emplir de larmes.

— Merci.

Ouais, ben de rien. Merci à toi de m'abandonner quand ma vie s'effondre.

Brock raccroche et je me retrouve avec le téléphone contre l'oreille, à lutter pour empêcher les larmes de couler. Je suis complètement foutue. Wendy m'a piégée comme une pro, je vais porter le chapeau du meurtre d'un homme que je n'ai même jamais rencontré.

La grande main d'Enzo se pose sur mon épaule.

— Millie. Qu'est-ce qui se passe ? Qu'est-ce qu'il a dit ?

Je m'essuie les yeux avant de me retourner.

— Que la police avait trouvé des résidus de poudre sur mes vêtements, ceux qu'elle a pris dans mon panier à linge.

Enzo hoche la tête.

— Quand on tire à blanc, on a quand même des résidus de poudre sur les vêtements.

J'enfouis le visage dans mes mains.

— Brock dit qu'ils ont probablement un mandat d'arrêt contre moi, ou qu'ils l'auront bientôt. Qu'est-ce que je vais faire ?

— J'abandonnerai pas. (Il m'attrape par les épaules.) Tu me comprends ? Quoi qu'il arrive, j'abandonnerai pas. Je vais te libérer.

Je le crois, je crois en sa sincérité. En revanche, je ne crois pas qu'il soit capable de me sortir de ce pétrin. S'ils m'arrêtent, c'est fini. Ils vont cesser de chercher le vrai meurtrier. On me mettra tout sur le dos et, apparemment, ils ont un dossier solide. Des résidus de poudre sur mes vêtements, mes empreintes sur l'arme du crime et le portier pour témoigner que j'étais dans l'immeuble à l'heure approximative du meurtre.

Je suis dans la merde.

— Je veux aller à cette cabane sur le lac, j'annonce en jetant un coup d'œil à l'adresse griffonnée sur l'essuie-tout. Je veux trouver ce salaud. J'ai besoin de creuser le truc.

— Ça servira à rien.

— Je m'en fiche, je grogne. Je veux le voir. Je veux le regarder dans les yeux et lui demander pourquoi il m'a fait ça. Et si Wendy est là aussi, je veux…

Mes yeux rencontrent ceux d'Enzo. Les siens s'arrondissent un instant, puis il accourt vers la cuisine et attrape l'essuie-tout avec l'adresse, avant que je ne puisse le faire. Il le froisse dans sa main et ouvre le robinet jusqu'à ce que l'encre soit noyée par l'eau.

— Non ! s'écrie-t-il. Je te laisserai pas faire quelque chose de stupide.

— Trop tard. J'ai déjà mémorisé l'adresse.

— Millie ! (Sa voix est tranchante, ses yeux, écarquillés.) Va pas à la cabane. Tu as pas les idées claires, là. Tu as rien fait de mal et tu iras pas en prison à moins de leur donner une raison de t'y envoyer !

Je lève le menton.

— Tu te trompes. Je vais aller en prison quoi qu'il arrive. Alors autant que je le mérite.

Il capture mon poignet dans sa grande main.

— Millie, je vais pas te laisser faire quelque chose de stupide. Promets-moi de pas aller dans cette cabane. (Je soutiens son regard.) Promets-moi. Tu partiras pas d'ici sans me l'avoir promis.

Il ne me serre pas assez fort pour me faire mal, mais assez pour que je ne puisse pas m'échapper. Il déploie de gros efforts pour me sauver de moi-même. C'est mignon. Brock n'arrêtait pas de me le répéter, mais Enzo, lui, il m'aime vraiment. Et je crois que même si je suis arrêtée, il fera tout ce qu'il pourra pour me faire sortir. Il fera tout ce qu'il pourra pour faire éclater la vérité.

— Bien, je concède. Je n'irai pas.

— Tu promets ?

— Je te le promets.

Il lâche mon poignet. Et recule d'un pas, l'air malheureux comme les pierres.

— Et je te promets que je vais tout arranger.

Je hoche la tête. J'ai laissé mon sac à main sur son futon, je vais le chercher.

— Autant retourner à mon appartement et affronter la tempête.

— Tu veux que je vienne avec toi ?

Je passe mon sac sur mon épaule.

— Non. Je ne veux pas que tu me voies menottée.

Enzo s'est approché de moi. Il me donne un dernier baiser, qui pourrait suffire à me faire supporter quelques années de prison, franchement. Personne n'embrasse comme cet homme. En tout cas pas Brock.

— Je te promets, me murmure-t-il à l'oreille. Je te laisserai pas retourner à la prison.

Je romps notre étreinte en tremblant légèrement.

— Je rentre chez moi.

Il exerce une pression sur ma main.

— Je vais te prendre un bon avocat. Je trouverai un moyen de le payer.

Son minuscule studio étant rempli de meubles récupérés dans les poubelles, je dois me mordre la langue pour ne pas répliquer quelque chose de sarcastique.

— Tu vas me manquer.

— Tu vas me manquer aussi, dit-il.

— Et… je t'aime.

Je ne me sentais pas à l'aise quand je le disais à Brock, mais avec Enzo, si. Je ne pouvais pas partir d'ici sans avoir prononcé ces mots.

— Je t'aime aussi, Millie. Tellement.

C'est vrai que je l'aime. Je l'ai toujours aimé. Et c'est pourquoi je déteste lui mentir.

Mais je ne peux pas lui avouer que j'ai ses clés de voiture cachées dans mon sac.

Il le découvrira bien assez tôt.

Partie IV

66

Wendy

Russell et moi fêtons ça avec une bouteille de champagne.

Même si c'était un peu risqué, il m'a conduite à son chalet au bord du lac, histoire de fuir la quantité impressionnante de journalistes qui campent devant le penthouse et la maison de Long Island. Techniquement, c'est le chalet de Marybeth et, quand il la quittera, elle va le récupérer. Ça ne pose pas de problème, parce que je suis maintenant plus riche que dans mes rêves les plus fous. Je suis riche au-delà de ce qu'un être humain normalement constitué peut se figurer. Je n'ai pas besoin de ce minuscule chalet de deux pièces.

Même si la très grande baignoire est équipée de jets et de bains à remous incroyablement agréables. Comme un Jacuzzi.

Pendant le trajet, on a gardé un œil dans le rétroviseur pour vérifier qu'aucun journaliste ne nous pistait. Et comme la dernière partie du voyage était quasi déserte, si quelqu'un nous avait suivis, on l'aurait facilement repéré. Russell a raconté à Marybeth qu'il partait en voyage d'affaires. En quête de meubles, quelque chose comme ça. Je me fiche de savoir ce qu'il a inventé. Elle n'a plus aucune importance.

— Je suis si heureuse, je murmure. Je ne pense pas avoir été aussi heureuse depuis très longtemps.

Russell sourit, même si je perçois quelque chose de crispé dans son expression. Il n'a jamais caché qu'il ne voulait pas tuer Douglas. Je n'en reviens toujours pas qu'il m'ait obligée à faire le sale boulot pendant qu'il restait tapi dans la cuisine. Il a de la chance d'être séduisant, car le respect qu'il m'inspire a beaucoup pâti de cette nuit-là. Il devrait m'être reconnaissant, au lieu de me regarder comme si j'étais un monstre, pour l'amour du ciel.

S'il n'est pas content, il n'a qu'à retourner à sa mégère de bonne femme et je trouverai quelqu'un d'autre pour profiter de mes millions de dollars.

Je verse la fin du champagne dans le verre de Russell.

— Il est délicieux, je lui dis. Où l'as-tu acheté ?

— C'est le préféré de Marybeth.

J'ai l'impression qu'il parle de plus en plus souvent de sa femme, ces derniers temps, et avec moins de ressentiment qu'avant. Ce n'est pas bon signe.

— Tu en as d'autre ? je lui demande.

— Je ne pense pas qu'il reste du champagne. Mais il y a peut-être du vin dans la cuisine.

Je suis irritée que Russell ne propose pas d'aller le chercher. Les hommes sont tous les mêmes : au début, ils se mettent en quatre pour vous donner tout ce que vous voulez, puis ils finissent par vous considérer comme acquise. Quel gentleman ne ferait pas l'effort d'aller chercher une bouteille de vin pour une femme ?

Mais j'en ai très envie et la bouteille de champagne que nous avons bue n'était qu'à moitié pleine, alors j'attrape une serviette pour en envelopper mon corps nu et je sors de la salle de bains afin de gagner le salon. Mes pieds laissent des empreintes humides sur le parquet. La pluie tombe dru sur la terrasse, dégouline sur le toit. C'est une bonne chose, pour le cas où quelqu'un tenterait de nous suivre. Nos traces de pneus auront été effacées.

J'entre dans la cuisine et, en effet, il y a une bouteille sur le plan de travail. C'est un pinot noir, aux trois quarts plein, qui a l'air plutôt bon marché mais c'est mieux que rien. Je la prends, impatiente de retourner à la salle de bains, mais je m'arrête net.

Une des fenêtres du bungalow est grande ouverte.

67

Cette fenêtre était-elle ouverte quand on est arrivés ?

Je ne m'en souviens pas. Enfin, bon, on était surtout concentrés sur la manière dont on allait fêter l'annonce par l'inspecteur Ramirez qu'il prévoyait d'arrêter Millie Calloway. On s'en était tirés... on s'en était vraiment tirés.

Bref, est-ce qu'elle était ouverte à notre arrivée ? Je suis incapable de me le rappeler. C'est tout à fait possible.

D'autant que la fenêtre se remarque beaucoup plus maintenant qu'il pleut. Des gouttelettes ruissellent à l'intérieur, mouillant le cadre en bois. Il faut la fermer.

Je pose la bouteille de vin sur la table basse à côté du canapé, puis je me dirige vers la fenêtre. Les gouttes de pluie sont glaciales, elles me giflent le visage et aspergent mes bras nus. Après une brève lutte, je réussis à fermer.

Voilà.

Reprenant la bouteille, je la rapporte à la salle de bains, où Russell est toujours dans la baignoire, ses cheveux noirs plaqués au crâne. Au début, je crois que son visage est mouillé par l'eau de la baignoire, et puis je comprends.

— Tu pleures ?!

Russell s'essuie les yeux d'un air gêné.

— Je... je n'arrive pas à croire qu'on l'a tué. Je n'ai jamais rien fait de tel.

Je ne comprends pas pourquoi c'est lui qui pleure. C'est moi qui ai tué Douglas. Et je ne ressens même pas un début de regret. À mes yeux, Douglas méritait ce qui lui est arrivé.

— Ressaisis-toi, je lui ordonne sèchement. Ce qui est fait est fait. C'était une très méchante personne de toute façon. Il me tourmentait.

— Parce que tu le trompais.

Et ce serait suffisant pour me laisser sans le sou ? En plus, Russell n'est pas au courant de mes mensonges à Douglas sur mon incapacité à avoir des enfants. Il vaut probablement mieux que je garde le silence là-dessus. Il se sentirait encore plus mal.

J'enlève ma serviette et la laisse tomber sur le plancher. Puis je remplis son verre avec le liquide bordeaux, ainsi que le mien.

— Bon, écoute, laisse-toi faire. Je vais t'aider à oublier tout ça.

Pendant que je remonte dans la baignoire pour m'immerger dans l'eau chaude, Russell avale le contenu de son verre, qui laisse une tache rouge sur ses lèvres. Je décide qu'il a raison et vide mon propre verre de vin. Il est bon marché, ce n'est pas comme si je devais le savourer. D'ici un autre verre ou deux, on se sentira tous les deux beaucoup plus détendus.

68

J'avais vu juste.

Après deux verres de vin, Russell ne pleure plus. Et moi, je ressens un agréable bourdonnement. Ça fait longtemps que les choses n'ont pas fonctionné exactement comme je le voulais. Après les six mois qui viennent de s'écouler, j'avais besoin d'une victoire, et aujourd'hui, j'en ai remporté une belle. Douglas est mort, je vais toucher le pactole et Millie prend tout sur le dos. Elle a très bien rempli son rôle.

— Je pourrais rester dans cette baignoire pour toujours, je soupire en m'adossant confortablement, ma peau nue glissant contre celle de Russell. C'est agréable, hein ?

— Mmh, mmh, acquiesce-t-il. Sauf que je me sens un peu somnolent. Je suis peut-être un peu ivre.

Je ne suis pas ivre, moi, juste légèrement pompette. C'est agréable. C'est si paisible dans la baignoire… si l'on excepte la musique au loin.

— Wendy, dit Russell, ce n'est pas ton téléphone ?

Il a raison.

Ce doit être Joe Bendeck. Je lui ai demandé de m'appeler au sujet de l'héritage de Douglas. Je tire un malin plaisir du fait que Joe, qui ne m'a jamais aimée, soit obligé de me laisser récupérer l'ensemble des biens de Douglas ainsi que sa société. Je vais devenir, en somme, la patronne de Joe. Il n'a pas d'autre option que de me lécher les bottes. Je vais adorer être une riche garce.

Cette fois, je prends un peignoir, dont je m'enveloppe avant de me précipiter au salon, où j'ai laissé mon téléphone sur la table basse. Le nom de Joseph Bendeck s'affiche à l'écran. Je m'en saisis juste avant que l'appel ne tombe sur la messagerie vocale.

— Bonjour, Joe.

— Salut, Wendy.

J'adore l'entendre aussi malheureux. C'est bon de gagner.

— Vous étiez censé m'appeler cet après-midi, je lui rappelle. Il est presque 22 heures.

— Désolé, lâche-t-il, une pointe d'amertume dans la voix. Mon meilleur ami vient d'être assassiné. Je ne peux pas dire que je fonctionne exactement à cent pour cent, en ce moment.

— Eh bien, c'est un problème, je rétorque sur un ton raide. Vous êtes l'exécuteur testamentaire de Douglas, et si vous n'êtes pas en mesure de faire votre travail, peut-être que quelqu'un d'autre devrait s'en charger à votre place.

Tout en parlant, je me dirige vers la cuisine. Je regarde par la fenêtre : il pleut vraiment des cordes.

— Non. Doug voulait que ce soit moi. C'est... c'est le moins que je puisse faire pour respecter ses volontés.

— Bien.

S'il essaie de m'entourlouper, je ferai en sorte qu'il soit renvoyé de la société. En fait, je devrai probablement le virer quoi qu'il en soit. Je n'ai pas plus confiance en lui que je ne faisais confiance à Douglas, sur la fin.

— Bon, quand ses actifs vont-ils m'être transférés ? je reprends. J'ai besoin d'honorer mes factures.

La mort de Douglas ne me dédouane pas du remboursement de l'emprunt immobilier. Et je n'ai même plus de carte de crédit, puisqu'il les a toutes annulées. Le penthouse à lui seul exige des traites à six chiffres, donc je vais avoir besoin d'argent. Et vite.

— Vous voulez que l'argent de Doug vous soit viré ? demande Joe.

Je tambourine sur le comptoir de la cuisine.

— Oui. C'est comme ça que ça fonctionne, non ?

— Pas exactement… (Joe reste silencieux un moment, puis :) Wendy, vous êtes au courant que Doug a changé son testament le mois dernier ?

Quoi ?!

— Non. De quoi parlez-vous ?

— Il a modifié son testament pour tout léguer à une œuvre de charité.

Un vertige me submerge, comme une vague. Quelques mois après notre mariage, Douglas a fait rédiger un testament où il me léguait tout. Je l'ai accompagné chez l'avocat pour m'assurer qu'il aille au bout de la démarche, étant donné que Douglas était un procrastineur hors pair. Il ne m'était même pas venu à l'esprit qu'il ait pu le modifier dans le court laps de temps qui s'était écoulé depuis notre séparation. Il n'aurait pas fait ça.

À moins que…

— Vous mentez, je crache dans le combiné. Vous inventez tout ça pour m'empêcher de toucher son argent.

— Ce serait tentant. Mais non, je n'invente rien. J'ai une copie notariée de son testament juste sous les yeux.

— M… mais… je bafouille. Mais comment a-t-il pu faire ça ?

— Eh bien, quand Doug me l'a expliqué, il vous a dépeinte comme une salope, menteuse et manipulatrice, et il a déclaré qu'il ne voulait pas que vous touchiez un centime de son argent.

Mon cœur semble faire des bonds dans ma poitrine et, l'espace d'un instant, ma vision se trouble. Comment est-ce possible ? Douglas avait évoqué l'idée de léguer tout son argent à des œuvres de charité, mais je n'aurais jamais imaginé qu'il avait déjà mis les choses en œuvre.

— C'est un scandale, je fulmine. Il ne peut pas m'exclure de son testament ! Je suis sa femme, pour l'amour de Dieu ! Je vais m'opposer à cette décision et croyez-moi, je gagnerai.

— OK, si vous le dites, Wendy. Mais en attendant, je vais vous demander de quitter le penthouse et la maison sur l'île, car nous les mettons en vente.

— Allez vous faire voir, je siffle dans le téléphone.

Je clique sur le bouton rouge pour mettre fin à l'appel, mais mes mains tremblent. Je veux croire que Douglas n'a pas pu signer un papier stipulant qu'il me laisse sans rien, un point c'est tout. Pas aussi simplement que ça. Je peux m'y opposer. Et comme Douglas est mort, il ne pourra pas se défendre. D'une manière ou d'une autre, je recevrai ma part du gâteau.

Bon, je n'aurai pas tout à fait la fortune que j'avais imaginée. Mais ce n'est pas grave.

Alors que j'ai toujours les yeux rivés sur mon téléphone, à tâcher de décider comment m'y prendre, il se met à sonner de nouveau dans ma main. Je retiens mon souffle en découvrant l'identité de l'appelant.

La police de New York.

69

Ça doit être l'inspecteur Ramirez. Il m'a appelée il y a plusieurs heures, quand j'étais encore en ville, pour m'annoncer qu'ils allaient arrêter Millie. J'espère qu'il veut me tenir au courant et m'annoncer qu'elle est bien à l'abri derrière les barreaux.

Avec un peu de chance, cet appel-ci ne sera pas aussi bouleversant que le précédent.

— Allô ? je lance dans le combiné, d'une voix que j'essaie de faire sonner comme celle d'une veuve au cœur brisé.

Les cours de théâtre que j'ai pris à la fac ont fini par payer. Je mérite un Oscar pour ma prestation devant Millie.

— Madame Garrick ? me répond la voix de Ramirez. C'est l'inspecteur Ramirez.

— Bonjour, inspecteur. J'espère que vous avez mis la femme qui a tué mon mari derrière les barreaux !

— Eh bien, en fait… (Oh, Seigneur, quoi encore ?) Nous n'avons pas été en mesure de localiser Wilhelmina Calloway. Nous sommes allés à son appartement avec un mandat d'arrêt, mais elle n'était pas là.

— Où est-elle alors ?

— Si nous le savions, nous l'aurions arrêtée, vous ne pensez pas ?

Encore une fois, je ressens ce pincement au cœur.

— Qu'attendez-vous pour trouver cette femme ? Elle est très dangereuse, vous savez.

— Ne vous inquiétez pas. On va finir par remonter sa piste. Je vous le promets.

— Bien. Je suis contente que vous ayez la situation en main.

— Néanmoins, il y a autre chose dont je dois vous parler, madame Garrick.

Quoi encore ? Je jette un coup d'œil du côté de la salle de bains. Pourquoi Russell y est-il encore, quand il sait que je suis sortie ? Il va être tout flétri.

— Je vous écoute, inspecteur.

Ramirez s'éclaircit la voix.

— Eh bien, voilà. Le gestionnaire de l'immeuble où se situe le penthouse n'était pas en ville ces deux derniers jours. Parti en Europe, et nous n'avons pas pu le joindre. Bref, j'ai fini par lui parler cet après-midi et il m'a expliqué quelque chose de très intéressant.

— Ah ?

— Apparemment, il y a une caméra de sécurité sur la porte arrière du bâtiment.

Je crois que mon cœur s'est arrêté pendant une bonne demi-seconde.

— Excusez-moi ?

— Nous l'avions ratée, il faut croire, reprend le policier. Le propriétaire dit qu'il les installe hors de la vue, parce que les résidents n'aiment pas avoir l'impression qu'on les espionne. Et voilà, j'en viens au détail amusant : c'est votre mari qui a fourni l'équipement de sécurité de son entreprise, il y a environ un an, parce que cette entrée arrière lui causait des soucis.

— Il... a fait ça ? je bredouille.

Un fracas me parvient, qui semble provenir de la salle de bains, suivi d'un bruit d'éclaboussure, mais je n'y prête guère attention. Si Russell a essayé de sortir de la baignoire et qu'il est tombé, il va devoir se relever tout seul.

— Oui, et on termine juste de visionner toutes les cassettes. C'est fou, mais figurez-vous que si l'on se fie aux bandes, votre mari n'a pas mis les pieds dans cet immeuble depuis des mois. Disons, depuis tout le temps où Mlle Calloway y a travaillé. Du coup, je ne comprends pas comment elle a pu avoir une discussion avec lui dans l'appartement, s'il n'était même pas là. Vous voyez ?

Malgré ma bouche trop sèche pour articuler un mot, j'arrive à suggérer :

— Ils se donnaient peut-être rendez-vous ailleurs ?

— Peut-être. Sauf que je ne vois pas de factures de carte de crédit pour des chambres d'hôtel ou autre chose du genre.

— Bien sûr, il n'aurait jamais payé avec sa carte de crédit. Car je l'aurais vu. Il a probablement réglé en liquide.

— Vous avez peut-être raison, concède Ramirez. Mais j'ai une autre information, encore plus folle, vous allez voir : la nuit où votre mari a été tué, il ne s'est présenté à l'entrée de derrière qu'après l'heure à laquelle le portier a vu Millie quitter l'immeuble.

— C'est… c'est étrange…

S'il a vu la vidéo, il doit aussi savoir que j'étais dans l'immeuble au moment où Douglas a été assassiné. Et s'il sait ça, je suis dans un très gros pétrin.

— Madame Garrick, continue-t-il, je me demandais si vous pouviez venir au poste pour dissiper la confusion qui est la nôtre. Nous vous envoyons une voiture de police.

— Je… je ne suis pas à la maison en ce moment…

— Ah non ? Où êtes-vous alors ?

J'écarte le téléphone de mon oreille. La voix de l'inspecteur Ramirez se fait distante :

— Allô ? Madame Garrick ?

Un doigt sur le bouton rouge pour mettre fin à l'appel, puis je laisse tomber l'appareil sur le comptoir, comme s'il risquait de m'ébouillanter. Je me penche au-dessus de l'évier de la cuisine, prise d'une vague de nausées et de vertiges.

Je n'arrive pas à y croire : il y avait une caméra braquée sur la porte de derrière ? J'ai posé la question spécifiquement, et on m'a affirmé le contraire. Mais c'était avant que Douglas n'en fournisse une si gentiment, parce qu'évidemment c'était bien son genre de faire ça, à mon mari, ce geek concerné, généreux et passionné de technologie. Ou peut-être s'agissait-il d'une énième manière d'alimenter son dossier sur moi qui baisais derrière son dos.

Cette caméra va suffire à disculper Millie. Et enfoncer un très gros clou dans mon cercueil.

Je me frotte les tempes, qui ont commencé à palpiter. Il faut que je trouve un moyen de retourner la situation, car il n'est pas question que je passe le reste de ma vie en prison. Mais j'ai quelques idées. J'ai déjà joué le rôle de la femme abusée à la perfection devant Millie. Je vais juste devoir raconter l'histoire terrible de mon mari abusif. Peut-être, lors de cette nuit fatidique, qu'il s'est jeté sur moi, prêt à me battre à mort, et qu'alors j'ai fait ce que je devais faire. La légitime défense, c'est légal : c'était lui ou moi.

Ça pourrait marcher.

— Russell ! Il faut qu'on parle.

Russell, c'est une énorme complication. Si les policiers ont visionné la vidéo de la porte de derrière, ils l'auront vu entrer cette nuit-là. Mais peut-être qu'il n'y a rien qui le lie à moi directement. Lui et moi, il faut qu'on coordonne nos histoires. J'espère qu'il ne va pas encore me faire sa chiffe molle. Je l'imagine craquer et raconter cette sordide histoire à la police.

Je pique un sprint jusqu'à la salle de bains. Russell ne va pas être content d'entendre ça. C'était trop demander que d'imaginer une suite entièrement fluide. On va s'en sortir, d'une manière ou d'une autre. J'ai déjà été dans de mauvais draps et je m'en suis sortie.

— Russell, qu'est-ce...

Quand je franchis la porte de la salle de bains, la première chose que je vois, c'est du rouge. Beaucoup de rouge, qui nage devant mes yeux. L'eau de la baignoire, transparente, limite nuageuse, est devenue écarlate foncé. Levant les yeux, je localise la source du sang : une plaie béante à la gorge de Russell.

Puis je regarde son visage. Sa mâchoire relâchée. Ses yeux, fixés droit devant, qui ne cillent plus.

70

Russell est mort.

Assassiné.

Et c'est arrivé entre le moment où j'ai quitté la salle de bains et maintenant.

Je repense à cette fenêtre ouverte que j'ai repérée quand je suis allée chercher le vin. Quelqu'un est entré dans ce chalet. Quelqu'un est entré dans ce chalet et a fait ça à Russell.

J'ai peur de savoir qui. Une personne qui a des comptes à régler avec moi, ainsi qu'un passé de violence. Et que la police n'a pas réussi à trouver.

— Millie ? j'appelle.

Pas de réponse.

Alors, les lumières s'éteignent.

J'aimerais croire que c'est la tempête, mais je ne pense pas que le vent soit assez fort pour couper le courant. Quelqu'un s'en est chargé.

Je m'enveloppe de mes bras, parcourue par un frisson. Sans électricité, il fait tout noir dans le chalet. J'ai mon téléphone et j'avais du réseau, mais je l'ai laissé dans la cuisine. Si elle est maligne, elle l'aura probablement déjà récupéré.

Ce qui signifie que je n'ai aucun moyen d'appeler à l'aide.

— Millie ? je répète.

Toujours pas de réponse. Elle joue avec mes nerfs. Elle doit me détester, elle en a toutes les raisons. Elle essayait de m'aider et je lui ai tout mis sur le dos. Il faut dire aussi qu'elle m'a trop facilité la tâche.

Tout à coup, les paroles de mon amie Audrey résonnent dans ma tête : « Elle est hard-core, je te prie de me croire, le genre dangereux. »

Oui, Millie est extrêmement dangereuse. Ça, c'est clair.

Et je m'en suis fait une ennemie.

— Millie, je couine. S'il vous plaît, écoutez-moi. Je… je suis désolée. Je n'aurais pas dû agir comme je l'ai fait. Mais vous savez, Douglas était violent. Je vous disais la vérité.

Du verre se brise quelque part de l'autre côté de la pièce. Je tourne vivement la tête dans la direction d'où est venu le son. À moins que Millie n'ait des lunettes de vision nocturne, elle doit être aussi aveugle que moi dans le noir. Je peux peut-être utiliser ça à mon avantage.

— Douglas m'a fait des choses horribles. C'était un mari atroce. Je devais m'extirper de ce mariage. Il faut me comprendre…

Millie ne répond toujours pas. Mais je perçois sa rage bouillonnante. Je me suis frottée à la mauvaise personne.

— Millie, je continue, vous devez savoir que je ne faisais pas semblant. Et votre gentillesse envers moi… ça a signifié énormément. Je n'avais pas le choix.

Un éclair zèbre le ciel, juste assez brillant pour me montrer que la voie est dégagée jusqu'à la cuisine, remplie de couteaux et d'autres objets que je pourrais théoriquement utiliser comme une arme, même si elle s'est emparée de mon téléphone.

Au diable, je ne vais pas essayer de raisonner cette psychopathe. Si elle veut se battre, je suis prête.

Je cours à toute vitesse en direction de la cuisine. Les pas de Millie me suivent, mais je ne m'arrête pas. Je garde les bras tendus devant moi, en espérant ne pas foncer dans un mur.

Par la grâce de Dieu, j'atteins mon but. Je contourne la petite table de cuisine, tâchant de ne pas trébucher. J'arrive à franchir cet obstacle, mais alors mes pieds se dérobent sous moi.

Il y a du sang partout sur le sol.

Ce doit être celui de Russell, qu'elle a rapporté ici sous les semelles de ses chaussures. Quand je ferme les yeux, je le revois, allongé dans la baignoire, la gorge tranchée, les yeux fixes. Millie lui a fait ça, alors que ce n'est même pas lui l'objet réel de sa haine. Je n'imagine pas le sort qu'elle me réserve.

Je ne vais pas lui laisser l'occasion de me le montrer. Je ne tomberai pas sans me battre. Elle est peut-être costaude, mais moi aussi.

Je me relève péniblement, malgré ma hanche droite douloureuse – je l'ai cognée en tombant. À tâtons, je me dirige vers le plan de travail de la cuisine et je cherche à l'aveuglette le bloc de couteaux. Je suis sûre d'en avoir vu un là-dessus. Je ne l'ai pas imaginé.

S'il te plaît, sois là. S'il te plaît.

Mais mes mains ne rencontrent rien. Je ne sens rien qui ressemble à une arme sur tout le comptoir de la cuisine. Bien sûr, Millie est trop intelligente pour n'y avoir pas pensé. Si j'ai réussi à la duper avant, c'est uniquement parce qu'elle me faisait confiance. Maintenant qu'elle voit clair dans mon jeu, elle a anticipé toutes mes réactions. Elle a déjà tué une personne ce soir, et elle a l'intention de faire de moi sa prochaine victime.

Je cherche la cuisinière. Je suis certaine d'y avoir vu une poêle à frire. Si je pouvais l'attraper et la lui balancer dessus assez fort, j'arriverais peut-être à la projeter à terre. C'est ma seule chance.

Mais je n'ai pas le temps, car j'entends les pas derrière moi, qui se rapprochent. Qui se rapprochent beaucoup trop.

Oh, mon Dieu. Elle est dans la cuisine avec moi.

71

Je tâtonne à l'aveuglette. Millie est juste derrière moi. Probablement à moins de deux mètres. Si seulement il y avait un autre éclair. Je verrais peut-être quelque chose, un atout que je pourrais utiliser contre elle. Mais il fait trop sombre. Je ne vois même pas ce qui est juste en face de moi.

— Wendy, lâche-t-elle.

Je me retourne, recule contre la cuisinière. J'ai l'impression que mon cœur est sur le point d'exploser... L'espace d'un instant, la pièce se met à tourner. Je prends une profonde inspiration en essayant de me calmer. Ça ne m'avancera pas à grand-chose de m'évanouir. Je me réveillerais probablement avec les mains et les pieds liés.

Mes yeux commencent à s'adapter à l'obscurité. Je distingue clairement la silhouette de Millie à l'autre bout de la pièce. C'est alors que quelque chose brille dans sa main droite.

Un couteau. Sans doute celui qu'elle a utilisé pour tuer Russell, il est probablement encore humide de son sang.

Oh, mon Dieu !

— S'il vous plaît, je la supplie. Je peux vous donner tout ce que vous voulez. Je vais être riche à millions.

Millie avance encore d'un pas.

— Je sais que vous avez des difficultés financières, je continue à bafouiller. Je peux vous payer toutes vos études. Votre loyer. Et même une prime. Vous n'aurez plus jamais à vous soucier d'argent.

Je ne vois pas très bien, dans la cuisine sombre, mais la silhouette de Millie secoue la tête.

— Je dirai à la police que je me suis trompée, reprends-je d'une voix qui a pris une tonalité hystérique. Je lui dirai que vous n'étiez pas là du tout. Que je me suis trompée sur toute la ligne.

Je peux bien le lui promettre, étant donné que la police a les bandes vidéo montrant que Millie ne s'est jamais trouvée dans l'appartement en même temps que le vrai Douglas. Mais ça, elle ne le sait pas. Quand je sortirai d'ici, il y a de fortes chances que la police me mette en garde à vue, je l'accepte volontiers. J'irai en prison s'il le faut, mais je ne veux pas mourir.

Millie, cependant, ne semble pas s'émouvoir de ma proposition. Elle fait un autre pas en avant tandis que j'essaie de reculer, sans avoir nulle part où aller.

— S'il vous plaît, je répète. S'il vous plaît, ne faites pas ça.

Un éclair illumine la pièce à ce moment-là... trop tard pour m'aider à trouver une arme sur le comptoir. Je plisse les yeux pour capter ce peu de lumière et, un instant, je discerne clairement le visage de la femme qui s'avance vers moi, un couteau dans la main droite.

Oh, Jésus-Christ !

Ce n'est pas Millie.

72

— Marybeth ? je chuchote.

La secrétaire de mon mari – qui se trouve être aussi la femme de Russell – se tient là, à quelques mètres de moi, les yeux rivés sur moi. Je n'ai jamais eu peur de Marybeth jusqu'à présent. Même lorsque je couchais avec son mari, je n'ai jamais pensé à elle. Cette créature me semblait plutôt gentille et Russell ne m'a pas dit le contraire.

Je l'ai sous-estimée. La gorge tranchée de Russell en est la preuve.

Je suis plus séduisante que Marybeth, objectivement. Elle a environ dix ans de plus que moi, et ça se voit. Ses cheveux blonds sont filasse, elle a des ridules autour des yeux et de la bouche, la peau trop lâche sous le menton. Soudain, la cuisine est replongée dans l'obscurité et elle redevient une silhouette.

— Assieds-toi, m'ordonne Marybeth.

— Je… je n'y vois rien, je bégaie.

Une seconde plus tard, je suis aveuglée par un autre éclair de lumière – elle a allumé la torche de son téléphone portable, qu'elle projette sur la table de la cuisine : un petit carré de bois avec deux chaises pliantes de chaque côté. Je gagne la table d'un pas mal assuré et m'effondre sur l'un des deux sièges juste avant que mes jambes ne me lâchent.

Marybeth s'assied sur l'autre chaise. Maintenant que nous avons la lumière du téléphone, je distingue de nouveau les traits de son visage. Ses lèvres forment une ligne droite et ses yeux bleus, habituellement doux, sont comme des poignards. Elle porte un trench taché du sang de Russell. Elle est absolument terrifiante.

Cependant, je trouve un certain réconfort dans le fait qu'elle ne m'ait pas encore tuée. Pour une raison que j'ignore, elle me veut vivante et ça me donne du temps pour réfléchir à la manière de sortir d'ici.

— Qu'est-ce que vous voulez ? je lui demande.

Elle me regarde en clignant des paupières. Le blanc de ses yeux brille, enchâssé dans des orbites sombres et creuses.

— Depuis combien de temps tu couches avec mon mari ?

J'ouvre la bouche, hésitant à mentir. Mais en la regardant dans les yeux, je comprends qu'il vaut mieux ne pas chercher à biaiser avec cette femme.

— Dix mois.

— Dix mois, crache-t-elle. Juste sous mon nez. Tu sais, on était heureux avant que tu ne débarques. Vingt ans. Il n'était pas parfait, mais il m'aimait. (Sa voix se brise.) Et puis, dès qu'il t'a rencontrée…

— Je suis vraiment désolée. Vous savez, ce n'était pas prévu.

— Mais vous aviez des projets. De grands projets. Il prévoyait de me quitter pour toi…

Ce n'est pas une question, alors je me tais. Russell affirmait effectivement qu'il avait l'intention de quitter Marybeth pour moi, mais à la fin, je n'en étais plus si sûre. Au bout du compte, il n'était pas l'homme que je pensais.

— Il vous aimait beaucoup, je lâche au bout d'un moment, dans l'espoir de l'apaiser.

— Alors pourquoi il couchait avec toi ? s'exclame-t-elle.

— Écoutez, je reprends, en essayant de rester calme même si mon cœur est toujours aussi affolé, il voulait revenir vers vous. Il avait des doutes. Si vous n'aviez pas…

Elle me dévisage. Je ne peux oublier que cette femme vient d'assassiner son mari. Elle ne cherche pas à se remettre avec lui. La seule chose qu'elle a en tête, c'est la vengeance.

Ses yeux sont deux pics à glace qu'elle plante dans les miens.

— Et Doug… Vous l'avez tué, hein ? Russell et toi.

J'ouvre la bouche, prête à nier. Et puis je vois l'expression de ses yeux et je comprends que ce n'était pas une question.

— Oui, j'avoue.

Pendant une fraction de seconde, ses yeux s'adoucissent et se remplissent de larmes.

— Doug Garrick était un homme vraiment bon, le meilleur. Comme un frère pour moi.

— Je sais. Et… je suis désolée.

— Désolée ! éclate-t-elle. Tu ne l'as pas doublé dans la file pour entrer au cinéma. Tu l'as assassiné ! Il est mort à cause de toi !

Je pince les lèvres : je dois éviter de prononcer le moindre mot, car rien de ce que je dirai n'arrangera quoi que ce soit. Marybeth est furieuse contre moi : j'ai couché avec son mari et tué son patron adoré. N'empêche, ça ne veut pas dire que je mérite de mourir ici, de ses mains.

Je dois trouver un moyen de m'en sortir.

Mes yeux tombent sur le couteau dans sa main droite. Elle l'a posé sur ses genoux, encore humide du sang de Russell – il y a du sang absolument partout. Y a-t-il une chance que je puisse lui prendre ce couteau ? Marybeth n'est pas ce que j'appellerais au top de sa forme physique.

— Qu'est-ce que vous voulez de moi ? je lui demande.

Elle plonge la main dans la poche de son trench et en sort une feuille de papier blanc. Puis elle fouille encore, jusqu'à trouver un stylo. Elle fait glisser les deux sur la table de la cuisine jusqu'à moi.

— Je veux que tu écrives une confession, dit-elle.

La bile me monte à la gorge, je la ravale péniblement.

— Quoi ?

Ses yeux étincellent.

— Tu m'as entendue. Je veux que tu écrives tout ce que tu as fait. Comment tu as séduit Russell. Comment vous avez conspiré tous les deux pour tuer ton mari. Je veux des aveux complets.

— OK…

Même si tout en moi s'y refuse, j'ai vu ce qu'elle a fait à Russell. L'idée qu'elle me tranche la gorge comme à lui…

— Vas-y !

D'une main dont je suis incapable de faire cesser les tremblements, je commence à tracer les mots sur le papier blanc, qui est maintenant taché d'empreintes de doigts cramoisies. Faute de savoir exactement ce qu'elle attend de moi, je tâche de faire simple. Ces aveux ne m'inquiètent pas trop, car rien de ce que j'écris sous la menace d'un couteau ne sera valide devant un tribunal.

À qui de droit,

J'ai eu une liaison avec Russell Simonds pendant les dix derniers mois. Ensemble, nous avons tué mon mari, Douglas Garrick.

Je scrute les traits de son visage. Ils ne révèlent rien.

— C'est ça que vous voulez ? je lui demande.

— Oui, mais ce n'est pas fini.

— Que voulez-vous que je dise de plus ?

— Voici ce que tu vas écrire, dit-elle en tapotant le papier avec son ongle démesuré. « Je ne peux plus vivre avec cette culpabilité. »

Je griffonne la phrase, presque illisible tant mes mains tremblent. L'espace d'une seconde, la page se brouille et je ne peux même plus écrire, puis elle redevient nette.

— « Donc, ce soir, elle continue, j'ai décidé de mettre fin à nos deux vies. »

J'arrête d'écrire, le stylo tombe de mes doigts engourdis.

— Marybeth…

— Écris !

Elle lève le couteau, l'approche de mon visage. Je ferme les yeux un instant, la plaie béante dans la gorge de Russell surgit derrière mes paupières closes. Oh, mon Dieu ! Cette femme ne plaisante pas. J'écris la dernière phrase de ma confession.

— Maintenant, signe de ton nom, ordonne Marybeth.

J'obéis. Je ne suis pas en position de refuser.

Elle prend ma confession signée et la relit, tout en gardant un œil sur moi.

— Bien.

Je prends conscience de ce qui va suivre. À la fin de la confession, j'annonce que je vais me suicider. Ce qui signifie que, d'ici la fin de la nuit, elle me tuera. Cette idée me donne le vertige et, malgré la menace du couteau, je cours vers l'évier de la cuisine pour vomir. Elle me laisse faire.

Penchée sur l'évier, je continue d'avoir des haut-le-cœur même après m'être vidé l'estomac. J'ai taché l'évier de rouge avec mon vomi, la faute au pinot noir. La chaise de la cuisine grince derrière moi et, une seconde plus tard, Marybeth se tient à mes côtés devant l'évier.

— S'il vous plaît, ne faites pas ça, je la supplie.

Elle penche la tête.

— Ce n'est pas ce que tu as fait à Doug ? Tu ne penses pas que tu le mérites ?

C'était différent avec Douglas. Il me traitait horriblement mal, je n'avais pas le choix. Et même dans la mort, il continue à me tourmenter avec son testament. Mon Dieu, comment je vais faire pour me débarrasser de ce fichu testament ? Mais je m'inquiéterai de ça quand je me serai tirée d'ici. D'abord, je dois convaincre cette femme de renoncer à son plan.

— Tout le monde commet des erreurs, je tente. Je culpabilise beaucoup pour les crimes que j'ai commis. Et maintenant, je dois vivre avec.

— Ce n'est pas suffisant, commente-t-elle.

Ma poitrine est contractée, comme prise dans l'étau d'un corset.

— Ce n'est pas suffisant de m'envoyer en prison pour le reste de ma vie ?

— Non. Tu mérites pire. Tu es une personne absolument méprisable. Et tu mérites de mourir d'une manière horrible et douloureuse.

Le corset se serre encore.

— Alors que va-t-il se passer, à votre avis ? La police va croire que je me suis poignardée à mort ? Les gens ne font pas ça, il me semble. Ils sauront que quelqu'un s'en est chargé.

Marybeth reste silencieuse un moment.

— Tu as raison, dit-elle enfin, pensive. Ils comprendraient que ce n'est pas un suicide si tu as été poignardée.

Oh, merci mon Dieu ! J'ai enfin réussi à faire entendre raison à cette femme.

— Exactement.

— C'est pourquoi tu ne vas pas mourir de cette façon.

Une nouvelle vague de vertige me renverse presque.

— Quoi ? De quoi vous parlez ?

Est-ce qu'elle a une autre arme ici ? Un pistolet ? Un nunchaku ? Qu'est-ce que cette femme va me faire ?

— Tu as déjà entendu parler d'un médicament appelé digoxine ? demande-t-elle.

La digoxine ? Pourquoi ça me rappelle quelque chose ?

Soudain, ça me revient. Douglas prenait ce médicament. Pour son cœur. Et Marybeth a un double des clés de la maison de Long Island où il garde ses cachets.

— La digoxine est extrêmement toxique, poursuit-elle. D'abord, des nausées, des vertiges, des crampes abdominales terribles, la vision qui devient floue. C'est très angoissant. Mais elle provoque une arythmie mortelle du cœur.

— Alors, dis-je lentement, vous voulez que j'avale un flacon de digoxine ?

Si elle me demande de gober des pilules, je trouverai un moyen de la rouler. Je les mettrai sous ma langue et je les recracherai quand elle aura le dos tourné. Elle ne peut pas me forcer à avaler.

Mais ses lèvres se retroussent alors sur un sourire.

— C'est déjà fait, Wendy.

Oh, mon Dieu, le vin !

J'ai un nouveau haut-le-cœur au-dessus de l'évier, dont rien ne sort. Au même instant, mon ventre se tord sur une crampe atroce. Malgré mes vertiges de plus en plus forts, j'ai réussi à rester debout jusqu'à présent, mais je m'écroule maintenant sur le plancher, les mains cramponnées à mon estomac.

Marybeth s'accroupit à côté de moi.

— Je ne sais pas précisément combien de temps ça va prendre. Une heure ? Deux heures ?

Il n'y a pas d'urgence. Personne ne viendra nous chercher ici.

Je lève les yeux vers elle. Son visage est flou, puis net de nouveau.

— S'il vous plaît, emmenez-moi à l'hôpital.

— Je ne pense pas, non.

— S'il vous plaît, je halète. Ayez pitié…

— Comme tu as eu pitié de Doug ?

Je tends la main, mes doigts effleurent à peine la jambe de son jean. J'essaie de m'accrocher à elle, mais ma main paraît refuser d'obéir à mes ordres.

— Je ferai tout ce que vous voulez. Je vous donnerai tout ce que vous voudrez. Je vous le promets.

— Et moi, je te promets que ta mort sera lente et douloureuse, réplique Marybeth. Et contrairement à toi, je tiens toujours mes promesses.

73

Millie

Il est temps d'affronter la tempête.

J'ai dormi dans la voiture d'Enzo la nuit dernière. Je savais que la police avait un mandat d'arrêt contre moi, et bon, je n'étais pas prête à être enfermée de nouveau. Donc je me suis cachée, garée dans une allée sombre, et j'ai dormi sur la banquette arrière. Il fut un temps où je vivais dans ma voiture, alors ça m'a donné un sérieux sentiment de déjà-vu.

Ça m'a aussi fait prendre conscience que je ne pouvais pas dormir éternellement sur la banquette arrière de la voiture d'Enzo. Je dois me rendre et espérer que la vérité éclate.

Lorsque je m'arrête devant mon immeuble, je m'attends à y trouver la moitié des forces de police de la ville, embusquées là dans l'espoir de me voir ressurgir. Mais non, il n'y a qu'une voiture de patrouille. N'empêche, je sais qu'elle est là pour moi.

Effectivement, sitôt que je sors de la Mazda d'Enzo, un jeune officier de police en bondit.

— Wilhelmina Calloway ? me lance-t-il.

— Oui.

« Wilhelmina Calloway, vous êtes en état d'arrestation. » Je me prépare à l'entendre prononcer ces mots, au lieu de quoi :

— Vous voulez bien m'accompagner au poste de police ?

— Je suis en état d'arrestation ?

Il secoue la tête.

— Pas que je sache. L'inspecteur Ramirez aimerait beaucoup vous parler, mais vous n'êtes pas obligée de me suivre.

Bon, ben d'accord. C'est un bon début.

Je monte à l'arrière de la voiture de police. J'avais éteint mon téléphone pendant la nuit, je l'allume maintenant. J'ai quelques appels manqués de la police de New York, et vingt d'Enzo. Il doit se douter que j'ai pris sa voiture. Je n'écoute pas les messages vocaux, en revanche je fais défiler la longue série de SMS qu'il m'a envoyés.

Où tu es ?

Tu as ma voiture ?

Tu as pris ma voiture !

S'il te plaît, reviens. On va parler.

Ne va pas au chalet !

Où es-tu ? Très inquiet.

S'il te plaît, reviens. Ne va pas au chalet.
Je t'aime.

Je vais tout arranger. Reviens.

Et ça continue comme ça.

Des SMS toute la nuit. Il est resté debout à s'inquiéter pour moi. Je lui dois une explication, ou au moins de le rassurer. Alors je lui envoie un message :

Ça va. À l'arrière d'une voiture de police en ce moment. Pas en état d'arrestation. Ta voiture est devant chez moi.

La réponse d'Enzo est presque instantanée, à croire qu'il avait les yeux rivés sur son téléphone, dans l'attente d'un texto de ma part :

Où tu étais ???

Je réponds :

J'ai dormi dans la voiture. Tout va bien.

Des points de suspension apparaissent à l'écran pendant qu'il tape. Je m'attends à ce qu'il dise quelque chose du genre qu'il m'aime ou qu'il était inquiet, ou peut-être qu'il me gronde pour lui avoir volé sa voiture. À la place, je reçois quelque chose d'extrêmement inattendu :

Wendy Garrick est morte. Je l'ai vu aux infos.

Quoi ? Comment ?

Elle s'est suicidée.

74

Je trouve la salle d'interrogatoire moins impressionnante, cette fois.

Pendant que j'étais dans la voiture de patrouille, j'ai glané toutes les informations que j'ai pu sur le suicide de Wendy Garrick. Apparemment, elle a tranché la gorge de son petit ami, puis avalé un tas de cachets. Elle a même laissé une lettre de suicide.

Voilà qui ajoute une toute nouvelle dimension à ce qui est arrivé à Douglas Garrick.

Je suis dans la pièce depuis environ une demi-heure quand l'inspecteur Ramirez entre enfin. Il a toujours son air sérieux, mais là encore, il ne me semble plus aussi menaçant. Il a juste l'air… perplexe.

— Bonjour, mademoiselle Calloway, dit-il en se glissant sur le siège en face de moi.

— Bonjour, inspecteur.

Ses sourcils se sont froncés.

— Vous avez entendu ce qui est arrivé à Wendy Garrick ?

— En effet. C'était aux infos.

— Vous devez savoir, ajoute-t-il, que dans la lettre qu'elle a laissée, elle a aussi avoué le meurtre de M. Garrick.

Je m'autorise un tout petit, tout petit sourire.

— Donc je ne suis plus suspectée ?

— En fait… (Il se cale contre le dossier de sa chaise en plastique, qui grince sous son poids.) Vous n'étiez déjà plus sur la liste des suspects. Il s'avère qu'il y avait une caméra à l'entrée arrière de l'immeuble, dont personne ne connaissait l'existence. Nous avons passé tous les enregistrements en revue, et il semble que vous ne vous soyez jamais trouvée dans l'immeuble au même moment que M. Garrick.

— C'est vrai. Wendy m'a piégée.

Il y avait donc une caméra. Toute la panique et le stress des deux derniers jours… et pendant ce temps, la preuve de mon innocence était juste là.

Il acquiesce.

— Ça y ressemble, en effet. Donc je souhaitais m'excuser. Vous comprenez, j'imagine, comment nous avons pu penser que vous étiez responsable du meurtre.

— Bien sûr. J'ai un casier judiciaire, donc si un crime est commis, c'est forcément moi la coupable.

Ramirez a la bonne grâce de paraître penaud.

— J'ai tiré des conclusions hâtives, j'en conviens, mais admettez que tout vous pointait. Et puis, Wendy Garrick a tellement insisté sur votre culpabilité…

Il a raison. Elle a bien joué en me piégeant. Mais si elle avait été un peu plus maligne, elle n'aurait même pas eu à me piéger du tout.

Au final, Wendy Garrick s'est rendu les choses beaucoup plus compliquées qu'elle n'aurait dû. Elle aurait pu énormément apprendre de moi.

Cela dit, cette expérience m'a rendue amère. J'ai aidé beaucoup de femmes au fil des ans, et même si tout ne se passait pas toujours comme prévu, chaque fois, j'en ai tiré le sentiment de mener le bon combat. Quand les femmes m'appelaient à l'aide, je n'ai jamais hésité à faire le nécessaire.

Maintenant, je commence à me poser des questions. Wendy semblait légitime dans son rôle de victime. Après cette expérience, il va m'être difficile de croire sur parole la prochaine personne qui viendra me demander du secours. Et c'est l'une des choses pour lesquelles je lui en veux le plus.

— Donc je ne suis plus soupçonnée de rien ? je demande à Ramirez.

— C'est exact. En ce qui me concerne, l'affaire est close.

Douglas est mort. Ils savent que Wendy est coupable. Et elle est morte aussi. Pas besoin d'enquête, ni d'autres arrestations, ni de procès. Je suis libre.

— Dans ce cas, je ne comprends pas : qu'est-ce que je fais ici ?

Ramirez m'adresse un sourire contrit.

— Eh bien… il s'avère que vous avez acquis une certaine réputation.

Mon ventre se vrille légèrement… La formulation est pour le moins inquiétante.

— Une « réputation » ? De quoi ?

— D'héroïne.

— Euh… excusez-moi ?

— Je comprends que vous pensiez aider Mme Garrick, dit-il, car vous avez déjà aidé d'autres femmes auparavant. Et vos efforts sont appréciés, sachez-le. On en voit, des sales affaires, ici, et parfois on vient au secours des victimes trop tard.

Son commentaire fait mouche. J'ai fait tout mon possible pour qu'il ne soit jamais « trop tard ». Et peu importe où l'avenir me mènera – comme femme de ménage ou comme assistante sociale –, je vais continuer.

— Je… je fais du mieux que je peux avec les ressources dont je dispose.

Il me sourit.

— J'entends bien. Et je voulais vous assurer que vous pouvez me considérer comme une ressource supplémentaire. Je vais vous donner ma carte. Si jamais vous constatez une situation où une femme est en danger, appelez-moi tout de suite – j'ai écrit mon numéro de portable au dos. Cette fois, je vous promets que je vous croirai.

Il fait glisser sa carte sur la table. Je la prends et je lis son nom. Benito Ramirez. Enfin un ami dans la police. J'ai du mal à y croire.

— Juste pour que nous soyons au clair, vous n'êtes pas en train de me draguer, hein ?

Il rejette la tête en arrière et éclate de rire.

— Non, je suis trop vieux pour vous. Et puis, j'ai cru deviner que vous étiez avec cet Italien qui est venu au commissariat hier en faisant tout un pataquès, comme quoi on accusait la mauvaise personne et qu'il ne partirait pas avant qu'on n'ait écouté ce qu'il avait à dire. J'ai bien cru qu'on allait devoir l'arrêter.

Je souris.

— Ah bon ?

— Oh oui. En fait, il est encore là. Il refuse de quitter la salle d'attente tant qu'il ne vous aura pas vue.

Je n'arrive toujours pas à effacer le sourire de mon visage (et pourtant, j'essaie, croyez-moi).

— Bon, ben… Je vais y aller, du coup.

Quand je me lève, Ramirez se lève aussi. Il me tend la main, je la serre. Puis je vais rejoindre Enzo, pour rentrer enfin chez moi.

Épilogue

Millie

Trois mois plus tard

Je ne comprends pas comment Enzo peut avoir emmagasiné autant de trucs dans son petit studio.

Il entre dans mon appartement, chargé du dix millionième carton, j'ai l'impression, rempli de ses affaires, et l'empile sur un autre carton. D'accord, ce n'est pas une torture de regarder Enzo porter des cartons, les muscles de ses bras bandés sous son tee-shirt, mais pour l'amour de Dieu, qu'est-ce qu'il a fourré dedans ? De ce que j'ai vu, le gars tourne avec sept ou huit tee-shirts et deux jeans. Qu'est-ce qu'il peut bien avoir d'autre ?

— C'est tout ? je lui demande.

Il essuie la sueur de son front.

— Non. Il en reste encore deux.

— Encore deux !

Je commence presque à regretter. Enfin, non, pas vraiment. Après avoir rompu avec Brock, j'ai repris avec Enzo là où on s'était arrêtés avant qu'il ne parte en Italie. Sauf que cette fois, on savait tous les deux qu'on ne pouvait pas vivre l'un sans l'autre. Donc, quand il a fini par remarquer qu'il jetait l'argent du loyer par la fenêtre tous les mois, vu qu'il passait ses nuits à mon appartement, j'ai rapidement suggéré qu'il emménage avec moi.

C'est drôle. Quand c'est le bon, on sait que c'est le bon.

— Deux petits cartons, précise Enzo. Rien du tout.

— Hmm.

Je ne le crois pas. Sa définition de « petit carton » englobe tout ce qui pèse moins que moi.

Il m'adresse un large sourire.

— Désolé, je suis pénible.

Il n'est pas du tout pénible. En fait, il est la seule raison pour laquelle on m'a permis de rester dans cet appartement. Avant qu'Enzo n'aille lui toucher deux mots, Mme Randall était prête à me mettre à la porte, alors même que j'étais complètement disculpée. Et là, tout à coup, la voilà d'accord pour que je reste. Quel charmeur, décidément.

Enzo traverse la pièce et vient m'enlacer. Et je me fiche qu'il soit un peu en sueur à force de transporter des cartons entre nos appartements. Je le laisse quand même m'embrasser. Toujours.

— OK, dit-il quand il s'éloigne enfin. Je vais chercher les autres boîtes.

Je gémis. Tous les deux, il va falloir qu'on les passe au crible, ces cartons, et qu'on se débarrasse de beaucoup de choses. Et de mon côté, j'ai prévu de vider quelques tiroirs aujourd'hui.

Quelques minutes après le départ d'Enzo, l'interphone de la porte d'en bas retentit. Il a parlé de prendre des pizzas pour le dîner, mais je ne pense pas qu'il ait déjà passé la commande. Donc il ne reste qu'un visiteur possible.

J'appuie sur le bouton qui ouvre la porte.

Une minute plus tard, on tambourine à ma porte. J'attrape le carton qui était posé sur mon lit et le déplace dans le salon. Je le tiens en équilibre avec un bras pendant que je déverrouille de l'autre main.

Brock est planté devant ma porte. Comme toujours, il est vêtu d'un de ses costumes coûteux, ses cheveux sont parfaitement coiffés, ses dents d'un blanc éclatant. C'est la première fois que je le vois depuis trois mois, et j'ai l'impression d'avoir oublié entre-temps sa beauté parfaite. Je suis sûre qu'il fera un merveilleux mari un jour. Mais pas pour moi.

— Salut, il dit. Tu as mes affaires ?

— Tout est là.

Et je lui passe le carton. En essayant de faire de la place pour Enzo, j'ai remarqué que j'avais encore un tiroir rempli des vêtements de Brock et des affaires qu'il avait laissées derrière lui. J'ai envisagé de tout jeter, puis je me suis souvenue de son coup de fil pour m'avertir que la police avait un mandat d'arrêt contre moi. J'ai donc décidé de l'appeler et de lui demander s'il voulait récupérer ses affaires. Il m'a promis de passer le lendemain.

— Merci, Millie.

— Pas de problème.

Il hésite devant la porte.

— Tu as l'air en forme.

Oh, bon Dieu, on va jouer à ce jeu-là ?

— Merci. Toi aussi, je réponds. (Et puis, parce que je ne peux pas m'en empêcher, j'ajoute :) Est-ce que tu vois quelqu'un ?

Il secoue la tête.

— Personne en particulier.

Il ne me renvoie pas la question, ce dont je lui suis reconnaissante. Après toutes les fois où j'ai refusé quand il m'a proposé de vivre avec lui, il serait blessant pour lui que je lui apprenne mon emménagement avec Enzo. Et malgré la façon dont les choses se sont terminées avec Brock, quand il m'a laissée en plan au poste de police, je sais qu'il m'aimait. Beaucoup plus que je ne l'aimais.

— Bon… (Il change le carton de bras.) Bonne chance pour… tout.

— À toi aussi. À bientôt, sans doute.

Je ne sais pas pourquoi j'ai ajouté cette dernière partie. Je ne le reverrai probablement jamais.

Je suis sur le point de fermer la porte quand Brock tend la main pour la retenir.

— Au fait…. Millie ?

— Oui ?

Il secoue le carton, regarde son contenu, puis relève les yeux vers moi.

— Mon autre flacon de pilules est là-dedans ?

J'enfonce mes ongles dans ma paume.

— Quoi ?

— Mon flacon de digoxine de secours, clarifie-t-il. Celui que je gardais dans ton armoire à pharmacie en cas de pépin pour les nuits que je passais chez toi. Tu l'as toujours ? Je le prends quand je pars en voyage.

Je plante mes ongles plus profondément dans ma peau.

— Euh... non, je... je ne l'ai pas vu dans l'armoire à pharmacie. J'ai dû le jeter. Désolée.

Il agite la main.

— Pas de souci. Je suis content que tu n'aies pas jeté mon sweat-shirt de Yale.

Pour la deuxième fois, Brock agite la main et, au lieu de fermer la porte, je le regarde descendre l'escalier en retenant mon souffle tout du long. Je ne le relâche qu'en le voyant disparaître de ma vue.

Je ne pensais pas qu'il se souviendrait du flacon de pilules qu'il avait laissé dans l'armoire à pharmacie. Moi, en tout cas, je m'en suis souvenue. Quand je l'ai trouvé, la première fois, à l'époque où on sortait ensemble, j'ai fait une recherche sur le médicament, juste pour en savoir plus sur mon petit ami. J'ai ainsi découvert que la digoxine, à fortes doses, pouvait provoquer une arythmie fatale, information que j'ai stockée dans un coin de ma tête à l'époque.

La digoxine, malgré ses dangers, est un médicament pour le cœur couramment utilisé. Si couramment que même Douglas Garrick en prenait pour son problème de fibrillation auriculaire. Sauf que les cachets avec lesquels Wendy Garrick a fait une overdose ne provenaient pas de la pharmacie de Douglas, comme la police l'a supposé.

Après avoir pris les clés de la voiture d'Enzo et appris qu'il y avait probablement un mandat d'arrêt contre moi, je ne suis pas allée au chalet – tout compte fait, j'ai tenu ma promesse faite à Enzo. Non, à la place, j'ai roulé jusqu'à

Manhattan. Je suis allée frapper chez la femme de Russell Simonds, Marybeth, qui se trouvait être une employée du vrai Douglas Garrick, et je me suis présentée.

Marybeth s'est avérée une femme charmante, que la mort de son patron avait bouleversée, et je me suis sentie mal de devoir lui révéler ce que je savais sur son mari. Mais notre longue conversation l'a rassérénée. Et après s'être rappelé la police d'assurance bien dodue souscrite par Russell quelques années plus tôt, Marybeth a décidé d'entreprendre un petit voyage thérapeutique jusqu'au chalet dans les bois.

Quant à moi, j'ai continué mon chemin, délestée d'un flacon de digoxine.

L'ironie de la chose, c'est que si Wendy avait donné à son mari une dose un peu augmentée de ses propres médicaments, ça l'aurait probablement tué et il aurait été difficile de prouver que cette mort n'était pas accidentelle. Elle aurait pu s'épargner beaucoup d'ennuis.

Au lieu de quoi, elle a commis une erreur de jugement incroyable. Elle a sous-estimé une personne extrêmement dangereuse.

Moi.

Et elle en a payé le prix ultime.

La lettre de Freida

Chers lecteurs,

Je vous remercie très chaleureusement d'avoir choisi de lire *Les secrets de la femme de ménage*. Si vous avez apprécié ce livre et que vous voulez être tenus au courant de mes dernières parutions chez Bookouture, inscrivez-vous via le lien ci-dessous. Votre adresse mail ne sera jamais partagée et vous pourrez vous désinscrire à tout moment.

www.bookouture.com/freida-mcfadden

J'espère que vous avez aimé *Les secrets de la femme de ménage*. Dans ce cas, je vous serais très reconnaissante d'en écrire une critique. J'adorerais savoir ce que vous en avez pensé et chaque petit mot compte beaucoup pour permettre à de nouveaux lecteurs de découvrir un de mes livres.

Et puis, j'adore avoir des nouvelles de mes lecteurs ! Vous pouvez me contacter via mon groupe Facebook, Freida McFans.

Consultez mon site web à l'adresse suivante : www.freidamcfadden.com

Vous pouvez également me suivre sur BookBub !

Merci !

Freida

Restez en contact avec Freida

facebook.com/freidamcfaddenauthor
twitter.com/Freida_McFadden
instagram.com/fizzziatrist
goodreads.com/7244758.Freida_McFadden
bookbub.com/authors/freida-mcfadden

Remerciements

Je tiens à remercier Bookouture pour avoir contribué à faire de la première *Femme de ménage* un succès aussi spectaculaire et de me soutenir dans ce deuxième opus. Merci à mon éditrice, Ellen Gleeson, pour sa vision incroyable de mes livres et son enthousiasme sans limite ! Merci à ma mère pour ses premiers retours, ainsi qu'à Kate. Et, comme toujours, merci à mes lecteurs qui m'apportent un soutien incroyable – c'est grâce à vous que ça en vaut la peine !

14208

Composition
NORD COMPO

Achevé d'imprimer à Ligugé
par AUBIN IMPRIMEUR
le 7 avril 2025

Dépôt légal : septembre 2024
EAN 9782290391198
OTP L21EPNN000582-664398-R18

ÉDITIONS J'AI LU
82, rue Saint-Lazare, 75009 Paris

Diffusion France et étranger : Flammarion